ENCHANT ME- PLACEHOLDER FILE

J. KENNER

PLACEHOLDER FILE

THIS IS A PLACEHOLDER FILE. IF YOU HAVE
RECEIVED THIS BOOK, THERE HAS BEEN AN ERROR.

PLEASE CONTACT THE PUBLISHER AT

martiniolivebooks@gmail.com

Thank you

CHAPTER 1

*L*orem ipsum dolor sit amet, consectetur adipiscing elit. Vivamus bibendum mi vitae lacus accumsan dignissim. Phasellus condimentum, sapien ut feugiat ullamcorper, neque dui convallis orci, a pulvinar ante dolor a felis. Nunc varius sapien sit amet porttitor rutrum. Vivamus eget semper nibh. Vivamus euismod neque a convallis vehicula. In sagittis porta elit, in dictum massa scelerisque a. Maecenas sit amet pharetra est, in rhoncus ex. Morbi placerat nulla at nisi lobortis sagittis. Suspendisse ligula lorem, pulvinar et tellus ut, iaculis pellentesque orci. Integer tincidunt, elit cursus dignissim tempus, ex diam auctor magna, vitae fringilla massa sapien quis est. Sed sit amet laoreet elit, id hendrerit turpis. Suspendisse suscipit fringilla placerat. Nunc diam erat, posuere sit amet leo id, porta pharetra orci.

Donec bibendum gravida massa id venenatis. In tincidunt lacinia elit bibendum luctus. Duis finibus enim ut enim ultricies, commodo efficitur diam venenatis. Vestibulum pellentesque justo eget purus hendrerit, ac lobortis augue consectetur. Etiam vitae consectetur velit, eget rutrum ipsum. Ut eget ante eu dolor ultricies pulvinar. Etiam

volutpat commodo justo eget dignissim. Donec ac lectus scelerisque, gravida est a, tincidunt sem. Integer volutpat orci quis mi pharetra porta. Etiam at fermentum nisl. Praesent et magna nunc. Mauris justo turpis, bibendum at lectus vitae, ultrices dictum nisi.

Quisque nunc massa, congue sed iaculis a, blandit ac enim. Suspendisse tristique tellus at sollicitudin venenatis. Vivamus vitae ornare tellus. Vestibulum mollis molestie tortor, et aliquam nisi iaculis luctus. Vivamus risus nisl, mattis vel tincidunt ac, posuere tempus tellus. Quisque in turpis neque. Ut iaculis eleifend urna, nec consequat elit egestas vitae. Nunc a massa fringilla, convallis velit at, molestie justo. Donec blandit iaculis tellus. Nam scelerisque vehicula pulvinar. Donec condimentum neque ut quam bibendum placerat.

Nullam viverra sem imperdiet eros pulvinar molestie. Morbi est lectus, vestibulum sed quam eu, scelerisque ultricies augue. Curabitur nisl libero, porttitor ut ipsum sit amet, gravida dignissim lorem. Aliquam vel molestie diam. Aliquam urna ligula, maximus eget purus nec, porttitor malesuada magna. Aenean orci nisi, sagittis sit amet odio et, euismod interdum ligula. Etiam venenatis risus sit amet consequat vehicula. Sed et aliquet ante. Mauris convallis eget ligula id hendrerit. Pellentesque vitae fringilla nibh. Integer interdum, libero non rhoncus consequat, arcu nisi commodo diam, eget facilisis erat sapien et justo. Morbi efficitur sapien nisl, sit amet fringilla neque pretium vel. Ut ex nisl, mattis a tempor a, aliquet eu leo.

Sed fermentum malesuada purus lacinia sollicitudin. Aliquam luctus pharetra molestie. Nunc luctus vehicula justo, quis finibus nunc feugiat vitae. Orci varius natoque penatibus et magnis dis parturient montes, nascetur ridiculus mus. Curabitur et enim vitae neque ornare condimentum. Nullam semper venenatis mauris, ut malesuada justo eleifend non. Duis eleifend pharetra erat, nec pretium nisl placerat sit

amet. Fusce malesuada vestibulum ligula eget iaculis. Mauris maximus porta nisi eget sollicitudin. Donec ultrices tincidunt risus, cursus volutpat quam tincidunt sit amet. Etiam commodo diam id urna imperdiet, vitae luctus dolor condimentum. Proin commodo justo vel orci tempus mollis. Morbi gravida mauris id lorem venenatis, ut tincidunt diam feugiat. Vivamus pretium faucibus urna id laoreet. Etiam et egestas arcu.

Aliquam in enim eu elit dapibus aliquam. Praesent in elit id nibh vulputate interdum. Class aptent taciti sociosqu ad litora torquent per conubia nostra, per inceptos himenaeos. Aliquam id euismod quam. Mauris tellus ligula, congue a quam vitae, scelerisque consequat sapien. Lorem ipsum dolor sit amet, consectetur adipiscing elit. Fusce sed quam rutrum, commodo tellus eu, aliquet justo.

Etiam mattis tristique libero, a aliquam sapien. Maecenas tortor urna, ultrices id elit sed, feugiat volutpat quam. Sed auctor, ligula at ornare maximus, quam mi malesuada urna, a aliquet enim nisl at erat. Ut scelerisque lacus id ipsum mollis, eu sollicitudin libero vehicula. Curabitur condimentum tortor quis sapien scelerisque ornare. Sed porta metus vel eros consectetur mollis. Cras imperdiet, ipsum quis sollici-tudin venenatis, ligula urna molestie tellus, ullamcorper suscipit nibh quam vitae arcu. Etiam at ligula eget mauris blandit lobortis hendrerit at nunc. Quisque vestibulum eleifend porta. Ut at semper nunc. Quisque non accumsan ante. Sed quis placerat sem, ac pharetra erat. Integer posuere orci nisl, quis auctor nisi volutpat non. Donec vulputate, purus ac suscipit congue, lorem neque fringilla justo, id congue leo risus id lacus.

In hac habitasse platea dictumst. Nullam a nisl at urna rutrum blandit in nec ligula. Vestibulum quis massa ut dolor ultrices pulvinar a sit amet dui. Vivamus volutpat dolor a sodales efficitur. Cras laoreet placerat tincidunt. Donec vulputate turpis a ipsum ultrices sollicitudin. Cras sed turpis

et sapien tristique luctus. Nullam in fermentum nisi, eu consequat justo. Morbi enim purus, imperdiet sit amet ipsum in, cursus eleifend mi. Donec porta lectus mi, pellentesque luctus urna pretium sed. Sed aliquam erat nec rhoncus lacinia. Vestibulum viverra pretium sapien nec ultrices. Maecenas finibus luctus erat, in accumsan purus gravida ut. Curabitur venenatis est fringilla rutrum sollicitudin. Nulla efficitur eleifend sem, non egestas elit sodales quis. Fusce ornare sem dolor, eu rutrum magna pretium ac.

Vivamus posuere massa et posuere semper. Pellentesque turpis tortor, bibendum nec porta tristique, venenatis quis ligula. Maecenas bibendum porta turpis, consectetur fringilla sem varius at. Suspendisse potenti. Morbi odio diam, fermentum ac libero sed, porta scelerisque arcu. Sed porttitor sapien turpis, eget pharetra magna scelerisque ut. Phasellus ornare leo in turpis viverra interdum.

Nulla id venenatis enim. Donec placerat dignissim sapien, in rutrum libero iaculis vel. Cras et placerat metus, ut pulvinar leo. Etiam ut cursus ante, nec pellentesque libero. Curabitur vitae lacinia diam. Nunc malesuada tortor sapien, sed aliquet est facilisis sit amet. Nunc scelerisque malesuada accumsan. Nunc nec maximus nisi. Mauris vitae vulputate neque. Mauris ac urna leo. Vestibulum placerat pulvinar sem sed dapibus. Sed nulla augue, elementum eget convallis id, egestas cursus leo. Pellentesque mi lacus, accumsan id mauris nec, malesuada lacinia sapien. Donec tincidunt odio sit amet ligula venenatis, vitae euismod erat rhoncus. Maecenas semper et ligula id ultricies. Nulla fringilla libero felis, sit amet cursus orci accumsan quis.

Sed non purus odio. Duis aliquet justo ligula, placerat maximus odio iaculis vitae. Integer dignissim at ligula vitae porttitor. Sed blandit mauris sed faucibus malesuada. Donec a porta quam. Cras ut tempus mi, auctor maximus neque. Proin at metus mauris. Maecenas fermentum ultrices porttitor. Aliquam eget augue a diam mollis consequat ultrices

condimentum nulla. Vivamus vel felis ullamcorper, tincidunt quam ut, malesuada ligula. Nulla vel lectus lacus. Etiam ut dictum dolor. Duis tempus maximus volutpat. Fusce maximus tincidunt dui, vitae rutrum elit imperdiet et. Sed eget urna mi. Aenean nec metus nisi.

Cras pellentesque justo enim, ac pulvinar nulla ultrices vitae. Vestibulum suscipit consectetur tempor. Pellentesque sed congue libero, in semper sapien. Interdum et malesuada fames ac ante ipsum primis in faucibus. Maecenas vehicula sit amet diam eu congue. Cras pretium, sapien sed posuere laoreet, tortor tortor mollis risus, quis dictum quam risus in metus. Quisque a ligula nisl. Morbi consectetur nisi id libero luctus dictum. Cras at arcu risus. Praesent venenatis dapibus dictum. Praesent molestie quis sem sit amet tincidunt. Vivamus suscipit mauris sed scelerisque pharetra. Aliquam feugiat urna fringilla nunc ornare, sed laoreet quam vehicula. Nullam ac justo sit amet augue consectetur facilisis. Nunc imperdiet dolor dolor.

Sed vitae lacus lacus. Mauris in enim posuere felis sollicitudin maximus. Sed et ante ac quam tincidunt efficitur. Fusce nisl sem, auctor eget nisl accumsan, tincidunt gravida nulla. Integer scelerisque in eros fermentum semper. Donec sollicitudin a sem eget volutpat. Suspendisse justo neque, aliquam bibendum velit at, malesuada egestas sem. Nulla ac est convallis urna tincidunt pulvinar fermentum non libero. Proin vestibulum, lorem vel euismod vulputate, lacus nisl varius tellus, ut ultrices dolor orci eu turpis. Duis efficitur ut tellus sit amet luctus. Aliquam erat volutpat. Nulla consequat viverra mauris sit amet consectetur. Phasellus laoreet tempus mauris sed varius.

Aliquam a sem dui. Suspendisse potenti. Morbi nec enim non diam vehicula fermentum. Sed porttitor elit non ante molestie, eu aliquet nulla pharetra. Phasellus eros magna, dapibus nec quam id, egestas mattis quam. Vestibulum sed mi ac justo elementum efficitur quis quis enim. Vestibulum

leo leo, condimentum vitae dolor eget, dignissim placerat eros. Maecenas elementum porttitor sollicitudin. Proin convallis posuere scelerisque. Vestibulum lacinia vulputate porta. Pellentesque habitant morbi tristique senectus et netus et malesuada fames ac turpis egestas.

Fusce aliquet metus massa, at elementum justo elementum id. Mauris aliquam justo sed elit dignissim, nec egestas augue condimentum. Proin consequat arcu ut ligula sollicitudin, at elementum est rutrum. Aliquam tristique, odio at vehicula volutpat, nunc sem porttitor lectus, ut fringilla dolor eros in eros. Morbi quis bibendum felis, in porta ligula. Aenean dignissim feugiat purus vitae sagittis. Duis finibus massa felis, at finibus odio sollicitudin eu. Morbi at finibus ligula.

Morbi ante purus, laoreet dignissim enim in, ullamcorper iaculis purus. Nunc malesuada nisl justo. Sed consequat enim id pulvinar convallis. Fusce blandit, sem varius cursus commodo, nisi purus imperdiet odio, eget mollis orci ante a magna. Praesent molestie nunc vel quam mollis porttitor. Integer mi est, pellentesque ut orci eget, ultricies porttitor velit. Integer feugiat, est vel ullamcorper sodales, libero felis sodales ante, nec tincidunt lectus nibh vitae sapien.

Sed arcu tortor, ultrices vitae tortor vel, ornare fermentum mi. Sed finibus nulla quis blandit egestas. Phasellus eu nulla mauris. Pellentesque ultricies libero metus, eu finibus justo mollis quis. Aliquam pharetra lacus ut facilisis vestibulum. Nunc imperdiet a tellus vitae rhoncus. Nulla non ornare felis, eu consectetur risus. Pellentesque a congue ante. In hac habitasse platea dictumst. Phasellus in pellentesque ex. Praesent iaculis orci id velit suscipit, ac laoreet augue venenatis. Proin felis turpis, molestie vitae commodo quis, suscipit nec nunc. Vestibulum in magna orci. Sed at consequat erat, quis lacinia ex.

Suspendisse faucibus, lorem vitae fermentum fermentum, odio purus efficitur enim, eu sollicitudin sapien lectus nec

erat. Vestibulum ante ipsum primis in faucibus orci luctus et ultrices posuere cubilia curae; Lorem ipsum dolor sit amet, consectetur adipiscing elit. Integer aliquam tempor ipsum, in rutrum enim consectetur in. Fusce vel imperdiet purus. Suspendisse quis euismod eros. Ut et ex pellentesque diam posuere faucibus iaculis dignissim orci. Nunc sed nibh mi. Nunc vitae dignissim quam. Morbi dictum est a magna cursus, nec rhoncus sem pellentesque.

Sed dignissim cursus ex. Donec lacinia nisi in neque semper ullamcorper. Praesent non nibh at ante eleifend ultrices non vel magna. Donec congue viverra dolor sed consequat. Donec fermentum nunc ut congue malesuada. In nec nisi felis. Etiam lectus dolor, tincidunt a pharetra eget, placerat vulputate mauris.

Nulla sodales, arcu ullamcorper placerat dignissim, dolor turpis congue nisl, quis fringilla ex massa lacinia enim. In vulputate aliquam augue. Mauris eget imperdiet lectus. Pellentesque habitant morbi tristique senectus et netus et malesuada fames ac turpis egestas. Quisque at augue purus. Donec sit amet tincidunt augue. Nunc ac metus nec urna maximus accumsan.

Quisque bibendum nisl tincidunt nulla tincidunt tempor. Nulla viverra laoreet ex id imperdiet. Proin feugiat, magna interdum dapibus mattis, libero dui fermentum felis, eget luctus ante risus in justo. Aliquam luctus imperdiet nisl, vel porta erat egestas quis. Nulla ullamcorper auctor neque a ullamcorper. Nam aliquet justo a dui aliquam, eu mattis sapien pulvinar. Vivamus neque felis, pellentesque sed lorem non, elementum faucibus eros.

Nunc nulla tellus, sollicitudin sed turpis sit amet, rhoncus feugiat dui. Vivamus id feugiat mauris. Cras consectetur dapibus risus sed suscipit. Aenean porttitor, lorem quis gravida sollicitudin, velit libero elementum erat, quis port-titor tortor neque id dui. Vestibulum sed tempus quam. Maecenas laoreet sapien sed lacus commodo hendrerit. Cras

aliquet, odio id rutrum viverra, enim eros laoreet orci, nec hendrerit nibh nisl quis neque. Donec consequat, ligula a facilisis fringilla, urna odio iaculis nunc, eu convallis felis dolor ut purus. Sed ultricies placerat ante, blandit pharetra orci tincidunt sit amet. Nullam cursus, leo eget porta aliquet, nisl est sagittis nibh, ut placerat elit tellus nec risus. Vivamus cursus nec neque at sollicitudin. Morbi sit amet lacus erat. Duis tempor ipsum sem, in varius sem molestie eget. Phasellus aliquam nibh sed diam viverra, sit amet ornare ex fringilla. Donec ut ipsum laoreet, gravida justo vel, convallis ante. Nullam consequat tortor eu sapien iaculis, nec mattis justo ultricies.

Suspendisse semper massa porttitor molestie laoreet. Proin elementum dui neque, et feugiat libero porta a. In vel condimentum lectus, sit amet bibendum odio. Nunc nec lectus consequat, faucibus leo non, volutpat tortor. Mauris malesuada imperdiet lacus, eget placerat ipsum tempor non. Nunc sit amet purus finibus, consequat lectus et, venenatis magna. Curabitur iaculis vehicula augue. Duis ultrices efficitur metus ac maximus. Suspendisse vehicula ipsum justo. Suspendisse enim velit, facilisis id leo vel, ultricies ultrices lacus.

Donec finibus sodales diam ac sodales. Morbi sollicitudin iaculis neque, vitae fermentum quam. Donec ac urna nunc. Aenean urna orci, suscipit et quam mattis, tristique lobortis augue. Fusce ut sapien convallis, dapibus sem vitae, mattis quam. Etiam risus purus, porttitor eget lobortis sit amet, dictum et velit. Curabitur eget luctus sapien. Class aptent taciti sociosqu ad litora torquent per conubia nostra, per inceptos himenaeos. Nullam efficitur, ante malesuada efficitur aliquet, lorem tellus ornare urna, nec fermentum nunc eros nec purus.

Morbi nec pellentesque quam. Suspendisse quis ex nunc. Etiam in aliquam leo. Etiam volutpat euismod gravida. Aenean ultricies nisl nulla, quis condimentum tellus convallis

eget. Etiam malesuada egestas nisl sed vulputate. Mauris lacinia accumsan ornare. Donec bibendum ex ac gravida pretium. Nunc vitae pellentesque nisi.

Nam egestas imperdiet euismod. Ut id augue condimentum, varius nisl at, gravida nisi. Aliquam convallis velit gravida, dictum quam a, luctus nibh. In justo orci, venenatis eget orci quis, fringilla volutpat arcu. Nulla nec est sed erat ornare vehicula sit amet quis eros. Vestibulum nec magna orci. Donec ut semper massa.

Suspendisse id ex imperdiet, dapibus purus vel, euismod ex. In id nibh quis erat dapibus sollicitudin. Aliquam sit amet elit id purus fringilla tempus et vel diam. Mauris vel nulla volutpat, vehicula tellus et, mattis lorem. Fusce tempus consectetur vulputate. Proin lorem sem, lobortis fringilla consectetur id, aliquam et libero. Duis ultrices, mauris et posuere convallis, lorem risus imperdiet diam, vel ullamcorper quam ipsum sed tellus. Pellentesque quam nulla, suscipit non convallis quis, mollis vitae nisl. Donec elementum turpis non nibh convallis laoreet. Duis ornare sollicitudin blandit. Nunc sodales massa ex, porta euismod nisi molestie sit amet. Integer augue diam, consequat quis libero sed, dapibus dignissim augue. Etiam egestas est et luctus volutpat. In velit neque, bibendum ac finibus eget, tristique sit amet neque. Ut risus sem, lacinia quis hendrerit ut, luctus in neque. Suspendisse cursus mauris id lorem bibendum, a rutrum quam ullamcorper.

Aliquam non ipsum vitae purus congue pulvinar. Donec sodales sit amet elit et ullamcorper. Morbi at felis dignissim odio malesuada varius et vitae dolor. Ut scelerisque nisi eros, et fermentum nisl bibendum eget. Pellentesque leo ipsum, bibendum sit amet lectus in, imperdiet volutpat justo. Nunc a magna id magna ultricies gravida sit amet laoreet metus. Vestibulum in laoreet nisi. Fusce eget egestas dui. Aenean eget laoreet lorem. Nunc in tristique nisi, eget tempus leo. Aliquam maximus nunc sed rutrum gravida. Ut lobortis

suscipit vehicula. Aenean a massa id metus elementum suscipit sed at enim. Nullam luctus cursus hendrerit.

Vestibulum sed ante scelerisque, ullamcorper sem ac, pretium arcu. Aliquam erat volutpat. Curabitur at egestas nunc, eu aliquet ligula. Phasellus lorem felis, faucibus in dui a, consectetur volutpat elit. Integer bibendum lorem non erat blandit vehicula. Sed dapibus augue quam, eu sagittis velit euismod at. Duis condimentum auctor quam, in suscipit purus hendrerit at. Donec semper nibh vel iaculis rhoncus.

Nulla facilisi. Aliquam interdum posuere commodo. Donec id mi facilisis, faucibus sem a, venenatis mauris. Phasellus pharetra erat eu metus tempus porta. Sed vel augue finibus, commodo ex id, vulputate ligula. Quisque sed lorem eleifend, tristique lectus et, porttitor purus. Praesent ac dolor sit amet odio scelerisque aliquet sodales nec sapien. Morbi suscipit, lorem ac tristique pharetra, quam augue facilisis turpis, luctus gravida ante neque vitae urna. Nunc sem lorem, tincidunt non odio at, tempor volutpat nisi. Morbi vel placerat turpis. Pellentesque consectetur metus eget lacus sollicitudin condimentum. Class aptent taciti sociosqu ad litora torquent per conubia nostra, per inceptos himenaeos. Nunc varius ac nisl vulputate maximus.

In suscipit odio eu interdum finibus. Integer ut est et erat varius lacinia. Nullam consequat tempor ligula, quis commodo augue varius vel. Maecenas est metus, pellentesque ut sollicitudin et, pellentesque at lectus. Donec tincidunt elit orci, eu vestibulum ex rhoncus at. Nulla facilisi. Ut sit amet lobortis magna. Quisque malesuada mi quis consequat auctor. Mauris ut bibendum ante. Nulla nec eros eros. Donec euismod blandit lobortis. Aenean non lacinia odio. Sed consequat est nec faucibus accumsan. Fusce vel nisi ac massa efficitur euismod at sed turpis. Nunc vehicula posuere pharetra.

Sed ultricies est at malesuada pharetra. Donec varius nisl eu diam suscipit, vel interdum leo ultricies. Vestibulum ante

ipsum primis in faucibus orci luctus et ultrices posuere cubilia curae; Nam sed lectus nulla. Mauris congue dapibus quam. Etiam sit amet lobortis velit. Nunc libero nunc, auctor in convallis a, molestie at leo. Cras lacus elit, dignissim sit amet diam eget, ultrices tristique dolor. Etiam quis viverra lectus. Donec semper, dui ut accumsan congue, nulla sapien maximus massa, nec vulputate massa quam ut sapien. Praesent sagittis accumsan tincidunt. Donec porta ligula fermentum ultricies dignissim. Mauris imperdiet, arcu feugiat eleifend laoreet, sem ipsum interdum ligula, eu cursus turpis arcu eget tortor. Fusce a tristique tortor. Sed vel aliquam lectus. Donec laoreet tellus erat, nec facilisis sapien placerat sed.

Mauris pretium malesuada justo, ut luctus tellus commodo mattis. Nullam ornare suscipit ligula a placerat. Donec cursus tellus ultrices ante aliquet, nec iaculis libero lacinia. Praesent quis dolor eget nulla consectetur luctus tristique fermentum ex. Sed accumsan sollicitudin metus at elementum. Phasellus dictum, libero sit amet placerat maximus, nisi ipsum gravida turpis, sed tempor neque nunc sed massa. Nunc blandit posuere augue. Nunc efficitur mollis justo, et aliquam urna faucibus eu. Ut ultricies nunc et enim auctor interdum. Donec luctus massa eu justo fermentum, a tincidunt neque tincidunt. Orci varius natoque penatibus et magnis dis parturient montes, nascetur ridiculus mus. Quisque et ornare lorem. Integer vulputate, risus a porta euismod, mi tortor ultrices mi, eu tincidunt enim odio quis tellus. Aliquam eleifend, est eget maximus facilisis, augue nibh auctor lorem, sed mattis arcu odio luctus est. Proin tellus turpis, mollis quis sodales ut, semper vitae mauris.

Class aptent taciti sociosqu ad litora torquent per conubia nostra, per inceptos himenaeos. Donec vitae finibus sem. Pellentesque ultrices in ex ac scelerisque. Morbi imperdiet hendrerit odio quis laoreet. Cras aliquet est eu nulla porta accumsan. Quisque pulvinar et libero at porta. Quisque

vehicula ipsum mi, vitae pretium lectus ultricies et. In hac habitasse platea dictumst. Praesent rutrum, nisi in tincidunt aliquet, leo dolor fermentum elit, at vulputate quam odio nec felis. Aliquam non orci tincidunt, ultricies purus at, posuere felis.

Sed dapibus nisi sed tortor consectetur fermentum. Sed ex purus, faucibus laoreet diam nec, auctor malesuada risus. Quisque quis sagittis elit. Etiam dapibus diam orci, in sollicitudin massa tincidunt pellentesque. Nullam mattis posuere dignissim. Maecenas feugiat, nisi vel feugiat ornare, neque augue suscipit libero, quis malesuada enim metus a metus. Pellentesque iaculis turpis et odio dictum, ut elementum felis egestas. Fusce ut quam at tortor aliquam lacinia. Class aptent taciti sociosqu ad litora torquent per conubia nostra, per inceptos himenaeos. Ut quis mattis libero. Fusce quis ultricies sem.

Curabitur et magna tempus, faucibus tortor sed, aliquet velit. Fusce sed urna nulla. Mauris in nibh quam. Aliquam sed odio ultricies libero accumsan aliquet et quis justo. Praesent rutrum velit turpis, at consequat risus ullamcorper vel. Nam imperdiet ac magna a faucibus. Aliquam placerat fermentum dapibus. Nam ultricies euismod facilisis. Quisque consequat tincidunt enim eget fringilla. Fusce purus odio, lacinia et laoreet sit amet, ornare in magna. Vivamus a consectetur magna. Phasellus ornare sem luctus, maximus nisi quis, condimentum risus. Etiam ullamcorper sed massa sit amet mollis. Maecenas quis lacus fringilla ex volutpat ornare. Suspendisse lobortis fermentum fringilla. Vestibulum sit amet maximus leo, ac cursus nibh.

Donec iaculis maximus dui quis egestas. Ut gravida, tellus vitae mollis tincidunt, leo mauris ultrices turpis, sed finibus urna quam non tellus. Mauris sollicitudin venenatis neque vel ultricies. Lorem ipsum dolor sit amet, consectetur adipiscing elit. Nunc vestibulum sapien id lacus ullamcorper euismod. Aliquam id rhoncus purus, ac sagittis est. Fusce

finibus sagittis diam, non elementum est. Nulla rutrum eros eget risus mattis, in condimentum erat eleifend. Sed arcu odio, cursus ac tincidunt ac, aliquet sit amet nibh. Fusce aliquam dictum orci. Donec aliquet ultrices nisi.

Donec volutpat tortor nec elementum tincidunt. Cras tempor ultrices mauris vel semper. Phasellus vitae odio dapibus, lobortis massa ac, malesuada ex. Nulla tincidunt at lacus sit amet tincidunt. Maecenas orci nisi, ullamcorper nec condimentum faucibus, consequat non metus. Maecenas ac porttitor elit. Fusce fermentum lorem eget turpis pellentesque pellentesque. Pellentesque habitant morbi tristique senectus et netus et malesuada fames ac turpis egestas. Curabitur interdum, ligula non bibendum blandit, lectus arcu molestie metus, ut dictum nibh lectus vel dolor. Duis laoreet ipsum ac purus consequat, eu ullamcorper mi aliquet.

Donec id dignissim felis, in placerat mi. Integer ut magna faucibus, maximus nulla euismod, semper urna. Nunc quis dui lacinia, facilisis magna ac, pulvinar turpis. Praesent volutpat nibh eu pharetra fringilla. Integer tristique fermentum fringilla. Aenean eu rutrum neque. Nullam lobortis lectus dolor, non volutpat lectus consequat at.

Ut diam elit, blandit quis tortor ac, ultrices varius diam. Nam consequat rhoncus nisi, eget viverra massa. Proin sollicitudin sem quis sodales lobortis. Aliquam vulputate ac sapien id interdum. Curabitur posuere dapibus magna, et imperdiet sem consectetur vitae. In a ornare purus. Donec nulla risus, dapibus vel aliquet vel, imperdiet sit amet sem. Class aptent taciti sociosqu ad litora torquent per conubia nostra, per inceptos himenaeos. Maecenas varius condimentum dapibus. Nulla fringilla, leo ac dignissim porta, eros risus pharetra elit, vitae feugiat erat lectus non dui.

Proin in leo neque. Aenean imperdiet augue sed ex sollicitudin, sed vehicula sapien tempor. Praesent cursus condimentum dictum. Vestibulum eget sapien nec lectus pulvinar vestibulum. Proin accumsan tincidunt lacus, eu rhoncus ante

tempus ullamcorper. Suspendisse feugiat fringilla sagittis. Sed pulvinar dui et malesuada porttitor. Etiam sit amet justo dui. Nam at sem id enim lacinia porta. Curabitur sem dui, facilisis a molestie nec, aliquet eget elit. Vivamus viverra luctus tortor id condimentum. Curabitur ultricies blandit laoreet. Pellentesque vel risus non lacus feugiat gravida a sit amet mi. Ut ut placerat urna. In scelerisque ultricies odio.

Suspendisse vitae est hendrerit, tempor magna et, molestie turpis. Nam nec quam sapien. Vivamus imperdiet in risus ac posuere. Aenean varius rhoncus elementum. Aenean augue quam, euismod id lacus vitae, gravida aliquet felis. In augue turpis, lobortis sit amet augue vel, elementum aliquam risus. Donec viverra iaculis efficitur. Mauris auctor dui risus, ac fermentum magna auctor at. Vestibulum at bibendum enim. Proin venenatis, ex sed tempor consectetur, lectus metus suscipit augue, in rutrum erat est in augue. Praesent pulvinar eu nisl sit amet molestie. Sed at egestas velit. Fusce et molestie eros. Donec sit amet nisl sit amet felis aliquam fermentum eu in ligula. Pellentesque tincidunt, eros non aliquam pharetra, metus erat volutpat metus, a tincidunt dolor mi eget est.

Sed venenatis nunc sed dolor fringilla congue quis a ligula. Aliquam erat volutpat. Proin egestas est ut porttitor vulputate. Phasellus commodo metus vel sem auctor lacinia. Suspendisse tempus lorem justo, id ullamcorper dolor iaculis a. Phasellus quis auctor neque. Phasellus dapibus ut tortor a varius. Integer sit amet iaculis metus. Etiam diam metus, molestie mollis sodales euismod, fringilla vitae ligula. Suspendisse pellentesque ante sem, commodo mattis tortor semper ultrices. Vestibulum nec posuere ex.

Sed vitae velit lacus. Integer eleifend pulvinar dolor. Integer a libero quis sapien ullamcorper scelerisque quis quis eros. Maecenas id ligula ac nisi gravida varius nec in enim. Pellentesque rhoncus porta nunc, iaculis scelerisque metus rhoncus in. Nullam posuere purus id leo gravida, ut

consectetur nisl pulvinar. Cras ultrices hendrerit est nec
accumsan. Mauris molestie sapien ut rhoncus malesuada.
Mauris pulvinar suscipit luctus.

Quisque nec bibendum orci, at mattis sapien. Sed ut elit
condimentum, consectetur quam id, tincidunt turpis.
Phasellus nec tortor ex. Pellentesque habitant morbi tristique
senectus et netus et malesuada fames ac turpis egestas. Nam
maximus purus velit, at volutpat lorem tempus sit amet.
Donec iaculis ultricies nulla ut bibendum. Vestibulum ante
ipsum primis in faucibus.

CHAPTER 2

*L*orem ipsum dolor sit amet, consectetur adipiscing elit. Vivamus bibendum mi vitae lacus accumsan dignissim. Phasellus condimentum, sapien ut feugiat ullamcorper, neque dui convallis orci, a pulvinar ante dolor a felis. Nunc varius sapien sit amet porttitor rutrum. Vivamus eget semper nibh. Vivamus euismod neque a convallis vehicula. In sagittis porta elit, in dictum massa scelerisque a. Maecenas sit amet pharetra est, in rhoncus ex. Morbi placerat nulla at nisi lobortis sagittis. Suspendisse ligula lorem, pulvinar et tellus ut, iaculis pellentesque orci. Integer tincidunt, elit cursus dignissim tempus, ex diam auctor magna, vitae fringilla massa sapien quis est. Sed sit amet laoreet elit, id hendrerit turpis. Suspendisse suscipit fringilla placerat. Nunc diam erat, posuere sit amet leo id, porta pharetra orci.

Donec bibendum gravida massa id venenatis. In tincidunt lacinia elit bibendum luctus. Duis finibus enim ut enim ultricies, commodo efficitur diam venenatis. Vestibulum pellentesque justo eget purus hendrerit, ac lobortis augue consectetur. Etiam vitae consectetur velit, eget rutrum ipsum. Ut eget ante eu dolor ultricies pulvinar. Etiam

volutpat commodo justo eget dignissim. Donec ac lectus scelerisque, gravida est a, tincidunt sem. Integer volutpat orci quis mi pharetra porta. Etiam at fermentum nisl. Praesent et magna nunc. Mauris justo turpis, bibendum at lectus vitae, ultrices dictum nisi.

Quisque nunc massa, congue sed iaculis a, blandit ac enim. Suspendisse tristique tellus at sollicitudin venenatis. Vivamus vitae ornare tellus. Vestibulum mollis molestie tortor, et aliquam nisi iaculis luctus. Vivamus risus nisl, mattis vel tincidunt ac, posuere tempus tellus. Quisque in turpis neque. Ut iaculis eleifend urna, nec consequat elit egestas vitae. Nunc a massa fringilla, convallis velit at, molestie justo. Donec blandit iaculis tellus. Nam scelerisque vehicula pulvinar. Donec condimentum neque ut quam bibendum placerat.

Nullam viverra sem imperdiet eros pulvinar molestie. Morbi est lectus, vestibulum sed quam eu, scelerisque ultricies augue. Curabitur nisl libero, porttitor ut ipsum sit amet, gravida dignissim lorem. Aliquam vel molestie diam. Aliquam urna ligula, maximus eget purus nec, porttitor malesuada magna. Aenean orci nisi, sagittis sit amet odio et, euismod interdum ligula. Etiam venenatis risus sit amet consequat vehicula. Sed et aliquet ante. Mauris convallis eget ligula id hendrerit. Pellentesque vitae fringilla nibh. Integer interdum, libero non rhoncus consequat, arcu nisi commodo diam, eget facilisis erat sapien et justo. Morbi efficitur sapien nisl, sit amet fringilla neque pretium vel. Ut ex nisl, mattis a tempor a, aliquet eu leo.

Sed fermentum malesuada purus lacinia sollicitudin. Aliquam luctus pharetra molestie. Nunc luctus vehicula justo, quis finibus nunc feugiat vitae. Orci varius natoque penatibus et magnis dis parturient montes, nascetur ridiculus mus. Curabitur et enim vitae neque ornare condimentum. Nullam semper venenatis mauris, ut malesuada justo eleifend non. Duis eleifend pharetra erat, nec pretium nisl placerat sit

amet. Fusce malesuada vestibulum ligula eget iaculis. Mauris maximus porta nisi eget sollicitudin. Donec ultrices tincidunt risus, cursus volutpat quam tincidunt sit amet. Etiam commodo diam id urna imperdiet, vitae luctus dolor condimentum. Proin commodo justo vel orci tempus mollis. Morbi gravida mauris id lorem venenatis, ut tincidunt diam feugiat. Vivamus pretium faucibus urna id laoreet. Etiam et egestas arcu.

Aliquam in enim eu elit dapibus aliquam. Praesent in elit id nibh vulputate interdum. Class aptent taciti sociosqu ad litora torquent per conubia nostra, per inceptos himenaeos. Aliquam id euismod quam. Mauris tellus ligula, congue a quam vitae, scelerisque consequat sapien. Lorem ipsum dolor sit amet, consectetur adipiscing elit. Fusce sed quam rutrum, commodo tellus eu, aliquet justo.

Etiam mattis tristique libero, a aliquam sapien. Maecenas tortor urna, ultrices id elit sed, feugiat volutpat quam. Sed auctor, ligula at ornare maximus, quam mi malesuada urna, a aliquet enim nisl at erat. Ut scelerisque lacus id ipsum mollis, eu sollicitudin libero vehicula. Curabitur condimentum tortor quis sapien scelerisque ornare. Sed porta metus vel eros consectetur mollis. Cras imperdiet, ipsum quis sollicitudin venenatis, ligula urna molestie tellus, ullamcorper suscipit nibh quam vitae arcu. Etiam at ligula eget mauris blandit lobortis hendrerit at nunc. Quisque vestibulum eleifend porta. Ut at semper nunc. Quisque non accumsan ante. Sed quis placerat sem, ac pharetra erat. Integer posuere orci nisl, quis auctor nisi volutpat non. Donec vulputate, purus ac suscipit congue, lorem neque fringilla justo, id congue leo risus id lacus.

In hac habitasse platea dictumst. Nullam a nisl at urna rutrum blandit in nec ligula. Vestibulum quis massa ut dolor ultrices pulvinar a sit amet dui. Vivamus volutpat dolor a sodales efficitur. Cras laoreet placerat tincidunt. Donec vulputate turpis a ipsum ultrices sollicitudin. Cras sed turpis

et sapien tristique luctus. Nullam in fermentum nisi, eu consequat justo. Morbi enim purus, imperdiet sit amet ipsum in, cursus eleifend mi. Donec porta lectus mi, pellentesque luctus urna pretium sed. Sed aliquam erat nec rhoncus lacinia. Vestibulum viverra pretium sapien nec ultrices. Maecenas finibus luctus erat, in accumsan purus gravida ut. Curabitur venenatis est fringilla rutrum sollicitudin. Nulla efficitur eleifend sem, non egestas elit sodales quis. Fusce ornare sem dolor, eu rutrum magna pretium ac.

Vivamus posuere massa et posuere semper. Pellentesque turpis tortor, bibendum nec porta tristique, venenatis quis ligula. Maecenas bibendum porta turpis, consectetur fringilla sem varius at. Suspendisse potenti. Morbi odio diam, fermentum ac libero sed, porta scelerisque arcu. Sed porttitor sapien turpis, eget pharetra magna scelerisque ut. Phasellus ornare leo in turpis viverra interdum.

Nulla id venenatis enim. Donec placerat dignissim sapien, in rutrum libero iaculis vel. Cras et placerat metus, ut pulvinar leo. Etiam ut cursus ante, nec pellentesque libero. Curabitur vitae lacinia diam. Nunc malesuada tortor sapien, sed aliquet est facilisis sit amet. Nunc scelerisque malesuada accumsan. Nunc nec maximus nisi. Mauris vitae vulputate neque. Mauris ac urna leo. Vestibulum placerat pulvinar sem sed dapibus. Sed nulla augue, elementum eget convallis id, egestas cursus leo. Pellentesque mi lacus, accumsan id mauris nec, malesuada lacinia sapien. Donec tincidunt odio sit amet ligula venenatis, vitae euismod erat rhoncus. Maecenas semper et ligula id ultricies. Nulla fringilla libero felis, sit amet cursus orci accumsan quis.

Sed non purus odio. Duis aliquet justo ligula, placerat maximus odio iaculis vitae. Integer dignissim at ligula vitae porttitor. Sed blandit mauris sed faucibus malesuada. Donec a porta quam. Cras ut tempus mi, auctor maximus neque. Proin at metus mauris. Maecenas fermentum ultrices porttitor. Aliquam eget augue a diam mollis consequat ultrices

condimentum nulla. Vivamus vel felis ullamcorper, tincidunt quam ut, malesuada ligula. Nulla vel lectus lacus. Etiam ut dictum dolor. Duis tempus maximus volutpat. Fusce maximus tincidunt dui, vitae rutrum elit imperdiet et. Sed eget urna mi. Aenean nec metus nisi.

Cras pellentesque justo enim, ac pulvinar nulla ultrices vitae. Vestibulum suscipit consectetur tempor. Pellentesque sed congue libero, in semper sapien. Interdum et malesuada fames ac ante ipsum primis in faucibus. Maecenas vehicula sit amet diam eu congue. Cras pretium, sapien sed posuere laoreet, tortor tortor mollis risus, quis dictum quam risus in metus. Quisque a ligula nisl. Morbi consectetur nisi id libero luctus dictum. Cras at arcu risus. Praesent venenatis dapibus dictum. Praesent molestie quis sem sit amet tincidunt. Vivamus suscipit mauris sed scelerisque pharetra. Aliquam feugiat urna fringilla nunc ornare, sed laoreet quam vehicula. Nullam ac justo sit amet augue consectetur facilisis. Nunc imperdiet dolor dolor.

Sed vitae lacus lacus. Mauris in enim posuere felis sollicitudin maximus. Sed et ante ac quam tincidunt efficitur. Fusce nisl sem, auctor eget nisl accumsan, tincidunt gravida nulla. Integer scelerisque in eros fermentum semper. Donec sollicitudin a sem eget volutpat. Suspendisse justo neque, aliquam bibendum velit at, malesuada egestas sem. Nulla ac est convallis urna tincidunt pulvinar fermentum non libero. Proin vestibulum, lorem vel euismod vulputate, lacus nisl varius tellus, ut ultrices dolor orci eu turpis. Duis efficitur ut tellus sit amet luctus. Aliquam erat volutpat. Nulla consequat viverra mauris sit amet consectetur. Phasellus laoreet tempus mauris sed varius.

Aliquam a sem dui. Suspendisse potenti. Morbi nec enim non diam vehicula fermentum. Sed porttitor elit non ante molestie, eu aliquet nulla pharetra. Phasellus eros magna, dapibus nec quam id, egestas mattis quam. Vestibulum sed mi ac justo elementum efficitur quis quis enim. Vestibulum

leo leo, condimentum vitae dolor eget, dignissim placerat eros. Maecenas elementum porttitor sollicitudin. Proin convallis posuere scelerisque. Vestibulum lacinia vulputate porta. Pellentesque habitant morbi tristique senectus et netus et malesuada fames ac turpis egestas.

Fusce aliquet metus massa, at elementum justo elementum id. Mauris aliquam justo sed elit dignissim, nec egestas augue condimentum. Proin consequat arcu ut ligula sollicitudin, at elementum est rutrum. Aliquam tristique, odio at vehicula volutpat, nunc sem porttitor lectus, ut fringilla dolor eros in eros. Morbi quis bibendum felis, in porta ligula. Aenean dignissim feugiat purus vitae sagittis. Duis finibus massa felis, at finibus odio sollicitudin eu. Morbi at finibus ligula.

Morbi ante purus, laoreet dignissim enim in, ullamcorper iaculis purus. Nunc malesuada nisl justo. Sed consequat enim id pulvinar convallis. Fusce blandit, sem varius cursus commodo, nisi purus imperdiet odio, eget mollis orci ante a magna. Praesent molestie nunc vel quam mollis porttitor. Integer mi est, pellentesque ut orci eget, ultricies porttitor velit. Integer feugiat, est vel ullamcorper sodales, libero felis sodales ante, nec tincidunt lectus nibh vitae sapien.

Sed arcu tortor, ultrices vitae tortor vel, ornare fermentum mi. Sed finibus nulla quis blandit egestas. Phasellus eu nulla mauris. Pellentesque ultricies libero metus, eu finibus justo mollis quis. Aliquam pharetra lacus ut facilisis vestibulum. Nunc imperdiet a tellus vitae rhoncus. Nulla non ornare felis, eu consectetur risus. Pellentesque a congue ante. In hac habitasse platea dictumst. Phasellus in pellentesque ex. Praesent iaculis orci id velit suscipit, ac laoreet augue venenatis. Proin felis turpis, molestie vitae commodo quis, suscipit nec nunc. Vestibulum in magna orci. Sed at consequat erat, quis lacinia ex.

Suspendisse faucibus, lorem vitae fermentum fermentum, odio purus efficitur enim, eu sollicitudin sapien lectus nec

erat. Vestibulum ante ipsum primis in faucibus orci luctus et ultrices posuere cubilia curae; Lorem ipsum dolor sit amet, consectetur adipiscing elit. Integer aliquam tempor ipsum, in rutrum enim consectetur in. Fusce vel imperdiet purus. Suspendisse quis euismod eros. Ut et ex pellentesque diam posuere faucibus iaculis dignissim orci. Nunc sed nibh mi. Nunc vitae dignissim quam. Morbi dictum est a magna cursus, nec rhoncus sem pellentesque.

Sed dignissim cursus ex. Donec lacinia nisi in neque semper ullamcorper. Praesent non nibh at ante eleifend ultrices non vel magna. Donec congue viverra dolor sed consequat. Donec fermentum nunc ut congue malesuada. In nec nisi felis. Etiam lectus dolor, tincidunt a pharetra eget, placerat vulputate mauris.

Nulla sodales, arcu ullamcorper placerat dignissim, dolor turpis congue nisl, quis fringilla ex massa lacinia enim. In vulputate aliquam augue. Mauris eget imperdiet lectus. Pellentesque habitant morbi tristique senectus et netus et malesuada fames ac turpis egestas. Quisque at augue purus. Donec sit amet tincidunt augue. Nunc ac metus nec urna maximus accumsan.

Quisque bibendum nisl tincidunt nulla tincidunt tempor. Nulla viverra laoreet ex id imperdiet. Proin feugiat, magna interdum dapibus mattis, libero dui fermentum felis, eget luctus ante risus in justo. Aliquam luctus imperdiet nisl, vel porta erat egestas quis. Nulla ullamcorper auctor neque a ullamcorper. Nam aliquet justo a dui aliquam, eu mattis sapien pulvinar. Vivamus neque felis, pellentesque sed lorem non, elementum faucibus eros.

Nunc nulla tellus, sollicitudin sed turpis sit amet, rhoncus feugiat dui. Vivamus id feugiat mauris. Cras consectetur dapibus risus sed suscipit. Aenean porttitor, lorem quis gravida sollicitudin, velit libero elementum erat, quis porttitor tortor neque id dui. Vestibulum sed tempus quam. Maecenas laoreet sapien sed lacus commodo hendrerit. Cras

aliquet, odio id rutrum viverra, enim eros laoreet orci, nec hendrerit nibh nisl quis neque. Donec consequat, ligula a facilisis fringilla, urna odio iaculis nunc, eu convallis felis dolor ut purus. Sed ultricies placerat ante, blandit pharetra orci tincidunt sit amet. Nullam cursus, leo eget porta aliquet, nisl est sagittis nibh, ut placerat elit tellus nec risus. Vivamus cursus nec neque at sollicitudin. Morbi sit amet lacus erat. Duis tempor ipsum sem, in varius sem molestie eget. Phasellus aliquam nibh sed diam viverra, sit amet ornare ex fringilla. Donec ut ipsum laoreet, gravida justo vel, convallis ante. Nullam consequat tortor eu sapien iaculis, nec mattis justo ultricies.

Suspendisse semper massa porttitor molestie laoreet. Proin elementum dui neque, et feugiat libero porta a. In vel condimentum lectus, sit amet bibendum odio. Nunc nec lectus consequat, faucibus leo non, volutpat tortor. Mauris malesuada imperdiet lacus, eget placerat ipsum tempor non. Nunc sit amet purus finibus, consequat lectus et, venenatis magna. Curabitur iaculis vehicula augue. Duis ultrices efficitur metus ac maximus. Suspendisse vehicula ipsum justo. Suspendisse enim velit, facilisis id leo vel, ultricies ultrices lacus.

Donec finibus sodales diam ac sodales. Morbi sollicitudin iaculis neque, vitae fermentum quam. Donec ac urna nunc. Aenean urna orci, suscipit et quam mattis, tristique lobortis augue. Fusce ut sapien convallis, dapibus sem vitae, mattis quam. Etiam risus purus, porttitor eget lobortis sit amet, dictum et velit. Curabitur eget luctus sapien. Class aptent taciti sociosqu ad litora torquent per conubia nostra, per inceptos himenaeos. Nullam efficitur, ante malesuada efficitur aliquet, lorem tellus ornare urna, nec fermentum nunc eros nec purus.

Morbi nec pellentesque quam. Suspendisse quis ex nunc. Etiam in aliquam leo. Etiam volutpat euismod gravida. Aenean ultricies nisl nulla, quis condimentum tellus convallis

eget. Etiam malesuada egestas nisl sed vulputate. Mauris lacinia accumsan ornare. Donec bibendum ex ac gravida pretium. Nunc vitae pellentesque nisi.

Nam egestas imperdiet euismod. Ut id augue condimentum, varius nisl at, gravida nisi. Aliquam convallis velit gravida, dictum quam a, luctus nibh. In justo orci, venenatis eget orci quis, fringilla volutpat arcu. Nulla nec est sed erat ornare vehicula sit amet quis eros. Vestibulum nec magna orci. Donec ut semper massa.

Suspendisse id ex imperdiet, dapibus purus vel, euismod ex. In id nibh quis erat dapibus sollicitudin. Aliquam sit amet elit id purus fringilla tempus et vel diam. Mauris vel nulla volutpat, vehicula tellus et, mattis lorem. Fusce tempus consectetur vulputate. Proin lorem sem, lobortis fringilla consectetur id, aliquam et libero. Duis ultrices, mauris et posuere convallis, lorem risus imperdiet diam, vel ullamcorper quam ipsum sed tellus. Pellentesque quam nulla, suscipit non convallis quis, mollis vitae nisl. Donec elementum turpis non nibh convallis laoreet. Duis ornare sollicitudin blandit. Nunc sodales massa ex, porta euismod nisi molestie sit amet. Integer augue diam, consequat quis libero sed, dapibus dignissim augue. Etiam egestas est et luctus volutpat. In velit neque, bibendum ac finibus eget, tristique sit amet neque. Ut risus sem, lacinia quis hendrerit ut, luctus in neque. Suspendisse cursus mauris id lorem bibendum, a rutrum quam ullamcorper.

Aliquam non ipsum vitae purus congue pulvinar. Donec sodales sit amet elit et ullamcorper. Morbi at felis dignissim odio malesuada varius et vitae dolor. Ut scelerisque nisi eros, et fermentum nisl bibendum eget. Pellentesque leo ipsum, bibendum sit amet lectus in, imperdiet volutpat justo. Nunc a magna id magna ultricies gravida sit amet laoreet metus. Vestibulum in laoreet nisi. Fusce eget egestas dui. Aenean eget laoreet lorem. Nunc in tristique nisi, eget tempus leo. Aliquam maximus nunc sed rutrum gravida. Ut lobortis

suscipit vehicula. Aenean a massa id metus elementum suscipit sed at enim. Nullam luctus cursus hendrerit.

Vestibulum sed ante scelerisque, ullamcorper sem ac, pretium arcu. Aliquam erat volutpat. Curabitur at egestas nunc, eu aliquet ligula. Phasellus lorem felis, faucibus in dui a, consectetur volutpat elit. Integer bibendum lorem non erat blandit vehicula. Sed dapibus augue quam, eu sagittis velit euismod at. Duis condimentum auctor quam, in suscipit purus hendrerit at. Donec semper nibh vel iaculis rhoncus.

Nulla facilisi. Aliquam interdum posuere commodo. Donec id mi facilisis, faucibus sem a, venenatis mauris. Phasellus pharetra erat eu metus tempus porta. Sed vel augue finibus, commodo ex id, vulputate ligula. Quisque sed lorem eleifend, tristique lectus et, porttitor purus. Praesent ac dolor sit amet odio scelerisque aliquet sodales nec sapien. Morbi suscipit, lorem ac tristique pharetra, quam augue facilisis turpis, luctus gravida ante neque vitae urna. Nunc sem lorem, tincidunt non odio at, tempor volutpat nisi. Morbi vel placerat turpis. Pellentesque consectetur metus eget lacus sollicitudin condimentum. Class aptent taciti sociosqu ad litora torquent per conubia nostra, per inceptos himenaeos. Nunc varius ac nisl vulputate maximus.

In suscipit odio eu interdum finibus. Integer ut est et erat varius lacinia. Nullam consequat tempor ligula, quis commodo augue varius vel. Maecenas est metus, pellentesque ut sollicitudin et, pellentesque at lectus. Donec tincidunt elit orci, eu vestibulum ex rhoncus at. Nulla facilisi. Ut sit amet lobortis magna. Quisque malesuada mi quis consequat auctor. Mauris ut bibendum ante. Nulla nec eros eros. Donec euismod blandit lobortis. Aenean non lacinia odio. Sed consequat est nec faucibus accumsan. Fusce vel nisi ac massa efficitur euismod at sed turpis. Nunc vehicula posuere pharetra.

Sed ultricies est at malesuada pharetra. Donec varius nisl eu diam suscipit, vel interdum leo ultricies. Vestibulum ante

ipsum primis in faucibus orci luctus et ultrices posuere cubilia curae; Nam sed lectus nulla. Mauris congue dapibus quam. Etiam sit amet lobortis velit. Nunc libero nunc, auctor in convallis a, molestie at leo. Cras lacus elit, dignissim sit amet diam eget, ultrices tristique dolor. Etiam quis viverra lectus. Donec semper, dui ut accumsan congue, nulla sapien maximus massa, nec vulputate massa quam ut sapien. Praesent sagittis accumsan tincidunt. Donec porta ligula fermentum ultricies dignissim. Mauris imperdiet, arcu feugiat eleifend laoreet, sem ipsum interdum ligula, eu cursus turpis arcu eget tortor. Fusce a tristique tortor. Sed vel aliquam lectus. Donec laoreet tellus erat, nec facilisis sapien placerat sed.

Mauris pretium malesuada justo, ut luctus tellus commodo mattis. Nullam ornare suscipit ligula a placerat. Donec cursus tellus ultrices ante aliquet, nec iaculis libero lacinia. Praesent quis dolor eget nulla consectetur luctus tristique fermentum ex. Sed accumsan sollicitudin metus at elementum. Phasellus dictum, libero sit amet placerat maximus, nisi ipsum gravida turpis, sed tempor neque nunc sed massa. Nunc blandit posuere augue. Nunc efficitur mollis justo, et aliquam urna faucibus eu. Ut ultricies nunc et enim auctor interdum. Donec luctus massa eu justo fermentum, a tincidunt neque tincidunt. Orci varius natoque penatibus et magnis dis parturient montes, nascetur ridiculus mus. Quisque et ornare lorem. Integer vulputate, risus a porta euismod, mi tortor ultrices mi, eu tincidunt enim odio quis tellus. Aliquam eleifend, est eget maximus facilisis, augue nibh auctor lorem, sed mattis arcu odio luctus est. Proin tellus turpis, mollis quis sodales ut, semper vitae mauris.

Class aptent taciti sociosqu ad litora torquent per conubia nostra, per inceptos himenaeos. Donec vitae finibus sem. Pellentesque ultrices in ex ac scelerisque. Morbi imperdiet hendrerit odio quis laoreet. Cras aliquet est eu nulla porta accumsan. Quisque pulvinar et libero at porta. Quisque

vehicula ipsum mi, vitae pretium lectus ultricies et. In hac habitasse platea dictumst. Praesent rutrum, nisi in tincidunt aliquet, leo dolor fermentum elit, at vulputate quam odio nec felis. Aliquam non orci tincidunt, ultricies purus at, posuere felis.

Sed dapibus nisi sed tortor consectetur fermentum. Sed ex purus, faucibus laoreet diam nec, auctor malesuada risus. Quisque quis sagittis elit. Etiam dapibus diam orci, in sollicitudin massa tincidunt pellentesque. Nullam mattis posuere dignissim. Maecenas feugiat, nisi vel feugiat ornare, neque augue suscipit libero, quis malesuada enim metus a metus. Pellentesque iaculis turpis et odio dictum, ut elementum felis egestas. Fusce ut quam at tortor aliquam lacinia. Class aptent taciti sociosqu ad litora torquent per conubia nostra, per inceptos himenaeos. Ut quis mattis libero. Fusce quis ultricies sem.

Curabitur et magna tempus, faucibus tortor sed, aliquet velit. Fusce sed urna nulla. Mauris in nibh quam. Aliquam sed odio ultricies libero accumsan aliquet et quis justo. Praesent rutrum velit turpis, at consequat risus ullamcorper vel. Nam imperdiet ac magna a faucibus. Aliquam placerat fermentum dapibus. Nam ultricies euismod facilisis. Quisque consequat tincidunt enim eget fringilla. Fusce purus odio, lacinia et laoreet sit amet, ornare in magna. Vivamus a consectetur magna. Phasellus ornare sem luctus, maximus nisi quis, condimentum risus. Etiam ullamcorper sed massa sit amet mollis. Maecenas quis lacus fringilla ex volutpat ornare. Suspendisse lobortis fermentum fringilla. Vestibulum sit amet maximus leo, ac cursus nibh.

Donec iaculis maximus dui quis egestas. Ut gravida, tellus vitae mollis tincidunt, leo mauris ultrices turpis, sed finibus urna quam non tellus. Mauris sollicitudin venenatis neque vel ultricies. Lorem ipsum dolor sit amet, consectetur adipiscing elit. Nunc vestibulum sapien id lacus ullamcorper euismod. Aliquam id rhoncus purus, ac sagittis est. Fusce

finibus sagittis diam, non elementum est. Nulla rutrum eros eget risus mattis, in condimentum erat eleifend. Sed arcu odio, cursus ac tincidunt ac, aliquet sit amet nibh. Fusce aliquam dictum orci. Donec aliquet ultrices nisi.

Donec volutpat tortor nec elementum tincidunt. Cras tempor ultrices mauris vel semper. Phasellus vitae odio dapibus, lobortis massa ac, malesuada ex. Nulla tincidunt at lacus sit amet tincidunt. Maecenas orci nisi, ullamcorper nec condimentum faucibus, consequat non metus. Maecenas ac porttitor elit. Fusce fermentum lorem eget turpis pellentesque pellentesque. Pellentesque habitant morbi tristique senectus et netus et malesuada fames ac turpis egestas. Curabitur interdum, ligula non bibendum blandit, lectus arcu molestie metus, ut dictum nibh lectus vel dolor. Duis laoreet ipsum ac purus consequat, eu ullamcorper mi aliquet.

Donec id dignissim felis, in placerat mi. Integer ut magna faucibus, maximus nulla euismod, semper urna. Nunc quis dui lacinia, facilisis magna ac, pulvinar turpis. Praesent volutpat nibh eu pharetra fringilla. Integer tristique fermentum fringilla. Aenean eu rutrum neque. Nullam lobortis lectus dolor, non volutpat lectus consequat at.

Ut diam elit, blandit quis tortor ac, ultrices varius diam. Nam consequat rhoncus nisi, eget viverra massa. Proin sollicitudin sem quis sodales lobortis. Aliquam vulputate ac sapien id interdum. Curabitur posuere dapibus magna, et imperdiet sem consectetur vitae. In a ornare purus. Donec nulla risus, dapibus vel aliquet vel, imperdiet sit amet sem. Class aptent taciti sociosqu ad litora torquent per conubia nostra, per inceptos himenaeos. Maecenas varius condimentum dapibus. Nulla fringilla, leo ac dignissim porta, eros risus pharetra elit, vitae feugiat erat lectus non dui.

Proin in leo neque. Aenean imperdiet augue sed ex sollicitudin, sed vehicula sapien tempor. Praesent cursus condimentum dictum. Vestibulum eget sapien nec lectus pulvinar vestibulum. Proin accumsan tincidunt lacus, eu rhoncus ante

tempus ullamcorper. Suspendisse feugiat fringilla sagittis. Sed pulvinar dui et malesuada porttitor. Etiam sit amet justo dui. Nam at sem id enim lacinia porta. Curabitur sem dui, facilisis a molestie nec, aliquet eget elit. Vivamus viverra luctus tortor id condimentum. Curabitur ultricies blandit laoreet. Pellentesque vel risus non lacus feugiat gravida a sit amet mi. Ut ut placerat urna. In scelerisque ultricies odio.

Suspendisse vitae est hendrerit, tempor magna et, molestie turpis. Nam nec quam sapien. Vivamus imperdiet in risus ac posuere. Aenean varius rhoncus elementum. Aenean augue quam, euismod id lacus vitae, gravida aliquet felis. In augue turpis, lobortis sit amet augue vel, elementum aliquam risus. Donec viverra iaculis efficitur. Mauris auctor dui risus, ac fermentum magna auctor at. Vestibulum at bibendum enim. Proin venenatis, ex sed tempor consectetur, lectus metus suscipit augue, in rutrum erat est in augue. Praesent pulvinar eu nisl sit amet molestie. Sed at egestas velit. Fusce et molestie eros. Donec sit amet nisl sit amet felis aliquam fermentum eu in ligula. Pellentesque tincidunt, eros non aliquam pharetra, metus erat volutpat metus, a tincidunt dolor mi eget est.

Sed venenatis nunc sed dolor fringilla congue quis a ligula. Aliquam erat volutpat. Proin egestas est ut porttitor vulputate. Phasellus commodo metus vel sem auctor lacinia. Suspendisse tempus lorem justo, id ullamcorper dolor iaculis a. Phasellus quis auctor neque. Phasellus dapibus ut tortor a varius. Integer sit amet iaculis metus. Etiam diam metus, molestie mollis sodales euismod, fringilla vitae ligula. Suspendisse pellentesque ante sem, commodo mattis tortor semper ultrices. Vestibulum nec posuere ex.

Sed vitae velit lacus. Integer eleifend pulvinar dolor. Integer a libero quis sapien ullamcorper scelerisque quis quis eros. Maecenas id ligula ac nisi gravida varius nec in enim. Pellentesque rhoncus porta nunc, iaculis scelerisque metus rhoncus in. Nullam posuere purus id leo gravida, ut

consectetur nisl pulvinar. Cras ultrices hendrerit est nec accumsan. Mauris molestie sapien ut rhoncus malesuada. Mauris pulvinar suscipit luctus.

Quisque nec bibendum orci, at mattis sapien. Sed ut elit condimentum, consectetur quam id, tincidunt turpis. Phasellus nec tortor ex. Pellentesque habitant morbi tristique senectus et netus et malesuada fames ac turpis egestas. Nam maximus purus velit, at volutpat lorem tempus sit amet. Donec iaculis ultricies nulla ut bibendum. Vestibulum ante ipsum primis in faucibus.

CHAPTER 3

*L*orem ipsum dolor sit amet, consectetur adipiscing elit. Vivamus bibendum mi vitae lacus accumsan dignissim. Phasellus condimentum, sapien ut feugiat ullamcorper, neque dui convallis orci, a pulvinar ante dolor a felis. Nunc varius sapien sit amet porttitor rutrum. Vivamus eget semper nibh. Vivamus euismod neque a convallis vehicula. In sagittis porta elit, in dictum massa scelerisque a. Maecenas sit amet pharetra est, in rhoncus ex. Morbi placerat nulla at nisi lobortis sagittis. Suspendisse ligula lorem, pulvinar et tellus ut, iaculis pellentesque orci. Integer tincidunt, elit cursus dignissim tempus, ex diam auctor magna, vitae fringilla massa sapien quis est. Sed sit amet laoreet elit, id hendrerit turpis. Suspendisse suscipit fringilla placerat. Nunc diam erat, posuere sit amet leo id, porta pharetra orci.

Donec bibendum gravida massa id venenatis. In tincidunt lacinia elit bibendum luctus. Duis finibus enim ut enim ultricies, commodo efficitur diam venenatis. Vestibulum pellentesque justo eget purus hendrerit, ac lobortis augue consectetur. Etiam vitae consectetur velit, eget rutrum ipsum. Ut eget ante eu dolor ultricies pulvinar. Etiam

volutpat commodo justo eget dignissim. Donec ac lectus scelerisque, gravida est a, tincidunt sem. Integer volutpat orci quis mi pharetra porta. Etiam at fermentum nisl. Praesent et magna nunc. Mauris justo turpis, bibendum at lectus vitae, ultrices dictum nisi.

Quisque nunc massa, congue sed iaculis a, blandit ac enim. Suspendisse tristique tellus at sollicitudin venenatis. Vivamus vitae ornare tellus. Vestibulum mollis molestie tortor, et aliquam nisi iaculis luctus. Vivamus risus nisl, mattis vel tincidunt ac, posuere tempus tellus. Quisque in turpis neque. Ut iaculis eleifend urna, nec consequat elit egestas vitae. Nunc a massa fringilla, convallis velit at, molestie justo. Donec blandit iaculis tellus. Nam scelerisque vehicula pulvinar. Donec condimentum neque ut quam bibendum placerat.

Nullam viverra sem imperdiet eros pulvinar molestie. Morbi est lectus, vestibulum sed quam eu, scelerisque ultricies augue. Curabitur nisl libero, porttitor ut ipsum sit amet, gravida dignissim lorem. Aliquam vel molestie diam. Aliquam urna ligula, maximus eget purus nec, porttitor malesuada magna. Aenean orci nisi, sagittis sit amet odio et, euismod interdum ligula. Etiam venenatis risus sit amet consequat vehicula. Sed et aliquet ante. Mauris convallis eget ligula id hendrerit. Pellentesque vitae fringilla nibh. Integer interdum, libero non rhoncus consequat, arcu nisi commodo diam, eget facilisis erat sapien et justo. Morbi efficitur sapien nisl, sit amet fringilla neque pretium vel. Ut ex nisl, mattis a tempor a, aliquet eu leo.

Sed fermentum malesuada purus lacinia sollicitudin. Aliquam luctus pharetra molestie. Nunc luctus vehicula justo, quis finibus nunc feugiat vitae. Orci varius natoque penatibus et magnis dis parturient montes, nascetur ridiculus mus. Curabitur et enim vitae neque ornare condimentum. Nullam semper venenatis mauris, ut malesuada justo eleifend non. Duis eleifend pharetra erat, nec pretium nisl placerat sit

amet. Fusce malesuada vestibulum ligula eget iaculis. Mauris maximus porta nisi eget sollicitudin. Donec ultrices tincidunt risus, cursus volutpat quam tincidunt sit amet. Etiam commodo diam id urna imperdiet, vitae luctus dolor condimentum. Proin commodo justo vel orci tempus mollis. Morbi gravida mauris id lorem venenatis, ut tincidunt diam feugiat. Vivamus pretium faucibus urna id laoreet. Etiam et egestas arcu.

Aliquam in enim eu elit dapibus aliquam. Praesent in elit id nibh vulputate interdum. Class aptent taciti sociosqu ad litora torquent per conubia nostra, per inceptos himenaeos. Aliquam id euismod quam. Mauris tellus ligula, congue a quam vitae, scelerisque consequat sapien. Lorem ipsum dolor sit amet, consectetur adipiscing elit. Fusce sed quam rutrum, commodo tellus eu, aliquet justo.

Etiam mattis tristique libero, a aliquam sapien. Maecenas tortor urna, ultrices id elit sed, feugiat volutpat quam. Sed auctor, ligula at ornare maximus, quam mi malesuada urna, a aliquet enim nisl at erat. Ut scelerisque lacus id ipsum mollis, eu sollicitudin libero vehicula. Curabitur condimentum tortor quis sapien scelerisque ornare. Sed porta metus vel eros consectetur mollis. Cras imperdiet, ipsum quis sollici-tudin venenatis, ligula urna molestie tellus, ullamcorper suscipit nibh quam vitae arcu. Etiam at ligula eget mauris blandit lobortis hendrerit at nunc. Quisque vestibulum eleifend porta. Ut at semper nunc. Quisque non accumsan ante. Sed quis placerat sem, ac pharetra erat. Integer posuere orci nisl, quis auctor nisi volutpat non. Donec vulputate, purus ac suscipit congue, lorem neque fringilla justo, id congue leo risus id lacus.

In hac habitasse platea dictumst. Nullam a nisl at urna rutrum blandit in nec ligula. Vestibulum quis massa ut dolor ultrices pulvinar a sit amet dui. Vivamus volutpat dolor a sodales efficitur. Cras laoreet placerat tincidunt. Donec vulputate turpis a ipsum ultrices sollicitudin. Cras sed turpis

et sapien tristique luctus. Nullam in fermentum nisi, eu consequat justo. Morbi enim purus, imperdiet sit amet ipsum in, cursus eleifend mi. Donec porta lectus mi, pellentesque luctus urna pretium sed. Sed aliquam erat nec rhoncus lacinia. Vestibulum viverra pretium sapien nec ultrices. Maecenas finibus luctus erat, in accumsan purus gravida ut. Curabitur venenatis est fringilla rutrum sollicitudin. Nulla efficitur eleifend sem, non egestas elit sodales quis. Fusce ornare sem dolor, eu rutrum magna pretium ac.

Vivamus posuere massa et posuere semper. Pellentesque turpis tortor, bibendum nec porta tristique, venenatis quis ligula. Maecenas bibendum porta turpis, consectetur fringilla sem varius at. Suspendisse potenti. Morbi odio diam, fermentum ac libero sed, porta scelerisque arcu. Sed porttitor sapien turpis, eget pharetra magna scelerisque ut. Phasellus ornare leo in turpis viverra interdum.

Nulla id venenatis enim. Donec placerat dignissim sapien, in rutrum libero iaculis vel. Cras et placerat metus, ut pulvinar leo. Etiam ut cursus ante, nec pellentesque libero. Curabitur vitae lacinia diam. Nunc malesuada tortor sapien, sed aliquet est facilisis sit amet. Nunc scelerisque malesuada accumsan. Nunc nec maximus nisi. Mauris vitae vulputate neque. Mauris ac urna leo. Vestibulum placerat pulvinar sem sed dapibus. Sed nulla augue, elementum eget convallis id, egestas cursus leo. Pellentesque mi lacus, accumsan id mauris nec, malesuada lacinia sapien. Donec tincidunt odio sit amet ligula venenatis, vitae euismod erat rhoncus. Maecenas semper et ligula id ultricies. Nulla fringilla libero felis, sit amet cursus orci accumsan quis.

Sed non purus odio. Duis aliquet justo ligula, placerat maximus odio iaculis vitae. Integer dignissim at ligula vitae porttitor. Sed blandit mauris sed faucibus malesuada. Donec a porta quam. Cras ut tempus mi, auctor maximus neque. Proin at metus mauris. Maecenas fermentum ultrices porttitor. Aliquam eget augue a diam mollis consequat ultrices

condimentum nulla. Vivamus vel felis ullamcorper, tincidunt quam ut, malesuada ligula. Nulla vel lectus lacus. Etiam ut dictum dolor. Duis tempus maximus volutpat. Fusce maximus tincidunt dui, vitae rutrum elit imperdiet et. Sed eget urna mi. Aenean nec metus nisi.

Cras pellentesque justo enim, ac pulvinar nulla ultrices vitae. Vestibulum suscipit consectetur tempor. Pellentesque sed congue libero, in semper sapien. Interdum et malesuada fames ac ante ipsum primis in faucibus. Maecenas vehicula sit amet diam eu congue. Cras pretium, sapien sed posuere laoreet, tortor tortor mollis risus, quis dictum quam risus in metus. Quisque a ligula nisl. Morbi consectetur nisi id libero luctus dictum. Cras at arcu risus. Praesent venenatis dapibus dictum. Praesent molestie quis sem sit amet tincidunt. Vivamus suscipit mauris sed scelerisque pharetra. Aliquam feugiat urna fringilla nunc ornare, sed laoreet quam vehicula. Nullam ac justo sit amet augue consectetur facilisis. Nunc imperdiet dolor dolor.

Sed vitae lacus lacus. Mauris in enim posuere felis sollici-tudin maximus. Sed et ante ac quam tincidunt efficitur. Fusce nisl sem, auctor eget nisl accumsan, tincidunt gravida nulla. Integer scelerisque in eros fermentum semper. Donec sollicitudin a sem eget volutpat. Suspendisse justo neque, aliquam bibendum velit at, malesuada egestas sem. Nulla ac est convallis urna tincidunt pulvinar fermentum non libero. Proin vestibulum, lorem vel euismod vulputate, lacus nisl varius tellus, ut ultrices dolor orci eu turpis. Duis efficitur ut tellus sit amet luctus. Aliquam erat volutpat. Nulla consequat viverra mauris sit amet consectetur. Phasellus laoreet tempus mauris sed varius.

Aliquam a sem dui. Suspendisse potenti. Morbi nec enim non diam vehicula fermentum. Sed porttitor elit non ante molestie, eu aliquet nulla pharetra. Phasellus eros magna, dapibus nec quam id, egestas mattis quam. Vestibulum sed mi ac justo elementum efficitur quis quis enim. Vestibulum

leo leo, condimentum vitae dolor eget, dignissim placerat eros. Maecenas elementum porttitor sollicitudin. Proin convallis posuere scelerisque. Vestibulum lacinia vulputate porta. Pellentesque habitant morbi tristique senectus et netus et malesuada fames ac turpis egestas.

Fusce aliquet metus massa, at elementum justo elementum id. Mauris aliquam justo sed elit dignissim, nec egestas augue condimentum. Proin consequat arcu ut ligula sollicitudin, at elementum est rutrum. Aliquam tristique, odio at vehicula volutpat, nunc sem porttitor lectus, ut fringilla dolor eros in eros. Morbi quis bibendum felis, in porta ligula. Aenean dignissim feugiat purus vitae sagittis. Duis finibus massa felis, at finibus odio sollicitudin eu. Morbi at finibus ligula.

Morbi ante purus, laoreet dignissim enim in, ullamcorper iaculis purus. Nunc malesuada nisl justo. Sed consequat enim id pulvinar convallis. Fusce blandit, sem varius cursus commodo, nisi purus imperdiet odio, eget mollis orci ante a magna. Praesent molestie nunc vel quam mollis porttitor. Integer mi est, pellentesque ut orci eget, ultricies porttitor velit. Integer feugiat, est vel ullamcorper sodales, libero felis sodales ante, nec tincidunt lectus nibh vitae sapien.

Sed arcu tortor, ultrices vitae tortor vel, ornare fermentum mi. Sed finibus nulla quis blandit egestas. Phasellus eu nulla mauris. Pellentesque ultricies libero metus, eu finibus justo mollis quis. Aliquam pharetra lacus ut facil-isis vestibulum. Nunc imperdiet a tellus vitae rhoncus. Nulla non ornare felis, eu consectetur risus. Pellentesque a congue ante. In hac habitasse platea dictumst. Phasellus in pellen-tesque ex. Praesent iaculis orci id velit suscipit, ac laoreet augue venenatis. Proin felis turpis, molestie vitae commodo quis, suscipit nec nunc. Vestibulum in magna orci. Sed at consequat erat, quis lacinia ex.

Suspendisse faucibus, lorem vitae fermentum fermentum, odio purus efficitur enim, eu sollicitudin sapien lectus nec

erat. Vestibulum ante ipsum primis in faucibus orci luctus et ultrices posuere cubilia curae; Lorem ipsum dolor sit amet, consectetur adipiscing elit. Integer aliquam tempor ipsum, in rutrum enim consectetur in. Fusce vel imperdiet purus. Suspendisse quis euismod eros. Ut et ex pellentesque diam posuere faucibus iaculis dignissim orci. Nunc sed nibh mi. Nunc vitae dignissim quam. Morbi dictum est a magna cursus, nec rhoncus sem pellentesque.

Sed dignissim cursus ex. Donec lacinia nisi in neque semper ullamcorper. Praesent non nibh at ante eleifend ultrices non vel magna. Donec congue viverra dolor sed consequat. Donec fermentum nunc ut congue malesuada. In nec nisi felis. Etiam lectus dolor, tincidunt a pharetra eget, placerat vulputate mauris.

Nulla sodales, arcu ullamcorper placerat dignissim, dolor turpis congue nisl, quis fringilla ex massa lacinia enim. In vulputate aliquam augue. Mauris eget imperdiet lectus. Pellentesque habitant morbi tristique senectus et netus et malesuada fames ac turpis egestas. Quisque at augue purus. Donec sit amet tincidunt augue. Nunc ac metus nec urna maximus accumsan.

Quisque bibendum nisl tincidunt nulla tincidunt tempor. Nulla viverra laoreet ex id imperdiet. Proin feugiat, magna interdum dapibus mattis, libero dui fermentum felis, eget luctus ante risus in justo. Aliquam luctus imperdiet nisl, vel porta erat egestas quis. Nulla ullamcorper auctor neque a ullamcorper. Nam aliquet justo a dui aliquam, eu mattis sapien pulvinar. Vivamus neque felis, pellentesque sed lorem non, elementum faucibus eros.

Nunc nulla tellus, sollicitudin sed turpis sit amet, rhoncus feugiat dui. Vivamus id feugiat mauris. Cras consectetur dapibus risus sed suscipit. Aenean porttitor, lorem quis gravida sollicitudin, velit libero elementum erat, quis port-titor tortor neque id dui. Vestibulum sed tempus quam. Maecenas laoreet sapien sed lacus commodo hendrerit. Cras

aliquet, odio id rutrum viverra, enim eros laoreet orci, nec hendrerit nibh nisl quis neque. Donec consequat, ligula a facilisis fringilla, urna odio iaculis nunc, eu convallis felis dolor ut purus. Sed ultricies placerat ante, blandit pharetra orci tincidunt sit amet. Nullam cursus, leo eget porta aliquet, nisl est sagittis nibh, ut placerat elit tellus nec risus. Vivamus cursus nec neque at sollicitudin. Morbi sit amet lacus erat. Duis tempor ipsum sem, in varius sem molestie eget. Phasellus aliquam nibh sed diam viverra, sit amet ornare ex fringilla. Donec ut ipsum laoreet, gravida justo vel, convallis ante. Nullam consequat tortor eu sapien iaculis, nec mattis justo ultricies.

Suspendisse semper massa porttitor molestie laoreet. Proin elementum dui neque, et feugiat libero porta a. In vel condimentum lectus, sit amet bibendum odio. Nunc nec lectus consequat, faucibus leo non, volutpat tortor. Mauris malesuada imperdiet lacus, eget placerat ipsum tempor non. Nunc sit amet purus finibus, consequat lectus et, venenatis magna. Curabitur iaculis vehicula augue. Duis ultrices efficitur metus ac maximus. Suspendisse vehicula ipsum justo. Suspendisse enim velit, facilisis id leo vel, ultricies ultrices lacus.

Donec finibus sodales diam ac sodales. Morbi sollicitudin iaculis neque, vitae fermentum quam. Donec ac urna nunc. Aenean urna orci, suscipit et quam mattis, tristique lobortis augue. Fusce ut sapien convallis, dapibus sem vitae, mattis quam. Etiam risus purus, porttitor eget lobortis sit amet, dictum et velit. Curabitur eget luctus sapien. Class aptent taciti sociosqu ad litora torquent per conubia nostra, per inceptos himenaeos. Nullam efficitur, ante malesuada efficitur aliquet, lorem tellus ornare urna, nec fermentum nunc eros nec purus.

Morbi nec pellentesque quam. Suspendisse quis ex nunc. Etiam in aliquam leo. Etiam volutpat euismod gravida. Aenean ultricies nisl nulla, quis condimentum tellus convallis

eget. Etiam malesuada egestas nisl sed vulputate. Mauris lacinia accumsan ornare. Donec bibendum ex ac gravida pretium. Nunc vitae pellentesque nisi.

Nam egestas imperdiet euismod. Ut id augue condimentum, varius nisl at, gravida nisi. Aliquam convallis velit gravida, dictum quam a, luctus nibh. In justo orci, venenatis eget orci quis, fringilla volutpat arcu. Nulla nec est sed erat ornare vehicula sit amet quis eros. Vestibulum nec magna orci. Donec ut semper massa.

Suspendisse id ex imperdiet, dapibus purus vel, euismod ex. In id nibh quis erat dapibus sollicitudin. Aliquam sit amet elit id purus fringilla tempus et vel diam. Mauris vel nulla volutpat, vehicula tellus et, mattis lorem. Fusce tempus consectetur vulputate. Proin lorem sem, lobortis fringilla consectetur id, aliquam et libero. Duis ultrices, mauris et posuere convallis, lorem risus imperdiet diam, vel ullamcorper quam ipsum sed tellus. Pellentesque quam nulla, suscipit non convallis quis, mollis vitae nisl. Donec elementum turpis non nibh convallis laoreet. Duis ornare sollicitudin blandit. Nunc sodales massa ex, porta euismod nisi molestie sit amet. Integer augue diam, consequat quis libero sed, dapibus dignissim augue. Etiam egestas est et luctus volutpat. In velit neque, bibendum ac finibus eget, tristique sit amet neque. Ut risus sem, lacinia quis hendrerit ut, luctus in neque. Suspendisse cursus mauris id lorem bibendum, a rutrum quam ullamcorper.

Aliquam non ipsum vitae purus congue pulvinar. Donec sodales sit amet elit et ullamcorper. Morbi at felis dignissim odio malesuada varius et vitae dolor. Ut scelerisque nisi eros, et fermentum nisl bibendum eget. Pellentesque leo ipsum, bibendum sit amet lectus in, imperdiet volutpat justo. Nunc a magna id magna ultricies gravida sit amet laoreet metus. Vestibulum in laoreet nisi. Fusce eget egestas dui. Aenean eget laoreet lorem. Nunc in tristique nisi, eget tempus leo. Aliquam maximus nunc sed rutrum gravida. Ut lobortis

suscipit vehicula. Aenean a massa id metus elementum suscipit sed at enim. Nullam luctus cursus hendrerit.

Vestibulum sed ante scelerisque, ullamcorper sem ac, pretium arcu. Aliquam erat volutpat. Curabitur at egestas nunc, eu aliquet ligula. Phasellus lorem felis, faucibus in dui a, consectetur volutpat elit. Integer bibendum lorem non erat blandit vehicula. Sed dapibus augue quam, eu sagittis velit euismod at. Duis condimentum auctor quam, in suscipit purus hendrerit at. Donec semper nibh vel iaculis rhoncus.

Nulla facilisi. Aliquam interdum posuere commodo. Donec id mi facilisis, faucibus sem a, venenatis mauris. Phasellus pharetra erat eu metus tempus porta. Sed vel augue finibus, commodo ex id, vulputate ligula. Quisque sed lorem eleifend, tristique lectus et, porttitor purus. Praesent ac dolor sit amet odio scelerisque aliquet sodales nec sapien. Morbi suscipit, lorem ac tristique pharetra, quam augue facilisis turpis, luctus gravida ante neque vitae urna. Nunc sem lorem, tincidunt non odio at, tempor volutpat nisi. Morbi vel placerat turpis. Pellentesque consectetur metus eget lacus sollicitudin condimentum. Class aptent taciti sociosqu ad litora torquent per conubia nostra, per inceptos himenaeos. Nunc varius ac nisl vulputate maximus.

In suscipit odio eu interdum finibus. Integer ut est et erat varius lacinia. Nullam consequat tempor ligula, quis commodo augue varius vel. Maecenas est metus, pellen-tesque ut sollicitudin et, pellentesque at lectus. Donec tincidunt elit orci, eu vestibulum ex rhoncus at. Nulla facilisi. Ut sit amet lobortis magna. Quisque malesuada mi quis consequat auctor. Mauris ut bibendum ante. Nulla nec eros eros. Donec euismod blandit lobortis. Aenean non lacinia odio. Sed consequat est nec faucibus accumsan. Fusce vel nisi ac massa efficitur euismod at sed turpis. Nunc vehicula posuere pharetra.

Sed ultricies est at malesuada pharetra. Donec varius nisl eu diam suscipit, vel interdum leo ultricies. Vestibulum ante

ipsum primis in faucibus orci luctus et ultrices posuere cubilia curae; Nam sed lectus nulla. Mauris congue dapibus quam. Etiam sit amet lobortis velit. Nunc libero nunc, auctor in convallis a, molestie at leo. Cras lacus elit, dignissim sit amet diam eget, ultrices tristique dolor. Etiam quis viverra lectus. Donec semper, dui ut accumsan congue, nulla sapien maximus massa, nec vulputate massa quam ut sapien. Praesent sagittis accumsan tincidunt. Donec porta ligula fermentum ultricies dignissim. Mauris imperdiet, arcu feugiat eleifend laoreet, sem ipsum interdum ligula, eu cursus turpis arcu eget tortor. Fusce a tristique tortor. Sed vel aliquam lectus. Donec laoreet tellus erat, nec facilisis sapien placerat sed.

Mauris pretium malesuada justo, ut luctus tellus commodo mattis. Nullam ornare suscipit ligula a placerat. Donec cursus tellus ultrices ante aliquet, nec iaculis libero lacinia. Praesent quis dolor eget nulla consectetur luctus tristique fermentum ex. Sed accumsan sollicitudin metus at elementum. Phasellus dictum, libero sit amet placerat maximus, nisi ipsum gravida turpis, sed tempor neque nunc sed massa. Nunc blandit posuere augue. Nunc efficitur mollis justo, et aliquam urna faucibus eu. Ut ultricies nunc et enim auctor interdum. Donec luctus massa eu justo fermentum, a tincidunt neque tincidunt. Orci varius natoque penatibus et magnis dis parturient montes, nascetur ridiculus mus. Quisque et ornare lorem. Integer vulputate, risus a porta euismod, mi tortor ultrices mi, eu tincidunt enim odio quis tellus. Aliquam eleifend, est eget maximus facilisis, augue nibh auctor lorem, sed mattis arcu odio luctus est. Proin tellus turpis, mollis quis sodales ut, semper vitae mauris.

Class aptent taciti sociosqu ad litora torquent per conubia nostra, per inceptos himenaeos. Donec vitae finibus sem. Pellentesque ultrices in ex ac scelerisque. Morbi imperdiet hendrerit odio quis laoreet. Cras aliquet est eu nulla porta accumsan. Quisque pulvinar et libero at porta. Quisque

vehicula ipsum mi, vitae pretium lectus ultricies et. In hac habitasse platea dictumst. Praesent rutrum, nisi in tincidunt aliquet, leo dolor fermentum elit, at vulputate quam odio nec felis. Aliquam non orci tincidunt, ultricies purus at, posuere felis.

Sed dapibus nisi sed tortor consectetur fermentum. Sed ex purus, faucibus laoreet diam nec, auctor malesuada risus. Quisque quis sagittis elit. Etiam dapibus diam orci, in sollici-tudin massa tincidunt pellentesque. Nullam mattis posuere dignissim. Maecenas feugiat, nisi vel feugiat ornare, neque augue suscipit libero, quis malesuada enim metus a metus. Pellentesque iaculis turpis et odio dictum, ut elementum felis egestas. Fusce ut quam at tortor aliquam lacinia. Class aptent taciti sociosqu ad litora torquent per conubia nostra, per inceptos himenaeos. Ut quis mattis libero. Fusce quis ultricies sem.

Curabitur et magna tempus, faucibus tortor sed, aliquet velit. Fusce sed urna nulla. Mauris in nibh quam. Aliquam sed odio ultricies libero accumsan aliquet et quis justo. Prae-sent rutrum velit turpis, at consequat risus ullamcorper vel. Nam imperdiet ac magna a faucibus. Aliquam placerat fermentum dapibus. Nam ultricies euismod facilisis. Quisque consequat tincidunt enim eget fringilla. Fusce purus odio, lacinia et laoreet sit amet, ornare in magna. Vivamus a consectetur magna. Phasellus ornare sem luctus, maximus nisi quis, condimentum risus. Etiam ullamcorper sed massa sit amet mollis. Maecenas quis lacus fringilla ex volutpat ornare. Suspendisse lobortis fermentum fringilla. Vestibulum sit amet maximus leo, ac cursus nibh.

Donec iaculis maximus dui quis egestas. Ut gravida, tellus vitae mollis tincidunt, leo mauris ultrices turpis, sed finibus urna quam non tellus. Mauris sollicitudin venenatis neque vel ultricies. Lorem ipsum dolor sit amet, consectetur adip-iscing elit. Nunc vestibulum sapien id lacus ullamcorper euismod. Aliquam id rhoncus purus, ac sagittis est. Fusce

finibus sagittis diam, non elementum est. Nulla rutrum eros eget risus mattis, in condimentum erat eleifend. Sed arcu odio, cursus ac tincidunt ac, aliquet sit amet nibh. Fusce aliquam dictum orci. Donec aliquet ultrices nisi.

Donec volutpat tortor nec elementum tincidunt. Cras tempor ultrices mauris vel semper. Phasellus vitae odio dapibus, lobortis massa ac, malesuada ex. Nulla tincidunt at lacus sit amet tincidunt. Maecenas orci nisi, ullamcorper nec condimentum faucibus, consequat non metus. Maecenas ac porttitor elit. Fusce fermentum lorem eget turpis pellentesque pellentesque. Pellentesque habitant morbi tristique senectus et netus et malesuada fames ac turpis egestas. Curabitur interdum, ligula non bibendum blandit, lectus arcu molestie metus, ut dictum nibh lectus vel dolor. Duis laoreet ipsum ac purus consequat, eu ullamcorper mi aliquet.

Donec id dignissim felis, in placerat mi. Integer ut magna faucibus, maximus nulla euismod, semper urna. Nunc quis dui lacinia, facilisis magna ac, pulvinar turpis. Praesent volutpat nibh eu pharetra fringilla. Integer tristique fermentum fringilla. Aenean eu rutrum neque. Nullam lobortis lectus dolor, non volutpat lectus consequat at.

Ut diam elit, blandit quis tortor ac, ultrices varius diam. Nam consequat rhoncus nisi, eget viverra massa. Proin sollicitudin sem quis sodales lobortis. Aliquam vulputate ac sapien id interdum. Curabitur posuere dapibus magna, et imperdiet sem consectetur vitae. In a ornare purus. Donec nulla risus, dapibus vel aliquet vel, imperdiet sit amet sem. Class aptent taciti sociosqu ad litora torquent per conubia nostra, per inceptos himenaeos. Maecenas varius condimentum dapibus. Nulla fringilla, leo ac dignissim porta, eros risus pharetra elit, vitae feugiat erat lectus non dui.

Proin in leo neque. Aenean imperdiet augue sed ex sollicitudin, sed vehicula sapien tempor. Praesent cursus condimentum dictum. Vestibulum eget sapien nec lectus pulvinar vestibulum. Proin accumsan tincidunt lacus, eu rhoncus ante

tempus ullamcorper. Suspendisse feugiat fringilla sagittis. Sed pulvinar dui et malesuada porttitor. Etiam sit amet justo dui. Nam at sem id enim lacinia porta. Curabitur sem dui, facilisis a molestie nec, aliquet eget elit. Vivamus viverra luctus tortor id condimentum. Curabitur ultricies blandit laoreet. Pellentesque vel risus non lacus feugiat gravida a sit amet mi. Ut ut placerat urna. In scelerisque ultricies odio.

Suspendisse vitae est hendrerit, tempor magna et, molestie turpis. Nam nec quam sapien. Vivamus imperdiet in risus ac posuere. Aenean varius rhoncus elementum. Aenean augue quam, euismod id lacus vitae, gravida aliquet felis. In augue turpis, lobortis sit amet augue vel, elementum aliquam risus. Donec viverra iaculis efficitur. Mauris auctor dui risus, ac fermentum magna auctor at. Vestibulum at bibendum enim. Proin venenatis, ex sed tempor consectetur, lectus metus suscipit augue, in rutrum erat est in augue. Praesent pulvinar eu nisl sit amet molestie. Sed at egestas velit. Fusce et molestie eros. Donec sit amet nisl sit amet felis aliquam fermentum eu in ligula. Pellentesque tincidunt, eros non aliquam pharetra, metus erat volutpat metus, a tincidunt dolor mi eget est.

Sed venenatis nunc sed dolor fringilla congue quis a ligula. Aliquam erat volutpat. Proin egestas est ut porttitor vulputate. Phasellus commodo metus vel sem auctor lacinia. Suspendisse tempus lorem justo, id ullamcorper dolor iaculis a. Phasellus quis auctor neque. Phasellus dapibus ut tortor a varius. Integer sit amet iaculis metus. Etiam diam metus, molestie mollis sodales euismod, fringilla vitae ligula. Suspendisse pellentesque ante sem, commodo mattis tortor semper ultrices. Vestibulum nec posuere ex.

Sed vitae velit lacus. Integer eleifend pulvinar dolor. Integer a libero quis sapien ullamcorper scelerisque quis quis eros. Maecenas id ligula ac nisi gravida varius nec in enim. Pellentesque rhoncus porta nunc, iaculis scelerisque metus rhoncus in. Nullam posuere purus id leo gravida, ut

consectetur nisl pulvinar. Cras ultrices hendrerit est nec accumsan. Mauris molestie sapien ut rhoncus malesuada. Mauris pulvinar suscipit luctus.

Quisque nec bibendum orci, at mattis sapien. Sed ut elit condimentum, consectetur quam id, tincidunt turpis. Phasellus nec tortor ex. Pellentesque habitant morbi tristique senectus et netus et malesuada fames ac turpis egestas. Nam maximus purus velit, at volutpat lorem tempus sit amet. Donec iaculis ultricies nulla ut bibendum. Vestibulum ante ipsum primis in faucibus.

CHAPTER 4

*L*orem ipsum dolor sit amet, consectetur adipiscing elit. Vivamus bibendum mi vitae lacus accumsan dignissim. Phasellus condimentum, sapien ut feugiat ullamcorper, neque dui convallis orci, a pulvinar ante dolor a felis. Nunc varius sapien sit amet porttitor rutrum. Vivamus eget semper nibh. Vivamus euismod neque a convallis vehicula. In sagittis porta elit, in dictum massa scelerisque a. Maecenas sit amet pharetra est, in rhoncus ex. Morbi placerat nulla at nisi lobortis sagittis. Suspendisse ligula lorem, pulvinar et tellus ut, iaculis pellentesque orci. Integer tincidunt, elit cursus dignissim tempus, ex diam auctor magna, vitae fringilla massa sapien quis est. Sed sit amet laoreet elit, id hendrerit turpis. Suspendisse suscipit fringilla placerat. Nunc diam erat, posuere sit amet leo id, porta pharetra orci.

Donec bibendum gravida massa id venenatis. In tincidunt lacinia elit bibendum luctus. Duis finibus enim ut enim ultricies, commodo efficitur diam venenatis. Vestibulum pellentesque justo eget purus hendrerit, ac lobortis augue consectetur. Etiam vitae consectetur velit, eget rutrum ipsum. Ut eget ante eu dolor ultricies pulvinar. Etiam

volutpat commodo justo eget dignissim. Donec ac lectus scelerisque, gravida est a, tincidunt sem. Integer volutpat orci quis mi pharetra porta. Etiam at fermentum nisl. Praesent et magna nunc. Mauris justo turpis, bibendum at lectus vitae, ultrices dictum nisi.

Quisque nunc massa, congue sed iaculis a, blandit ac enim. Suspendisse tristique tellus at sollicitudin venenatis. Vivamus vitae ornare tellus. Vestibulum mollis molestie tortor, et aliquam nisi iaculis luctus. Vivamus risus nisl, mattis vel tincidunt ac, posuere tempus tellus. Quisque in turpis neque. Ut iaculis eleifend urna, nec consequat elit egestas vitae. Nunc a massa fringilla, convallis velit at, molestie justo. Donec blandit iaculis tellus. Nam scelerisque vehicula pulvinar. Donec condimentum neque ut quam bibendum placerat.

Nullam viverra sem imperdiet eros pulvinar molestie. Morbi est lectus, vestibulum sed quam eu, scelerisque ultricies augue. Curabitur nisl libero, porttitor ut ipsum sit amet, gravida dignissim lorem. Aliquam vel molestie diam. Aliquam urna ligula, maximus eget purus nec, porttitor malesuada magna. Aenean orci nisi, sagittis sit amet odio et, euismod interdum ligula. Etiam venenatis risus sit amet consequat vehicula. Sed et aliquet ante. Mauris convallis eget ligula id hendrerit. Pellentesque vitae fringilla nibh. Integer interdum, libero non rhoncus consequat, arcu nisi commodo diam, eget facilisis erat sapien et justo. Morbi efficitur sapien nisl, sit amet fringilla neque pretium vel. Ut ex nisl, mattis a tempor a, aliquet eu leo.

Sed fermentum malesuada purus lacinia sollicitudin. Aliquam luctus pharetra molestie. Nunc luctus vehicula justo, quis finibus nunc feugiat vitae. Orci varius natoque penatibus et magnis dis parturient montes, nascetur ridiculus mus. Curabitur et enim vitae neque ornare condimentum. Nullam semper venenatis mauris, ut malesuada justo eleifend non. Duis eleifend pharetra erat, nec pretium nisl placerat sit

amet. Fusce malesuada vestibulum ligula eget iaculis. Mauris maximus porta nisi eget sollicitudin. Donec ultrices tincidunt risus, cursus volutpat quam tincidunt sit amet. Etiam commodo diam id urna imperdiet, vitae luctus dolor condimentum. Proin commodo justo vel orci tempus mollis. Morbi gravida mauris id lorem venenatis, ut tincidunt diam feugiat. Vivamus pretium faucibus urna id laoreet. Etiam et egestas arcu.

Aliquam in enim eu elit dapibus aliquam. Praesent in elit id nibh vulputate interdum. Class aptent taciti sociosqu ad litora torquent per conubia nostra, per inceptos himenaeos. Aliquam id euismod quam. Mauris tellus ligula, congue a quam vitae, scelerisque consequat sapien. Lorem ipsum dolor sit amet, consectetur adipiscing elit. Fusce sed quam rutrum, commodo tellus eu, aliquet justo.

Etiam mattis tristique libero, a aliquam sapien. Maecenas tortor urna, ultrices id elit sed, feugiat volutpat quam. Sed auctor, ligula at ornare maximus, quam mi malesuada urna, a aliquet enim nisl at erat. Ut scelerisque lacus id ipsum mollis, eu sollicitudin libero vehicula. Curabitur condimentum tortor quis sapien scelerisque ornare. Sed porta metus vel eros consectetur mollis. Cras imperdiet, ipsum quis sollici- tudin venenatis, ligula urna molestie tellus, ullamcorper suscipit nibh quam vitae arcu. Etiam at ligula eget mauris blandit lobortis hendrerit at nunc. Quisque vestibulum eleifend porta. Ut at semper nunc. Quisque non accumsan ante. Sed quis placerat sem, ac pharetra erat. Integer posuere orci nisl, quis auctor nisi volutpat non. Donec vulputate, purus ac suscipit congue, lorem neque fringilla justo, id congue leo risus id lacus.

In hac habitasse platea dictumst. Nullam a nisl at urna rutrum blandit in nec ligula. Vestibulum quis massa ut dolor ultrices pulvinar a sit amet dui. Vivamus volutpat dolor a sodales efficitur. Cras laoreet placerat tincidunt. Donec vulputate turpis a ipsum ultrices sollicitudin. Cras sed turpis

et sapien tristique luctus. Nullam in fermentum nisi, eu consequat justo. Morbi enim purus, imperdiet sit amet ipsum in, cursus eleifend mi. Donec porta lectus mi, pellentesque luctus urna pretium sed. Sed aliquam erat nec rhoncus lacinia. Vestibulum viverra pretium sapien nec ultrices. Maecenas finibus luctus erat, in accumsan purus gravida ut. Curabitur venenatis est fringilla rutrum sollicitudin. Nulla efficitur eleifend sem, non egestas elit sodales quis. Fusce ornare sem dolor, eu rutrum magna pretium ac.

Vivamus posuere massa et posuere semper. Pellentesque turpis tortor, bibendum nec porta tristique, venenatis quis ligula. Maecenas bibendum porta turpis, consectetur fringilla sem varius at. Suspendisse potenti. Morbi odio diam, fermentum ac libero sed, porta scelerisque arcu. Sed porttitor sapien turpis, eget pharetra magna scelerisque ut. Phasellus ornare leo in turpis viverra interdum.

Nulla id venenatis enim. Donec placerat dignissim sapien, in rutrum libero iaculis vel. Cras et placerat metus, ut pulvinar leo. Etiam ut cursus ante, nec pellentesque libero. Curabitur vitae lacinia diam. Nunc malesuada tortor sapien, sed aliquet est facilisis sit amet. Nunc scelerisque malesuada accumsan. Nunc nec maximus nisi. Mauris vitae vulputate neque. Mauris ac urna leo. Vestibulum placerat pulvinar sem sed dapibus. Sed nulla augue, elementum eget convallis id, egestas cursus leo. Pellentesque mi lacus, accumsan id mauris nec, malesuada lacinia sapien. Donec tincidunt odio sit amet ligula venenatis, vitae euismod erat rhoncus. Maecenas semper et ligula id ultricies. Nulla fringilla libero felis, sit amet cursus orci accumsan quis.

Sed non purus odio. Duis aliquet justo ligula, placerat maximus odio iaculis vitae. Integer dignissim at ligula vitae porttitor. Sed blandit mauris sed faucibus malesuada. Donec a porta quam. Cras ut tempus mi, auctor maximus neque. Proin at metus mauris. Maecenas fermentum ultrices porttitor. Aliquam eget augue a diam mollis consequat ultrices

condimentum nulla. Vivamus vel felis ullamcorper, tincidunt quam ut, malesuada ligula. Nulla vel lectus lacus. Etiam ut dictum dolor. Duis tempus maximus volutpat. Fusce maximus tincidunt dui, vitae rutrum elit imperdiet et. Sed eget urna mi. Aenean nec metus nisi.

Cras pellentesque justo enim, ac pulvinar nulla ultrices vitae. Vestibulum suscipit consectetur tempor. Pellentesque sed congue libero, in semper sapien. Interdum et malesuada fames ac ante ipsum primis in faucibus. Maecenas vehicula sit amet diam eu congue. Cras pretium, sapien sed posuere laoreet, tortor tortor mollis risus, quis dictum quam risus in metus. Quisque a ligula nisl. Morbi consectetur nisi id libero luctus dictum. Cras at arcu risus. Praesent venenatis dapibus dictum. Praesent molestie quis sem sit amet tincidunt. Vivamus suscipit mauris sed scelerisque pharetra. Aliquam feugiat urna fringilla nunc ornare, sed laoreet quam vehicula. Nullam ac justo sit amet augue consectetur facilisis. Nunc imperdiet dolor dolor.

Sed vitae lacus lacus. Mauris in enim posuere felis sollici-tudin maximus. Sed et ante ac quam tincidunt efficitur. Fusce nisl sem, auctor eget nisl accumsan, tincidunt gravida nulla. Integer scelerisque in eros fermentum semper. Donec sollicitudin a sem eget volutpat. Suspendisse justo neque, aliquam bibendum velit at, malesuada egestas sem. Nulla ac est convallis urna tincidunt pulvinar fermentum non libero. Proin vestibulum, lorem vel euismod vulputate, lacus nisl varius tellus, ut ultrices dolor orci eu turpis. Duis efficitur ut tellus sit amet luctus. Aliquam erat volutpat. Nulla consequat viverra mauris sit amet consectetur. Phasellus laoreet tempus mauris sed varius.

Aliquam a sem dui. Suspendisse potenti. Morbi nec enim non diam vehicula fermentum. Sed porttitor elit non ante molestie, eu aliquet nulla pharetra. Phasellus eros magna, dapibus nec quam id, egestas mattis quam. Vestibulum sed mi ac justo elementum efficitur quis quis enim. Vestibulum

leo leo, condimentum vitae dolor eget, dignissim placerat eros. Maecenas elementum porttitor sollicitudin. Proin convallis posuere scelerisque. Vestibulum lacinia vulputate porta. Pellentesque habitant morbi tristique senectus et netus et malesuada fames ac turpis egestas.

Fusce aliquet metus massa, at elementum justo elementum id. Mauris aliquam justo sed elit dignissim, nec egestas augue condimentum. Proin consequat arcu ut ligula sollicitudin, at elementum est rutrum. Aliquam tristique, odio at vehicula volutpat, nunc sem porttitor lectus, ut fringilla dolor eros in eros. Morbi quis bibendum felis, in porta ligula. Aenean dignissim feugiat purus vitae sagittis. Duis finibus massa felis, at finibus odio sollicitudin eu. Morbi at finibus ligula.

Morbi ante purus, laoreet dignissim enim in, ullamcorper iaculis purus. Nunc malesuada nisl justo. Sed consequat enim id pulvinar convallis. Fusce blandit, sem varius cursus commodo, nisi purus imperdiet odio, eget mollis orci ante a magna. Praesent molestie nunc vel quam mollis porttitor. Integer mi est, pellentesque ut orci eget, ultricies porttitor velit. Integer feugiat, est vel ullamcorper sodales, libero felis sodales ante, nec tincidunt lectus nibh vitae sapien.

Sed arcu tortor, ultrices vitae tortor vel, ornare fermentum mi. Sed finibus nulla quis blandit egestas. Phasellus eu nulla mauris. Pellentesque ultricies libero metus, eu finibus justo mollis quis. Aliquam pharetra lacus ut facilisis vestibulum. Nunc imperdiet a tellus vitae rhoncus. Nulla non ornare felis, eu consectetur risus. Pellentesque a congue ante. In hac habitasse platea dictumst. Phasellus in pellentesque ex. Praesent iaculis orci id velit suscipit, ac laoreet augue venenatis. Proin felis turpis, molestie vitae commodo quis, suscipit nec nunc. Vestibulum in magna orci. Sed at consequat erat, quis lacinia ex.

Suspendisse faucibus, lorem vitae fermentum fermentum, odio purus efficitur enim, eu sollicitudin sapien lectus nec

erat. Vestibulum ante ipsum primis in faucibus orci luctus et ultrices posuere cubilia curae; Lorem ipsum dolor sit amet, consectetur adipiscing elit. Integer aliquam tempor ipsum, in rutrum enim consectetur in. Fusce vel imperdiet purus. Suspendisse quis euismod eros. Ut et ex pellentesque diam posuere faucibus iaculis dignissim orci. Nunc sed nibh mi. Nunc vitae dignissim quam. Morbi dictum est a magna cursus, nec rhoncus sem pellentesque.

Sed dignissim cursus ex. Donec lacinia nisi in neque semper ullamcorper. Praesent non nibh at ante eleifend ultrices non vel magna. Donec congue viverra dolor sed consequat. Donec fermentum nunc ut congue malesuada. In nec nisi felis. Etiam lectus dolor, tincidunt a pharetra eget, placerat vulputate mauris.

Nulla sodales, arcu ullamcorper placerat dignissim, dolor turpis congue nisl, quis fringilla ex massa lacinia enim. In vulputate aliquam augue. Mauris eget imperdiet lectus. Pellentesque habitant morbi tristique senectus et netus et malesuada fames ac turpis egestas. Quisque at augue purus. Donec sit amet tincidunt augue. Nunc ac metus nec urna maximus accumsan.

Quisque bibendum nisl tincidunt nulla tincidunt tempor. Nulla viverra laoreet ex id imperdiet. Proin feugiat, magna interdum dapibus mattis, libero dui fermentum felis, eget luctus ante risus in justo. Aliquam luctus imperdiet nisl, vel porta erat egestas quis. Nulla ullamcorper auctor neque a ullamcorper. Nam aliquet justo a dui aliquam, eu mattis sapien pulvinar. Vivamus neque felis, pellentesque sed lorem non, elementum faucibus eros.

Nunc nulla tellus, sollicitudin sed turpis sit amet, rhoncus feugiat dui. Vivamus id feugiat mauris. Cras consectetur dapibus risus sed suscipit. Aenean porttitor, lorem quis gravida sollicitudin, velit libero elementum erat, quis porttitor tortor neque id dui. Vestibulum sed tempus quam. Maecenas laoreet sapien sed lacus commodo hendrerit. Cras

aliquet, odio id rutrum viverra, enim eros laoreet orci, nec hendrerit nibh nisl quis neque. Donec consequat, ligula a facilisis fringilla, urna odio iaculis nunc, eu convallis felis dolor ut purus. Sed ultricies placerat ante, blandit pharetra orci tincidunt sit amet. Nullam cursus, leo eget porta aliquet, nisl est sagittis nibh, ut placerat elit tellus nec risus. Vivamus cursus nec neque at sollicitudin. Morbi sit amet lacus erat. Duis tempor ipsum sem, in varius sem molestie eget. Phasellus aliquam nibh sed diam viverra, sit amet ornare ex fringilla. Donec ut ipsum laoreet, gravida justo vel, convallis ante. Nullam consequat tortor eu sapien iaculis, nec mattis justo ultricies.

Suspendisse semper massa porttitor molestie laoreet. Proin elementum dui neque, et feugiat libero porta a. In vel condimentum lectus, sit amet bibendum odio. Nunc nec lectus consequat, faucibus leo non, volutpat tortor. Mauris malesuada imperdiet lacus, eget placerat ipsum tempor non. Nunc sit amet purus finibus, consequat lectus et, venenatis magna. Curabitur iaculis vehicula augue. Duis ultrices efficitur metus ac maximus. Suspendisse vehicula ipsum justo. Suspendisse enim velit, facilisis id leo vel, ultricies ultrices lacus.

Donec finibus sodales diam ac sodales. Morbi sollicitudin iaculis neque, vitae fermentum quam. Donec ac urna nunc. Aenean urna orci, suscipit et quam mattis, tristique lobortis augue. Fusce ut sapien convallis, dapibus sem vitae, mattis quam. Etiam risus purus, porttitor eget lobortis sit amet, dictum et velit. Curabitur eget luctus sapien. Class aptent taciti sociosqu ad litora torquent per conubia nostra, per inceptos himenaeos. Nullam efficitur, ante malesuada efficitur aliquet, lorem tellus ornare urna, nec fermentum nunc eros nec purus.

Morbi nec pellentesque quam. Suspendisse quis ex nunc. Etiam in aliquam leo. Etiam volutpat euismod gravida. Aenean ultricies nisl nulla, quis condimentum tellus convallis

eget. Etiam malesuada egestas nisl sed vulputate. Mauris lacinia accumsan ornare. Donec bibendum ex ac gravida pretium. Nunc vitae pellentesque nisi.

Nam egestas imperdiet euismod. Ut id augue condimentum, varius nisl at, gravida nisi. Aliquam convallis velit gravida, dictum quam a, luctus nibh. In justo orci, venenatis eget orci quis, fringilla volutpat arcu. Nulla nec est sed erat ornare vehicula sit amet quis eros. Vestibulum nec magna orci. Donec ut semper massa.

Suspendisse id ex imperdiet, dapibus purus vel, euismod ex. In id nibh quis erat dapibus sollicitudin. Aliquam sit amet elit id purus fringilla tempus et vel diam. Mauris vel nulla volutpat, vehicula tellus et, mattis lorem. Fusce tempus consectetur vulputate. Proin lorem sem, lobortis fringilla consectetur id, aliquam et libero. Duis ultrices, mauris et posuere convallis, lorem risus imperdiet diam, vel ullamcorper quam ipsum sed tellus. Pellentesque quam nulla, suscipit non convallis quis, mollis vitae nisl. Donec elementum turpis non nibh convallis laoreet. Duis ornare sollicitudin blandit. Nunc sodales massa ex, porta euismod nisi molestie sit amet. Integer augue diam, consequat quis libero sed, dapibus dignissim augue. Etiam egestas est et luctus volutpat. In velit neque, bibendum ac finibus eget, tristique sit amet neque. Ut risus sem, lacinia quis hendrerit ut, luctus in neque. Suspendisse cursus mauris id lorem bibendum, a rutrum quam ullamcorper.

Aliquam non ipsum vitae purus congue pulvinar. Donec sodales sit amet elit et ullamcorper. Morbi at felis dignissim odio malesuada varius et vitae dolor. Ut scelerisque nisi eros, et fermentum nisl bibendum eget. Pellentesque leo ipsum, bibendum sit amet lectus in, imperdiet volutpat justo. Nunc a magna id magna ultricies gravida sit amet laoreet metus. Vestibulum in laoreet nisi. Fusce eget egestas dui. Aenean eget laoreet lorem. Nunc in tristique nisi, eget tempus leo. Aliquam maximus nunc sed rutrum gravida. Ut lobortis

suscipit vehicula. Aenean a massa id metus elementum suscipit sed at enim. Nullam luctus cursus hendrerit.

Vestibulum sed ante scelerisque, ullamcorper sem ac, pretium arcu. Aliquam erat volutpat. Curabitur at egestas nunc, eu aliquet ligula. Phasellus lorem felis, faucibus in dui a, consectetur volutpat elit. Integer bibendum lorem non erat blandit vehicula. Sed dapibus augue quam, eu sagittis velit euismod at. Duis condimentum auctor quam, in suscipit purus hendrerit at. Donec semper nibh vel iaculis rhoncus.

Nulla facilisi. Aliquam interdum posuere commodo. Donec id mi facilisis, faucibus sem a, venenatis mauris. Phasellus pharetra erat eu metus tempus porta. Sed vel augue finibus, commodo ex id, vulputate ligula. Quisque sed lorem eleifend, tristique lectus et, porttitor purus. Praesent ac dolor sit amet odio scelerisque aliquet sodales nec sapien. Morbi suscipit, lorem ac tristique pharetra, quam augue facilisis turpis, luctus gravida ante neque vitae urna. Nunc sem lorem, tincidunt non odio at, tempor volutpat nisi. Morbi vel placerat turpis. Pellentesque consectetur metus eget lacus sollicitudin condimentum. Class aptent taciti sociosqu ad litora torquent per conubia nostra, per inceptos himenaeos. Nunc varius ac nisl vulputate maximus.

In suscipit odio eu interdum finibus. Integer ut est et erat varius lacinia. Nullam consequat tempor ligula, quis commodo augue varius vel. Maecenas est metus, pellentesque ut sollicitudin et, pellentesque at lectus. Donec tincidunt elit orci, eu vestibulum ex rhoncus at. Nulla facilisi. Ut sit amet lobortis magna. Quisque malesuada mi quis consequat auctor. Mauris ut bibendum ante. Nulla nec eros eros. Donec euismod blandit lobortis. Aenean non lacinia odio. Sed consequat est nec faucibus accumsan. Fusce vel nisi ac massa efficitur euismod at sed turpis. Nunc vehicula posuere pharetra.

Sed ultricies est at malesuada pharetra. Donec varius nisl eu diam suscipit, vel interdum leo ultricies. Vestibulum ante

ipsum primis in faucibus orci luctus et ultrices posuere cubilia curae; Nam sed lectus nulla. Mauris congue dapibus quam. Etiam sit amet lobortis velit. Nunc libero nunc, auctor in convallis a, molestie at leo. Cras lacus elit, dignissim sit amet diam eget, ultrices tristique dolor. Etiam quis viverra lectus. Donec semper, dui ut accumsan congue, nulla sapien maximus massa, nec vulputate massa quam ut sapien. Praesent sagittis accumsan tincidunt. Donec porta ligula fermentum ultricies dignissim. Mauris imperdiet, arcu feugiat eleifend laoreet, sem ipsum interdum ligula, eu cursus turpis arcu eget tortor. Fusce a tristique tortor. Sed vel aliquam lectus. Donec laoreet tellus erat, nec facilisis sapien placerat sed.

Mauris pretium malesuada justo, ut luctus tellus commodo mattis. Nullam ornare suscipit ligula a placerat. Donec cursus tellus ultrices ante aliquet, nec iaculis libero lacinia. Praesent quis dolor eget nulla consectetur luctus tristique fermentum ex. Sed accumsan sollicitudin metus at elementum. Phasellus dictum, libero sit amet placerat maximus, nisi ipsum gravida turpis, sed tempor neque nunc sed massa. Nunc blandit posuere augue. Nunc efficitur mollis justo, et aliquam urna faucibus eu. Ut ultricies nunc et enim auctor interdum. Donec luctus massa eu justo fermentum, a tincidunt neque tincidunt. Orci varius natoque penatibus et magnis dis parturient montes, nascetur ridiculus mus. Quisque et ornare lorem. Integer vulputate, risus a porta euismod, mi tortor ultrices mi, eu tincidunt enim odio quis tellus. Aliquam eleifend, est eget maximus facilisis, augue nibh auctor lorem, sed mattis arcu odio luctus est. Proin tellus turpis, mollis quis sodales ut, semper vitae mauris.

Class aptent taciti sociosqu ad litora torquent per conubia nostra, per inceptos himenaeos. Donec vitae finibus sem. Pellentesque ultrices in ex ac scelerisque. Morbi imperdiet hendrerit odio quis laoreet. Cras aliquet est eu nulla porta accumsan. Quisque pulvinar et libero at porta. Quisque

vehicula ipsum mi, vitae pretium lectus ultricies et. In hac habitasse platea dictumst. Praesent rutrum, nisi in tincidunt aliquet, leo dolor fermentum elit, at vulputate quam odio nec felis. Aliquam non orci tincidunt, ultricies purus at, posuere felis.

Sed dapibus nisi sed tortor consectetur fermentum. Sed ex purus, faucibus laoreet diam nec, auctor malesuada risus. Quisque quis sagittis elit. Etiam dapibus diam orci, in sollicitudin massa tincidunt pellentesque. Nullam mattis posuere dignissim. Maecenas feugiat, nisi vel feugiat ornare, neque augue suscipit libero, quis malesuada enim metus a metus. Pellentesque iaculis turpis et odio dictum, ut elementum felis egestas. Fusce ut quam at tortor aliquam lacinia. Class aptent taciti sociosqu ad litora torquent per conubia nostra, per inceptos himenaeos. Ut quis mattis libero. Fusce quis ultricies sem.

Curabitur et magna tempus, faucibus tortor sed, aliquet velit. Fusce sed urna nulla. Mauris in nibh quam. Aliquam sed odio ultricies libero accumsan aliquet et quis justo. Praesent rutrum velit turpis, at consequat risus ullamcorper vel. Nam imperdiet ac magna a faucibus. Aliquam placerat fermentum dapibus. Nam ultricies euismod facilisis. Quisque consequat tincidunt enim eget fringilla. Fusce purus odio, lacinia et laoreet sit amet, ornare in magna. Vivamus a consectetur magna. Phasellus ornare sem luctus, maximus nisi quis, condimentum risus. Etiam ullamcorper sed massa sit amet mollis. Maecenas quis lacus fringilla ex volutpat ornare. Suspendisse lobortis fermentum fringilla. Vestibulum sit amet maximus leo, ac cursus nibh.

Donec iaculis maximus dui quis egestas. Ut gravida, tellus vitae mollis tincidunt, leo mauris ultrices turpis, sed finibus urna quam non tellus. Mauris sollicitudin venenatis neque vel ultricies. Lorem ipsum dolor sit amet, consectetur adipiscing elit. Nunc vestibulum sapien id lacus ullamcorper euismod. Aliquam id rhoncus purus, ac sagittis est. Fusce

finibus sagittis diam, non elementum est. Nulla rutrum eros eget risus mattis, in condimentum erat eleifend. Sed arcu odio, cursus ac tincidunt ac, aliquet sit amet nibh. Fusce aliquam dictum orci. Donec aliquet ultrices nisi.

Donec volutpat tortor nec elementum tincidunt. Cras tempor ultrices mauris vel semper. Phasellus vitae odio dapibus, lobortis massa ac, malesuada ex. Nulla tincidunt at lacus sit amet tincidunt. Maecenas orci nisi, ullamcorper nec condimentum faucibus, consequat non metus. Maecenas ac porttitor elit. Fusce fermentum lorem eget turpis pellentesque pellentesque. Pellentesque habitant morbi tristique senectus et netus et malesuada fames ac turpis egestas. Curabitur interdum, ligula non bibendum blandit, lectus arcu molestie metus, ut dictum nibh lectus vel dolor. Duis laoreet ipsum ac purus consequat, eu ullamcorper mi aliquet.

Donec id dignissim felis, in placerat mi. Integer ut magna faucibus, maximus nulla euismod, semper urna. Nunc quis dui lacinia, facilisis magna ac, pulvinar turpis. Praesent volutpat nibh eu pharetra fringilla. Integer tristique fermentum fringilla. Aenean eu rutrum neque. Nullam lobortis lectus dolor, non volutpat lectus consequat at.

Ut diam elit, blandit quis tortor ac, ultrices varius diam. Nam consequat rhoncus nisi, eget viverra massa. Proin sollicitudin sem quis sodales lobortis. Aliquam vulputate ac sapien id interdum. Curabitur posuere dapibus magna, et imperdiet sem consectetur vitae. In a ornare purus. Donec nulla risus, dapibus vel aliquet vel, imperdiet sit amet sem. Class aptent taciti sociosqu ad litora torquent per conubia nostra, per inceptos himenaeos. Maecenas varius condimentum dapibus. Nulla fringilla, leo ac dignissim porta, eros risus pharetra elit, vitae feugiat erat lectus non dui.

Proin in leo neque. Aenean imperdiet augue sed ex sollicitudin, sed vehicula sapien tempor. Praesent cursus condimentum dictum. Vestibulum eget sapien nec lectus pulvinar vestibulum. Proin accumsan tincidunt lacus, eu rhoncus ante

tempus ullamcorper. Suspendisse feugiat fringilla sagittis. Sed pulvinar dui et malesuada porttitor. Etiam sit amet justo dui. Nam at sem id enim lacinia porta. Curabitur sem dui, facilisis a molestie nec, aliquet eget elit. Vivamus viverra luctus tortor id condimentum. Curabitur ultricies blandit laoreet. Pellentesque vel risus non lacus feugiat gravida a sit amet mi. Ut ut placerat urna. In scelerisque ultricies odio.

Suspendisse vitae est hendrerit, tempor magna et, molestie turpis. Nam nec quam sapien. Vivamus imperdiet in risus ac posuere. Aenean varius rhoncus elementum. Aenean augue quam, euismod id lacus vitae, gravida aliquet felis. In augue turpis, lobortis sit amet augue vel, elementum aliquam risus. Donec viverra iaculis efficitur. Mauris auctor dui risus, ac fermentum magna auctor at. Vestibulum at bibendum enim. Proin venenatis, ex sed tempor consectetur, lectus metus suscipit augue, in rutrum erat est in augue. Praesent pulvinar eu nisl sit amet molestie. Sed at egestas velit. Fusce et molestie eros. Donec sit amet nisl sit amet felis aliquam fermentum eu in ligula. Pellentesque tincidunt, eros non aliquam pharetra, metus erat volutpat metus, a tincidunt dolor mi eget est.

Sed venenatis nunc sed dolor fringilla congue quis a ligula. Aliquam erat volutpat. Proin egestas est ut porttitor vulputate. Phasellus commodo metus vel sem auctor lacinia. Suspendisse tempus lorem justo, id ullamcorper dolor iaculis a. Phasellus quis auctor neque. Phasellus dapibus ut tortor a varius. Integer sit amet iaculis metus. Etiam diam metus, molestie mollis sodales euismod, fringilla vitae ligula. Suspendisse pellentesque ante sem, commodo mattis tortor semper ultrices. Vestibulum nec posuere ex.

Sed vitae velit lacus. Integer eleifend pulvinar dolor. Integer a libero quis sapien ullamcorper scelerisque quis quis eros. Maecenas id ligula ac nisi gravida varius nec in enim. Pellentesque rhoncus porta nunc, iaculis scelerisque metus rhoncus in. Nullam posuere purus id leo gravida, ut

consectetur nisl pulvinar. Cras ultrices hendrerit est nec accumsan. Mauris molestie sapien ut rhoncus malesuada. Mauris pulvinar suscipit luctus.

Quisque nec bibendum orci, at mattis sapien. Sed ut elit condimentum, consectetur quam id, tincidunt turpis. Phasellus nec tortor ex. Pellentesque habitant morbi tristique senectus et netus et malesuada fames ac turpis egestas. Nam maximus purus velit, at volutpat lorem tempus sit amet. Donec iaculis ultricies nulla ut bibendum. Vestibulum ante ipsum primis in faucibus.

CHAPTER 5

*L*orem ipsum dolor sit amet, consectetur adipiscing elit. Vivamus bibendum mi vitae lacus accumsan dignissim. Phasellus condimentum, sapien ut feugiat ullamcorper, neque dui convallis orci, a pulvinar ante dolor a felis. Nunc varius sapien sit amet porttitor rutrum. Vivamus eget semper nibh. Vivamus euismod neque a convallis vehicula. In sagittis porta elit, in dictum massa scelerisque a. Maecenas sit amet pharetra est, in rhoncus ex. Morbi placerat nulla at nisi lobortis sagittis. Suspendisse ligula lorem, pulvinar et tellus ut, iaculis pellentesque orci. Integer tincidunt, elit cursus dignissim tempus, ex diam auctor magna, vitae fringilla massa sapien quis est. Sed sit amet laoreet elit, id hendrerit turpis. Suspendisse suscipit fringilla placerat. Nunc diam erat, posuere sit amet leo id, porta pharetra orci.

Donec bibendum gravida massa id venenatis. In tincidunt lacinia elit bibendum luctus. Duis finibus enim ut enim ultricies, commodo efficitur diam venenatis. Vestibulum pellentesque justo eget purus hendrerit, ac lobortis augue consectetur. Etiam vitae consectetur velit, eget rutrum ipsum. Ut eget ante eu dolor ultricies pulvinar. Etiam

volutpat commodo justo eget dignissim. Donec ac lectus scelerisque, gravida est a, tincidunt sem. Integer volutpat orci quis mi pharetra porta. Etiam at fermentum nisl. Praesent et magna nunc. Mauris justo turpis, bibendum at lectus vitae, ultrices dictum nisi.

Quisque nunc massa, congue sed iaculis a, blandit ac enim. Suspendisse tristique tellus at sollicitudin venenatis. Vivamus vitae ornare tellus. Vestibulum mollis molestie tortor, et aliquam nisi iaculis luctus. Vivamus risus nisl, mattis vel tincidunt ac, posuere tempus tellus. Quisque in turpis neque. Ut iaculis eleifend urna, nec consequat elit egestas vitae. Nunc a massa fringilla, convallis velit at, molestie justo. Donec blandit iaculis tellus. Nam scelerisque vehicula pulvinar. Donec condimentum neque ut quam bibendum placerat.

Nullam viverra sem imperdiet eros pulvinar molestie. Morbi est lectus, vestibulum sed quam eu, scelerisque ultricies augue. Curabitur nisl libero, porttitor ut ipsum sit amet, gravida dignissim lorem. Aliquam vel molestie diam. Aliquam urna ligula, maximus eget purus nec, porttitor malesuada magna. Aenean orci nisi, sagittis sit amet odio et, euismod interdum ligula. Etiam venenatis risus sit amet consequat vehicula. Sed et aliquet ante. Mauris convallis eget ligula id hendrerit. Pellentesque vitae fringilla nibh. Integer interdum, libero non rhoncus consequat, arcu nisi commodo diam, eget facilisis erat sapien et justo. Morbi efficitur sapien nisl, sit amet fringilla neque pretium vel. Ut ex nisl, mattis a tempor a, aliquet eu leo.

Sed fermentum malesuada purus lacinia sollicitudin. Aliquam luctus pharetra molestie. Nunc luctus vehicula justo, quis finibus nunc feugiat vitae. Orci varius natoque penatibus et magnis dis parturient montes, nascetur ridiculus mus. Curabitur et enim vitae neque ornare condimentum. Nullam semper venenatis mauris, ut malesuada justo eleifend non. Duis eleifend pharetra erat, nec pretium nisl placerat sit

amet. Fusce malesuada vestibulum ligula eget iaculis. Mauris maximus porta nisi eget sollicitudin. Donec ultrices tincidunt risus, cursus volutpat quam tincidunt sit amet. Etiam commodo diam id urna imperdiet, vitae luctus dolor condimentum. Proin commodo justo vel orci tempus mollis. Morbi gravida mauris id lorem venenatis, ut tincidunt diam feugiat. Vivamus pretium faucibus urna id laoreet. Etiam et egestas arcu.

Aliquam in enim eu elit dapibus aliquam. Praesent in elit id nibh vulputate interdum. Class aptent taciti sociosqu ad litora torquent per conubia nostra, per inceptos himenaeos. Aliquam id euismod quam. Mauris tellus ligula, congue a quam vitae, scelerisque consequat sapien. Lorem ipsum dolor sit amet, consectetur adipiscing elit. Fusce sed quam rutrum, commodo tellus eu, aliquet justo.

Etiam mattis tristique libero, a aliquam sapien. Maecenas tortor urna, ultrices id elit sed, feugiat volutpat quam. Sed auctor, ligula at ornare maximus, quam mi malesuada urna, a aliquet enim nisl at erat. Ut scelerisque lacus id ipsum mollis, eu sollicitudin libero vehicula. Curabitur condimentum tortor quis sapien scelerisque ornare. Sed porta metus vel eros consectetur mollis. Cras imperdiet, ipsum quis sollici-tudin venenatis, ligula urna molestie tellus, ullamcorper suscipit nibh quam vitae arcu. Etiam at ligula eget mauris blandit lobortis hendrerit at nunc. Quisque vestibulum eleifend porta. Ut at semper nunc. Quisque non accumsan ante. Sed quis placerat sem, ac pharetra erat. Integer posuere orci nisl, quis auctor nisi volutpat non. Donec vulputate, purus ac suscipit congue, lorem neque fringilla justo, id congue leo risus id lacus.

In hac habitasse platea dictumst. Nullam a nisl at urna rutrum blandit in nec ligula. Vestibulum quis massa ut dolor ultrices pulvinar a sit amet dui. Vivamus volutpat dolor a sodales efficitur. Cras laoreet placerat tincidunt. Donec vulputate turpis a ipsum ultrices sollicitudin. Cras sed turpis

et sapien tristique luctus. Nullam in fermentum nisi, eu consequat justo. Morbi enim purus, imperdiet sit amet ipsum in, cursus eleifend mi. Donec porta lectus mi, pellentesque luctus urna pretium sed. Sed aliquam erat nec rhoncus lacinia. Vestibulum viverra pretium sapien nec ultrices. Maecenas finibus luctus erat, in accumsan purus gravida ut. Curabitur venenatis est fringilla rutrum sollicitudin. Nulla efficitur eleifend sem, non egestas elit sodales quis. Fusce ornare sem dolor, eu rutrum magna pretium ac.

Vivamus posuere massa et posuere semper. Pellentesque turpis tortor, bibendum nec porta tristique, venenatis quis ligula. Maecenas bibendum porta turpis, consectetur fringilla sem varius at. Suspendisse potenti. Morbi odio diam, fermentum ac libero sed, porta scelerisque arcu. Sed porttitor sapien turpis, eget pharetra magna scelerisque ut. Phasellus ornare leo in turpis viverra interdum.

Nulla id venenatis enim. Donec placerat dignissim sapien, in rutrum libero iaculis vel. Cras et placerat metus, ut pulvinar leo. Etiam ut cursus ante, nec pellentesque libero. Curabitur vitae lacinia diam. Nunc malesuada tortor sapien, sed aliquet est facilisis sit amet. Nunc scelerisque malesuada accumsan. Nunc nec maximus nisi. Mauris vitae vulputate neque. Mauris ac urna leo. Vestibulum placerat pulvinar sem sed dapibus. Sed nulla augue, elementum eget convallis id, egestas cursus leo. Pellentesque mi lacus, accumsan id mauris nec, malesuada lacinia sapien. Donec tincidunt odio sit amet ligula venenatis, vitae euismod erat rhoncus. Maecenas semper et ligula id ultricies. Nulla fringilla libero felis, sit amet cursus orci accumsan quis.

Sed non purus odio. Duis aliquet justo ligula, placerat maximus odio iaculis vitae. Integer dignissim at ligula vitae porttitor. Sed blandit mauris sed faucibus malesuada. Donec a porta quam. Cras ut tempus mi, auctor maximus neque. Proin at metus mauris. Maecenas fermentum ultrices porttitor. Aliquam eget augue a diam mollis consequat ultrices

condimentum nulla. Vivamus vel felis ullamcorper, tincidunt quam ut, malesuada ligula. Nulla vel lectus lacus. Etiam ut dictum dolor. Duis tempus maximus volutpat. Fusce maximus tincidunt dui, vitae rutrum elit imperdiet et. Sed eget urna mi. Aenean nec metus nisi.

Cras pellentesque justo enim, ac pulvinar nulla ultrices vitae. Vestibulum suscipit consectetur tempor. Pellentesque sed congue libero, in semper sapien. Interdum et malesuada fames ac ante ipsum primis in faucibus. Maecenas vehicula sit amet diam eu congue. Cras pretium, sapien sed posuere laoreet, tortor tortor mollis risus, quis dictum quam risus in metus. Quisque a ligula nisl. Morbi consectetur nisi id libero luctus dictum. Cras at arcu risus. Praesent venenatis dapibus dictum. Praesent molestie quis sem sit amet tincidunt. Vivamus suscipit mauris sed scelerisque pharetra. Aliquam feugiat urna fringilla nunc ornare, sed laoreet quam vehicula. Nullam ac justo sit amet augue consectetur facilisis. Nunc imperdiet dolor dolor.

Sed vitae lacus lacus. Mauris in enim posuere felis sollici-tudin maximus. Sed et ante ac quam tincidunt efficitur. Fusce nisl sem, auctor eget nisl accumsan, tincidunt gravida nulla. Integer scelerisque in eros fermentum semper. Donec sollicitudin a sem eget volutpat. Suspendisse justo neque, aliquam bibendum velit at, malesuada egestas sem. Nulla ac est convallis urna tincidunt pulvinar fermentum non libero. Proin vestibulum, lorem vel euismod vulputate, lacus nisl varius tellus, ut ultrices dolor orci eu turpis. Duis efficitur ut tellus sit amet luctus. Aliquam erat volutpat. Nulla consequat viverra mauris sit amet consectetur. Phasellus laoreet tempus mauris sed varius.

Aliquam a sem dui. Suspendisse potenti. Morbi nec enim non diam vehicula fermentum. Sed porttitor elit non ante molestie, eu aliquet nulla pharetra. Phasellus eros magna, dapibus nec quam id, egestas mattis quam. Vestibulum sed mi ac justo elementum efficitur quis quis enim. Vestibulum

leo leo, condimentum vitae dolor eget, dignissim placerat eros. Maecenas elementum porttitor sollicitudin. Proin convallis posuere scelerisque. Vestibulum lacinia vulputate porta. Pellentesque habitant morbi tristique senectus et netus et malesuada fames ac turpis egestas.

Fusce aliquet metus massa, at elementum justo elementum id. Mauris aliquam justo sed elit dignissim, nec egestas augue condimentum. Proin consequat arcu ut ligula sollicitudin, at elementum est rutrum. Aliquam tristique, odio at vehicula volutpat, nunc sem porttitor lectus, ut fringilla dolor eros in eros. Morbi quis bibendum felis, in porta ligula. Aenean dignissim feugiat purus vitae sagittis. Duis finibus massa felis, at finibus odio sollicitudin eu. Morbi at finibus ligula.

Morbi ante purus, laoreet dignissim enim in, ullamcorper iaculis purus. Nunc malesuada nisl justo. Sed consequat enim id pulvinar convallis. Fusce blandit, sem varius cursus commodo, nisi purus imperdiet odio, eget mollis orci ante a magna. Praesent molestie nunc vel quam mollis porttitor. Integer mi est, pellentesque ut orci eget, ultricies porttitor velit. Integer feugiat, est vel ullamcorper sodales, libero felis sodales ante, nec tincidunt lectus nibh vitae sapien.

Sed arcu tortor, ultrices vitae tortor vel, ornare fermentum mi. Sed finibus nulla quis blandit egestas. Phasellus eu nulla mauris. Pellentesque ultricies libero metus, eu finibus justo mollis quis. Aliquam pharetra lacus ut facilisis vestibulum. Nunc imperdiet a tellus vitae rhoncus. Nulla non ornare felis, eu consectetur risus. Pellentesque a congue ante. In hac habitasse platea dictumst. Phasellus in pellentesque ex. Praesent iaculis orci id velit suscipit, ac laoreet augue venenatis. Proin felis turpis, molestie vitae commodo quis, suscipit nec nunc. Vestibulum in magna orci. Sed at consequat erat, quis lacinia ex.

Suspendisse faucibus, lorem vitae fermentum fermentum, odio purus efficitur enim, eu sollicitudin sapien lectus nec

erat. Vestibulum ante ipsum primis in faucibus orci luctus et ultrices posuere cubilia curae; Lorem ipsum dolor sit amet, consectetur adipiscing elit. Integer aliquam tempor ipsum, in rutrum enim consectetur in. Fusce vel imperdiet purus. Suspendisse quis euismod eros. Ut et ex pellentesque diam posuere faucibus iaculis dignissim orci. Nunc sed nibh mi. Nunc vitae dignissim quam. Morbi dictum est a magna cursus, nec rhoncus sem pellentesque.

Sed dignissim cursus ex. Donec lacinia nisi in neque semper ullamcorper. Praesent non nibh at ante eleifend ultrices non vel magna. Donec congue viverra dolor sed consequat. Donec fermentum nunc ut congue malesuada. In nec nisi felis. Etiam lectus dolor, tincidunt a pharetra eget, placerat vulputate mauris.

Nulla sodales, arcu ullamcorper placerat dignissim, dolor turpis congue nisl, quis fringilla ex massa lacinia enim. In vulputate aliquam augue. Mauris eget imperdiet lectus. Pellentesque habitant morbi tristique senectus et netus et malesuada fames ac turpis egestas. Quisque at augue purus. Donec sit amet tincidunt augue. Nunc ac metus nec urna maximus accumsan.

Quisque bibendum nisl tincidunt nulla tincidunt tempor. Nulla viverra laoreet ex id imperdiet. Proin feugiat, magna interdum dapibus mattis, libero dui fermentum felis, eget luctus ante risus in justo. Aliquam luctus imperdiet nisl, vel porta erat egestas quis. Nulla ullamcorper auctor neque a ullamcorper. Nam aliquet justo a dui aliquam, eu mattis sapien pulvinar. Vivamus neque felis, pellentesque sed lorem non, elementum faucibus eros.

Nunc nulla tellus, sollicitudin sed turpis sit amet, rhoncus feugiat dui. Vivamus id feugiat mauris. Cras consectetur dapibus risus sed suscipit. Aenean porttitor, lorem quis gravida sollicitudin, velit libero elementum erat, quis porttitor tortor neque id dui. Vestibulum sed tempus quam. Maecenas laoreet sapien sed lacus commodo hendrerit. Cras

aliquet, odio id rutrum viverra, enim eros laoreet orci, nec hendrerit nibh nisl quis neque. Donec consequat, ligula a facilisis fringilla, urna odio iaculis nunc, eu convallis felis dolor ut purus. Sed ultricies placerat ante, blandit pharetra orci tincidunt sit amet. Nullam cursus, leo eget porta aliquet, nisl est sagittis nibh, ut placerat elit tellus nec risus. Vivamus cursus nec neque at sollicitudin. Morbi sit amet lacus erat. Duis tempor ipsum sem, in varius sem molestie eget. Phasellus aliquam nibh sed diam viverra, sit amet ornare ex fringilla. Donec ut ipsum laoreet, gravida justo vel, convallis ante. Nullam consequat tortor eu sapien iaculis, nec mattis justo ultricies.

Suspendisse semper massa porttitor molestie laoreet. Proin elementum dui neque, et feugiat libero porta a. In vel condimentum lectus, sit amet bibendum odio. Nunc nec lectus consequat, faucibus leo non, volutpat tortor. Mauris malesuada imperdiet lacus, eget placerat ipsum tempor non. Nunc sit amet purus finibus, consequat lectus et, venenatis magna. Curabitur iaculis vehicula augue. Duis ultrices efficitur metus ac maximus. Suspendisse vehicula ipsum justo. Suspendisse enim velit, facilisis id leo vel, ultricies ultrices lacus.

Donec finibus sodales diam ac sodales. Morbi sollicitudin iaculis neque, vitae fermentum quam. Donec ac urna nunc. Aenean urna orci, suscipit et quam mattis, tristique lobortis augue. Fusce ut sapien convallis, dapibus sem vitae, mattis quam. Etiam risus purus, porttitor eget lobortis sit amet, dictum et velit. Curabitur eget luctus sapien. Class aptent taciti sociosqu ad litora torquent per conubia nostra, per inceptos himenaeos. Nullam efficitur, ante malesuada efficitur aliquet, lorem tellus ornare urna, nec fermentum nunc eros nec purus.

Morbi nec pellentesque quam. Suspendisse quis ex nunc. Etiam in aliquam leo. Etiam volutpat euismod gravida. Aenean ultricies nisl nulla, quis condimentum tellus convallis

eget. Etiam malesuada egestas nisl sed vulputate. Mauris lacinia accumsan ornare. Donec bibendum ex ac gravida pretium. Nunc vitae pellentesque nisi.

Nam egestas imperdiet euismod. Ut id augue condimentum, varius nisl at, gravida nisi. Aliquam convallis velit gravida, dictum quam a, luctus nibh. In justo orci, venenatis eget orci quis, fringilla volutpat arcu. Nulla nec est sed erat ornare vehicula sit amet quis eros. Vestibulum nec magna orci. Donec ut semper massa.

Suspendisse id ex imperdiet, dapibus purus vel, euismod ex. In id nibh quis erat dapibus sollicitudin. Aliquam sit amet elit id purus fringilla tempus et vel diam. Mauris vel nulla volutpat, vehicula tellus et, mattis lorem. Fusce tempus consectetur vulputate. Proin lorem sem, lobortis fringilla consectetur id, aliquam et libero. Duis ultrices, mauris et posuere convallis, lorem risus imperdiet diam, vel ullamcorper quam ipsum sed tellus. Pellentesque quam nulla, suscipit non convallis quis, mollis vitae nisl. Donec elementum turpis non nibh convallis laoreet. Duis ornare sollicitudin blandit. Nunc sodales massa ex, porta euismod nisi molestie sit amet. Integer augue diam, consequat quis libero sed, dapibus dignissim augue. Etiam egestas est et luctus volutpat. In velit neque, bibendum ac finibus eget, tristique sit amet neque. Ut risus sem, lacinia quis hendrerit ut, luctus in neque. Suspendisse cursus mauris id lorem bibendum, a rutrum quam ullamcorper.

Aliquam non ipsum vitae purus congue pulvinar. Donec sodales sit amet elit et ullamcorper. Morbi at felis dignissim odio malesuada varius et vitae dolor. Ut scelerisque nisi eros, et fermentum nisl bibendum eget. Pellentesque leo ipsum, bibendum sit amet lectus in, imperdiet volutpat justo. Nunc a magna id magna ultricies gravida sit amet laoreet metus. Vestibulum in laoreet nisi. Fusce eget egestas dui. Aenean eget laoreet lorem. Nunc in tristique nisi, eget tempus leo. Aliquam maximus nunc sed rutrum gravida. Ut lobortis

suscipit vehicula. Aenean a massa id metus elementum suscipit sed at enim. Nullam luctus cursus hendrerit.

Vestibulum sed ante scelerisque, ullamcorper sem ac, pretium arcu. Aliquam erat volutpat. Curabitur at egestas nunc, eu aliquet ligula. Phasellus lorem felis, faucibus in dui a, consectetur volutpat elit. Integer bibendum lorem non erat blandit vehicula. Sed dapibus augue quam, eu sagittis velit euismod at. Duis condimentum auctor quam, in suscipit purus hendrerit at. Donec semper nibh vel iaculis rhoncus.

Nulla facilisi. Aliquam interdum posuere commodo. Donec id mi facilisis, faucibus sem a, venenatis mauris. Phasellus pharetra erat eu metus tempus porta. Sed vel augue finibus, commodo ex id, vulputate ligula. Quisque sed lorem eleifend, tristique lectus et, porttitor purus. Praesent ac dolor sit amet odio scelerisque aliquet sodales nec sapien. Morbi suscipit, lorem ac tristique pharetra, quam augue facilisis turpis, luctus gravida ante neque vitae urna. Nunc sem lorem, tincidunt non odio at, tempor volutpat nisi. Morbi vel placerat turpis. Pellentesque consectetur metus eget lacus sollicitudin condimentum. Class aptent taciti sociosqu ad litora torquent per conubia nostra, per inceptos himenaeos. Nunc varius ac nisl vulputate maximus.

In suscipit odio eu interdum finibus. Integer ut est et erat varius lacinia. Nullam consequat tempor ligula, quis commodo augue varius vel. Maecenas est metus, pellentesque ut sollicitudin et, pellentesque at lectus. Donec tincidunt elit orci, eu vestibulum ex rhoncus at. Nulla facilisi. Ut sit amet lobortis magna. Quisque malesuada mi quis consequat auctor. Mauris ut bibendum ante. Nulla nec eros eros. Donec euismod blandit lobortis. Aenean non lacinia odio. Sed consequat est nec faucibus accumsan. Fusce vel nisi ac massa efficitur euismod at sed turpis. Nunc vehicula posuere pharetra.

Sed ultricies est at malesuada pharetra. Donec varius nisl eu diam suscipit, vel interdum leo ultricies. Vestibulum ante

ipsum primis in faucibus orci luctus et ultrices posuere cubilia curae; Nam sed lectus nulla. Mauris congue dapibus quam. Etiam sit amet lobortis velit. Nunc libero nunc, auctor in convallis a, molestie at leo. Cras lacus elit, dignissim sit amet diam eget, ultrices tristique dolor. Etiam quis viverra lectus. Donec semper, dui ut accumsan congue, nulla sapien maximus massa, nec vulputate massa quam ut sapien. Praesent sagittis accumsan tincidunt. Donec porta ligula fermentum ultricies dignissim. Mauris imperdiet, arcu feugiat eleifend laoreet, sem ipsum interdum ligula, eu cursus turpis arcu eget tortor. Fusce a tristique tortor. Sed vel aliquam lectus. Donec laoreet tellus erat, nec facilisis sapien placerat sed.

Mauris pretium malesuada justo, ut luctus tellus commodo mattis. Nullam ornare suscipit ligula a placerat. Donec cursus tellus ultrices ante aliquet, nec iaculis libero lacinia. Praesent quis dolor eget nulla consectetur luctus tristique fermentum ex. Sed accumsan sollicitudin metus at elementum. Phasellus dictum, libero sit amet placerat maximus, nisi ipsum gravida turpis, sed tempor neque nunc sed massa. Nunc blandit posuere augue. Nunc efficitur mollis justo, et aliquam urna faucibus eu. Ut ultricies nunc et enim auctor interdum. Donec luctus massa eu justo fermentum, a tincidunt neque tincidunt. Orci varius natoque penatibus et magnis dis parturient montes, nascetur ridiculus mus. Quisque et ornare lorem. Integer vulputate, risus a porta euismod, mi tortor ultrices mi, eu tincidunt enim odio quis tellus. Aliquam eleifend, est eget maximus facilisis, augue nibh auctor lorem, sed mattis arcu odio luctus est. Proin tellus turpis, mollis quis sodales ut, semper vitae mauris.

Class aptent taciti sociosqu ad litora torquent per conubia nostra, per inceptos himenaeos. Donec vitae finibus sem. Pellentesque ultrices in ex ac scelerisque. Morbi imperdiet hendrerit odio quis laoreet. Cras aliquet est eu nulla porta accumsan. Quisque pulvinar et libero at porta. Quisque

vehicula ipsum mi, vitae pretium lectus ultricies et. In hac habitasse platea dictumst. Praesent rutrum, nisi in tincidunt aliquet, leo dolor fermentum elit, at vulputate quam odio nec felis. Aliquam non orci tincidunt, ultricies purus at, posuere felis.

Sed dapibus nisi sed tortor consectetur fermentum. Sed ex purus, faucibus laoreet diam nec, auctor malesuada risus. Quisque quis sagittis elit. Etiam dapibus diam orci, in sollicitudin massa tincidunt pellentesque. Nullam mattis posuere dignissim. Maecenas feugiat, nisi vel feugiat ornare, neque augue suscipit libero, quis malesuada enim metus a metus. Pellentesque iaculis turpis et odio dictum, ut elementum felis egestas. Fusce ut quam at tortor aliquam lacinia. Class aptent taciti sociosqu ad litora torquent per conubia nostra, per inceptos himenaeos. Ut quis mattis libero. Fusce quis ultricies sem.

Curabitur et magna tempus, faucibus tortor sed, aliquet velit. Fusce sed urna nulla. Mauris in nibh quam. Aliquam sed odio ultricies libero accumsan aliquet et quis justo. Praesent rutrum velit turpis, at consequat risus ullamcorper vel. Nam imperdiet ac magna a faucibus. Aliquam placerat fermentum dapibus. Nam ultricies euismod facilisis. Quisque consequat tincidunt enim eget fringilla. Fusce purus odio, lacinia et laoreet sit amet, ornare in magna. Vivamus a consectetur magna. Phasellus ornare sem luctus, maximus nisi quis, condimentum risus. Etiam ullamcorper sed massa sit amet mollis. Maecenas quis lacus fringilla ex volutpat ornare. Suspendisse lobortis fermentum fringilla. Vestibulum sit amet maximus leo, ac cursus nibh.

Donec iaculis maximus dui quis egestas. Ut gravida, tellus vitae mollis tincidunt, leo mauris ultrices turpis, sed finibus urna quam non tellus. Mauris sollicitudin venenatis neque vel ultricies. Lorem ipsum dolor sit amet, consectetur adipiscing elit. Nunc vestibulum sapien id lacus ullamcorper euismod. Aliquam id rhoncus purus, ac sagittis est. Fusce

finibus sagittis diam, non elementum est. Nulla rutrum eros eget risus mattis, in condimentum erat eleifend. Sed arcu odio, cursus ac tincidunt ac, aliquet sit amet nibh. Fusce aliquam dictum orci. Donec aliquet ultrices nisi.

Donec volutpat tortor nec elementum tincidunt. Cras tempor ultrices mauris vel semper. Phasellus vitae odio dapibus, lobortis massa ac, malesuada ex. Nulla tincidunt at lacus sit amet tincidunt. Maecenas orci nisi, ullamcorper nec condimentum faucibus, consequat non metus. Maecenas ac porttitor elit. Fusce fermentum lorem eget turpis pellentesque pellentesque. Pellentesque habitant morbi tristique senectus et netus et malesuada fames ac turpis egestas. Curabitur interdum, ligula non bibendum blandit, lectus arcu molestie metus, ut dictum nibh lectus vel dolor. Duis laoreet ipsum ac purus consequat, eu ullamcorper mi aliquet.

Donec id dignissim felis, in placerat mi. Integer ut magna faucibus, maximus nulla euismod, semper urna. Nunc quis dui lacinia, facilisis magna ac, pulvinar turpis. Praesent volutpat nibh eu pharetra fringilla. Integer tristique fermentum fringilla. Aenean eu rutrum neque. Nullam lobortis lectus dolor, non volutpat lectus consequat at.

Ut diam elit, blandit quis tortor ac, ultrices varius diam. Nam consequat rhoncus nisi, eget viverra massa. Proin sollicitudin sem quis sodales lobortis. Aliquam vulputate ac sapien id interdum. Curabitur posuere dapibus magna, et imperdiet sem consectetur vitae. In a ornare purus. Donec nulla risus, dapibus vel aliquet vel, imperdiet sit amet sem. Class aptent taciti sociosqu ad litora torquent per conubia nostra, per inceptos himenaeos. Maecenas varius condimentum dapibus. Nulla fringilla, leo ac dignissim porta, eros risus pharetra elit, vitae feugiat erat lectus non dui.

Proin in leo neque. Aenean imperdiet augue sed ex sollicitudin, sed vehicula sapien tempor. Praesent cursus condimentum dictum. Vestibulum eget sapien nec lectus pulvinar vestibulum. Proin accumsan tincidunt lacus, eu rhoncus ante

tempus ullamcorper. Suspendisse feugiat fringilla sagittis. Sed pulvinar dui et malesuada porttitor. Etiam sit amet justo dui. Nam at sem id enim lacinia porta. Curabitur sem dui, facilisis a molestie nec, aliquet eget elit. Vivamus viverra luctus tortor id condimentum. Curabitur ultricies blandit laoreet. Pellentesque vel risus non lacus feugiat gravida a sit amet mi. Ut ut placerat urna. In scelerisque ultricies odio.

Suspendisse vitae est hendrerit, tempor magna et, molestie turpis. Nam nec quam sapien. Vivamus imperdiet in risus ac posuere. Aenean varius rhoncus elementum. Aenean augue quam, euismod id lacus vitae, gravida aliquet felis. In augue turpis, lobortis sit amet augue vel, elementum aliquam risus. Donec viverra iaculis efficitur. Mauris auctor dui risus, ac fermentum magna auctor at. Vestibulum at bibendum enim. Proin venenatis, ex sed tempor consectetur, lectus metus suscipit augue, in rutrum erat est in augue. Praesent pulvinar eu nisl sit amet molestie. Sed at egestas velit. Fusce et molestie eros. Donec sit amet nisl sit amet felis aliquam fermentum eu in ligula. Pellentesque tincidunt, eros non aliquam pharetra, metus erat volutpat metus, a tincidunt dolor mi eget est.

Sed venenatis nunc sed dolor fringilla congue quis a ligula. Aliquam erat volutpat. Proin egestas est ut porttitor vulputate. Phasellus commodo metus vel sem auctor lacinia. Suspendisse tempus lorem justo, id ullamcorper dolor iaculis a. Phasellus quis auctor neque. Phasellus dapibus ut tortor a varius. Integer sit amet iaculis metus. Etiam diam metus, molestie mollis sodales euismod, fringilla vitae ligula. Suspendisse pellentesque ante sem, commodo mattis tortor semper ultrices. Vestibulum nec posuere ex.

Sed vitae velit lacus. Integer eleifend pulvinar dolor. Integer a libero quis sapien ullamcorper scelerisque quis quis eros. Maecenas id ligula ac nisi gravida varius nec in enim. Pellentesque rhoncus porta nunc, iaculis scelerisque metus rhoncus in. Nullam posuere purus id leo gravida, ut

consectetur nisl pulvinar. Cras ultrices hendrerit est nec accumsan. Mauris molestie sapien ut rhoncus malesuada. Mauris pulvinar suscipit luctus.

Quisque nec bibendum orci, at mattis sapien. Sed ut elit condimentum, consectetur quam id, tincidunt turpis. Phasellus nec tortor ex. Pellentesque habitant morbi tristique senectus et netus et malesuada fames ac turpis egestas. Nam maximus purus velit, at volutpat lorem tempus sit amet. Donec iaculis ultricies nulla ut bibendum. Vestibulum ante ipsum primis in faucibus.

CHAPTER 6

*L*orem ipsum dolor sit amet, consectetur adipiscing elit. Vivamus bibendum mi vitae lacus accumsan dignissim. Phasellus condimentum, sapien ut feugiat ullamcorper, neque dui convallis orci, a pulvinar ante dolor a felis. Nunc varius sapien sit amet porttitor rutrum. Vivamus eget semper nibh. Vivamus euismod neque a convallis vehicula. In sagittis porta elit, in dictum massa scelerisque a. Maecenas sit amet pharetra est, in rhoncus ex. Morbi placerat nulla at nisi lobortis sagittis. Suspendisse ligula lorem, pulvinar et tellus ut, iaculis pellentesque orci. Integer tincidunt, elit cursus dignissim tempus, ex diam auctor magna, vitae fringilla massa sapien quis est. Sed sit amet laoreet elit, id hendrerit turpis. Suspendisse suscipit fringilla placerat. Nunc diam erat, posuere sit amet leo id, porta pharetra orci.

Donec bibendum gravida massa id venenatis. In tincidunt lacinia elit bibendum luctus. Duis finibus enim ut enim ultricies, commodo efficitur diam venenatis. Vestibulum pellentesque justo eget purus hendrerit, ac lobortis augue consectetur. Etiam vitae consectetur velit, eget rutrum ipsum. Ut eget ante eu dolor ultricies pulvinar. Etiam

volutpat commodo justo eget dignissim. Donec ac lectus scelerisque, gravida est a, tincidunt sem. Integer volutpat orci quis mi pharetra porta. Etiam at fermentum nisl. Praesent et magna nunc. Mauris justo turpis, bibendum at lectus vitae, ultrices dictum nisi.

Quisque nunc massa, congue sed iaculis a, blandit ac enim. Suspendisse tristique tellus at sollicitudin venenatis. Vivamus vitae ornare tellus. Vestibulum mollis molestie tortor, et aliquam nisi iaculis luctus. Vivamus risus nisl, mattis vel tincidunt ac, posuere tempus tellus. Quisque in turpis neque. Ut iaculis eleifend urna, nec consequat elit egestas vitae. Nunc a massa fringilla, convallis velit at, molestie justo. Donec blandit iaculis tellus. Nam scelerisque vehicula pulvinar. Donec condimentum neque ut quam bibendum placerat.

Nullam viverra sem imperdiet eros pulvinar molestie. Morbi est lectus, vestibulum sed quam eu, scelerisque ultricies augue. Curabitur nisl libero, porttitor ut ipsum sit amet, gravida dignissim lorem. Aliquam vel molestie diam. Aliquam urna ligula, maximus eget purus nec, porttitor malesuada magna. Aenean orci nisi, sagittis sit amet odio et, euismod interdum ligula. Etiam venenatis risus sit amet consequat vehicula. Sed et aliquet ante. Mauris convallis eget ligula id hendrerit. Pellentesque vitae fringilla nibh. Integer interdum, libero non rhoncus consequat, arcu nisi commodo diam, eget facilisis erat sapien et justo. Morbi efficitur sapien nisl, sit amet fringilla neque pretium vel. Ut ex nisl, mattis a tempor a, aliquet eu leo.

Sed fermentum malesuada purus lacinia sollicitudin. Aliquam luctus pharetra molestie. Nunc luctus vehicula justo, quis finibus nunc feugiat vitae. Orci varius natoque penatibus et magnis dis parturient montes, nascetur ridiculus mus. Curabitur et enim vitae neque ornare condimentum. Nullam semper venenatis mauris, ut malesuada justo eleifend non. Duis eleifend pharetra erat, nec pretium nisl placerat sit

amet. Fusce malesuada vestibulum ligula eget iaculis. Mauris maximus porta nisi eget sollicitudin. Donec ultrices tincidunt risus, cursus volutpat quam tincidunt sit amet. Etiam commodo diam id urna imperdiet, vitae luctus dolor condimentum. Proin commodo justo vel orci tempus mollis. Morbi gravida mauris id lorem venenatis, ut tincidunt diam feugiat. Vivamus pretium faucibus urna id laoreet. Etiam et egestas arcu.

Aliquam in enim eu elit dapibus aliquam. Praesent in elit id nibh vulputate interdum. Class aptent taciti sociosqu ad litora torquent per conubia nostra, per inceptos himenaeos. Aliquam id euismod quam. Mauris tellus ligula, congue a quam vitae, scelerisque consequat sapien. Lorem ipsum dolor sit amet, consectetur adipiscing elit. Fusce sed quam rutrum, commodo tellus eu, aliquet justo.

Etiam mattis tristique libero, a aliquam sapien. Maecenas tortor urna, ultrices id elit sed, feugiat volutpat quam. Sed auctor, ligula at ornare maximus, quam mi malesuada urna, a aliquet enim nisl at erat. Ut scelerisque lacus id ipsum mollis, eu sollicitudin libero vehicula. Curabitur condimentum tortor quis sapien scelerisque ornare. Sed porta metus vel eros consectetur mollis. Cras imperdiet, ipsum quis sollici-tudin venenatis, ligula urna molestie tellus, ullamcorper suscipit nibh quam vitae arcu. Etiam at ligula eget mauris blandit lobortis hendrerit at nunc. Quisque vestibulum eleifend porta. Ut at semper nunc. Quisque non accumsan ante. Sed quis placerat sem, ac pharetra erat. Integer posuere orci nisl, quis auctor nisi volutpat non. Donec vulputate, purus ac suscipit congue, lorem neque fringilla justo, id congue leo risus id lacus.

In hac habitasse platea dictumst. Nullam a nisl at urna rutrum blandit in nec ligula. Vestibulum quis massa ut dolor ultrices pulvinar a sit amet dui. Vivamus volutpat dolor a sodales efficitur. Cras laoreet placerat tincidunt. Donec vulputate turpis a ipsum ultrices sollicitudin. Cras sed turpis

et sapien tristique luctus. Nullam in fermentum nisi, eu consequat justo. Morbi enim purus, imperdiet sit amet ipsum in, cursus eleifend mi. Donec porta lectus mi, pellentesque luctus urna pretium sed. Sed aliquam erat nec rhoncus lacinia. Vestibulum viverra pretium sapien nec ultrices. Maecenas finibus luctus erat, in accumsan purus gravida ut. Curabitur venenatis est fringilla rutrum sollicitudin. Nulla efficitur eleifend sem, non egestas elit sodales quis. Fusce ornare sem dolor, eu rutrum magna pretium ac.

Vivamus posuere massa et posuere semper. Pellentesque turpis tortor, bibendum nec porta tristique, venenatis quis ligula. Maecenas bibendum porta turpis, consectetur fringilla sem varius at. Suspendisse potenti. Morbi odio diam, fermentum ac libero sed, porta scelerisque arcu. Sed porttitor sapien turpis, eget pharetra magna scelerisque ut. Phasellus ornare leo in turpis viverra interdum.

Nulla id venenatis enim. Donec placerat dignissim sapien, in rutrum libero iaculis vel. Cras et placerat metus, ut pulvinar leo. Etiam ut cursus ante, nec pellentesque libero. Curabitur vitae lacinia diam. Nunc malesuada tortor sapien, sed aliquet est facilisis sit amet. Nunc scelerisque malesuada accumsan. Nunc nec maximus nisi. Mauris vitae vulputate neque. Mauris ac urna leo. Vestibulum placerat pulvinar sem sed dapibus. Sed nulla augue, elementum eget convallis id, egestas cursus leo. Pellentesque mi lacus, accumsan id mauris nec, malesuada lacinia sapien. Donec tincidunt odio sit amet ligula venenatis, vitae euismod erat rhoncus. Maecenas semper et ligula id ultricies. Nulla fringilla libero felis, sit amet cursus orci accumsan quis.

Sed non purus odio. Duis aliquet justo ligula, placerat maximus odio iaculis vitae. Integer dignissim at ligula vitae porttitor. Sed blandit mauris sed faucibus malesuada. Donec a porta quam. Cras ut tempus mi, auctor maximus neque. Proin at metus mauris. Maecenas fermentum ultrices porttitor. Aliquam eget augue a diam mollis consequat ultrices

condimentum nulla. Vivamus vel felis ullamcorper, tincidunt quam ut, malesuada ligula. Nulla vel lectus lacus. Etiam ut dictum dolor. Duis tempus maximus volutpat. Fusce maximus tincidunt dui, vitae rutrum elit imperdiet et. Sed eget urna mi. Aenean nec metus nisi.

Cras pellentesque justo enim, ac pulvinar nulla ultrices vitae. Vestibulum suscipit consectetur tempor. Pellentesque sed congue libero, in semper sapien. Interdum et malesuada fames ac ante ipsum primis in faucibus. Maecenas vehicula sit amet diam eu congue. Cras pretium, sapien sed posuere laoreet, tortor tortor mollis risus, quis dictum quam risus in metus. Quisque a ligula nisl. Morbi consectetur nisi id libero luctus dictum. Cras at arcu risus. Praesent venenatis dapibus dictum. Praesent molestie quis sem sit amet tincidunt. Vivamus suscipit mauris sed scelerisque pharetra. Aliquam feugiat urna fringilla nunc ornare, sed laoreet quam vehicula. Nullam ac justo sit amet augue consectetur facilisis. Nunc imperdiet dolor dolor.

Sed vitae lacus lacus. Mauris in enim posuere felis sollicitudin maximus. Sed et ante ac quam tincidunt efficitur. Fusce nisl sem, auctor eget nisl accumsan, tincidunt gravida nulla. Integer scelerisque in eros fermentum semper. Donec sollicitudin a sem eget volutpat. Suspendisse justo neque, aliquam bibendum velit at, malesuada egestas sem. Nulla ac est convallis urna tincidunt pulvinar fermentum non libero. Proin vestibulum, lorem vel euismod vulputate, lacus nisl varius tellus, ut ultrices dolor orci eu turpis. Duis efficitur ut tellus sit amet luctus. Aliquam erat volutpat. Nulla consequat viverra mauris sit amet consectetur. Phasellus laoreet tempus mauris sed varius.

Aliquam a sem dui. Suspendisse potenti. Morbi nec enim non diam vehicula fermentum. Sed porttitor elit non ante molestie, eu aliquet nulla pharetra. Phasellus eros magna, dapibus nec quam id, egestas mattis quam. Vestibulum sed mi ac justo elementum efficitur quis quis enim. Vestibulum

leo leo, condimentum vitae dolor eget, dignissim placerat eros. Maecenas elementum porttitor sollicitudin. Proin convallis posuere scelerisque. Vestibulum lacinia vulputate porta. Pellentesque habitant morbi tristique senectus et netus et malesuada fames ac turpis egestas.

Fusce aliquet metus massa, at elementum justo elementum id. Mauris aliquam justo sed elit dignissim, nec egestas augue condimentum. Proin consequat arcu ut ligula sollicitudin, at elementum est rutrum. Aliquam tristique, odio at vehicula volutpat, nunc sem porttitor lectus, ut fringilla dolor eros in eros. Morbi quis bibendum felis, in porta ligula. Aenean dignissim feugiat purus vitae sagittis. Duis finibus massa felis, at finibus odio sollicitudin eu. Morbi at finibus ligula.

Morbi ante purus, laoreet dignissim enim in, ullamcorper iaculis purus. Nunc malesuada nisl justo. Sed consequat enim id pulvinar convallis. Fusce blandit, sem varius cursus commodo, nisi purus imperdiet odio, eget mollis orci ante a magna. Praesent molestie nunc vel quam mollis porttitor. Integer mi est, pellentesque ut orci eget, ultricies porttitor velit. Integer feugiat, est vel ullamcorper sodales, libero felis sodales ante, nec tincidunt lectus nibh vitae sapien.

Sed arcu tortor, ultrices vitae tortor vel, ornare fermentum mi. Sed finibus nulla quis blandit egestas. Phasellus eu nulla mauris. Pellentesque ultricies libero metus, eu finibus justo mollis quis. Aliquam pharetra lacus ut facilisis vestibulum. Nunc imperdiet a tellus vitae rhoncus. Nulla non ornare felis, eu consectetur risus. Pellentesque a congue ante. In hac habitasse platea dictumst. Phasellus in pellentesque ex. Praesent iaculis orci id velit suscipit, ac laoreet augue venenatis. Proin felis turpis, molestie vitae commodo quis, suscipit nec nunc. Vestibulum in magna orci. Sed at consequat erat, quis lacinia ex.

Suspendisse faucibus, lorem vitae fermentum fermentum, odio purus efficitur enim, eu sollicitudin sapien lectus nec

erat. Vestibulum ante ipsum primis in faucibus orci luctus et
ultrices posuere cubilia curae; Lorem ipsum dolor sit amet,
consectetur adipiscing elit. Integer aliquam tempor ipsum, in
rutrum enim consectetur in. Fusce vel imperdiet purus.
Suspendisse quis euismod eros. Ut et ex pellentesque diam
posuere faucibus iaculis dignissim orci. Nunc sed nibh mi.
Nunc vitae dignissim quam. Morbi dictum est a magna
cursus, nec rhoncus sem pellentesque.

Sed dignissim cursus ex. Donec lacinia nisi in neque
semper ullamcorper. Praesent non nibh at ante eleifend
ultrices non vel magna. Donec congue viverra dolor sed
consequat. Donec fermentum nunc ut congue malesuada. In
nec nisi felis. Etiam lectus dolor, tincidunt a pharetra eget,
placerat vulputate mauris.

Nulla sodales, arcu ullamcorper placerat dignissim, dolor
turpis congue nisl, quis fringilla ex massa lacinia enim. In
vulputate aliquam augue. Mauris eget imperdiet lectus.
Pellentesque habitant morbi tristique senectus et netus et
malesuada fames ac turpis egestas. Quisque at augue purus.
Donec sit amet tincidunt augue. Nunc ac metus nec urna
maximus accumsan.

Quisque bibendum nisl tincidunt nulla tincidunt tempor.
Nulla viverra laoreet ex id imperdiet. Proin feugiat, magna
interdum dapibus mattis, libero dui fermentum felis, eget
luctus ante risus in justo. Aliquam luctus imperdiet nisl, vel
porta erat egestas quis. Nulla ullamcorper auctor neque a
ullamcorper. Nam aliquet justo a dui aliquam, eu mattis
sapien pulvinar. Vivamus neque felis, pellentesque sed lorem
non, elementum faucibus eros.

Nunc nulla tellus, sollicitudin sed turpis sit amet, rhoncus
feugiat dui. Vivamus id feugiat mauris. Cras consectetur
dapibus risus sed suscipit. Aenean porttitor, lorem quis
gravida sollicitudin, velit libero elementum erat, quis porttitor tortor neque id dui. Vestibulum sed tempus quam.
Maecenas laoreet sapien sed lacus commodo hendrerit. Cras

aliquet, odio id rutrum viverra, enim eros laoreet orci, nec hendrerit nibh nisl quis neque. Donec consequat, ligula a facilisis fringilla, urna odio iaculis nunc, eu convallis felis dolor ut purus. Sed ultricies placerat ante, blandit pharetra orci tincidunt sit amet. Nullam cursus, leo eget porta aliquet, nisl est sagittis nibh, ut placerat elit tellus nec risus. Vivamus cursus nec neque at sollicitudin. Morbi sit amet lacus erat. Duis tempor ipsum sem, in varius sem molestie eget. Phasellus aliquam nibh sed diam viverra, sit amet ornare ex fringilla. Donec ut ipsum laoreet, gravida justo vel, convallis ante. Nullam consequat tortor eu sapien iaculis, nec mattis justo ultricies.

Suspendisse semper massa porttitor molestie laoreet. Proin elementum dui neque, et feugiat libero porta a. In vel condimentum lectus, sit amet bibendum odio. Nunc nec lectus consequat, faucibus leo non, volutpat tortor. Mauris malesuada imperdiet lacus, eget placerat ipsum tempor non. Nunc sit amet purus finibus, consequat lectus et, venenatis magna. Curabitur iaculis vehicula augue. Duis ultrices efficitur metus ac maximus. Suspendisse vehicula ipsum justo. Suspendisse enim velit, facilisis id leo vel, ultricies ultrices lacus.

Donec finibus sodales diam ac sodales. Morbi sollicitudin iaculis neque, vitae fermentum quam. Donec ac urna nunc. Aenean urna orci, suscipit et quam mattis, tristique lobortis augue. Fusce ut sapien convallis, dapibus sem vitae, mattis quam. Etiam risus purus, porttitor eget lobortis sit amet, dictum et velit. Curabitur eget luctus sapien. Class aptent taciti sociosqu ad litora torquent per conubia nostra, per inceptos himenaeos. Nullam efficitur, ante malesuada efficitur aliquet, lorem tellus ornare urna, nec fermentum nunc eros nec purus.

Morbi nec pellentesque quam. Suspendisse quis ex nunc. Etiam in aliquam leo. Etiam volutpat euismod gravida. Aenean ultricies nisl nulla, quis condimentum tellus convallis

eget. Etiam malesuada egestas nisl sed vulputate. Mauris lacinia accumsan ornare. Donec bibendum ex ac gravida pretium. Nunc vitae pellentesque nisi.

Nam egestas imperdiet euismod. Ut id augue condimentum, varius nisl at, gravida nisi. Aliquam convallis velit gravida, dictum quam a, luctus nibh. In justo orci, venenatis eget orci quis, fringilla volutpat arcu. Nulla nec est sed erat ornare vehicula sit amet quis eros. Vestibulum nec magna orci. Donec ut semper massa.

Suspendisse id ex imperdiet, dapibus purus vel, euismod ex. In id nibh quis erat dapibus sollicitudin. Aliquam sit amet elit id purus fringilla tempus et vel diam. Mauris vel nulla volutpat, vehicula tellus et, mattis lorem. Fusce tempus consectetur vulputate. Proin lorem sem, lobortis fringilla consectetur id, aliquam et libero. Duis ultrices, mauris et posuere convallis, lorem risus imperdiet diam, vel ullamcorper quam ipsum sed tellus. Pellentesque quam nulla, suscipit non convallis quis, mollis vitae nisl. Donec elementum turpis non nibh convallis laoreet. Duis ornare sollicitudin blandit. Nunc sodales massa ex, porta euismod nisi molestie sit amet. Integer augue diam, consequat quis libero sed, dapibus dignissim augue. Etiam egestas est et luctus volutpat. In velit neque, bibendum ac finibus eget, tristique sit amet neque. Ut risus sem, lacinia quis hendrerit ut, luctus in neque. Suspendisse cursus mauris id lorem bibendum, a rutrum quam ullamcorper.

Aliquam non ipsum vitae purus congue pulvinar. Donec sodales sit amet elit et ullamcorper. Morbi at felis dignissim odio malesuada varius et vitae dolor. Ut scelerisque nisi eros, et fermentum nisl bibendum eget. Pellentesque leo ipsum, bibendum sit amet lectus in, imperdiet volutpat justo. Nunc a magna id magna ultricies gravida sit amet laoreet metus. Vestibulum in laoreet nisi. Fusce eget egestas dui. Aenean eget laoreet lorem. Nunc in tristique nisi, eget tempus leo. Aliquam maximus nunc sed rutrum gravida. Ut lobortis

suscipit vehicula. Aenean a massa id metus elementum suscipit sed at enim. Nullam luctus cursus hendrerit.

Vestibulum sed ante scelerisque, ullamcorper sem ac, pretium arcu. Aliquam erat volutpat. Curabitur at egestas nunc, eu aliquet ligula. Phasellus lorem felis, faucibus in dui a, consectetur volutpat elit. Integer bibendum lorem non erat blandit vehicula. Sed dapibus augue quam, eu sagittis velit euismod at. Duis condimentum auctor quam, in suscipit purus hendrerit at. Donec semper nibh vel iaculis rhoncus.

Nulla facilisi. Aliquam interdum posuere commodo. Donec id mi facilisis, faucibus sem a, venenatis mauris. Phasellus pharetra erat eu metus tempus porta. Sed vel augue finibus, commodo ex id, vulputate ligula. Quisque sed lorem eleifend, tristique lectus et, porttitor purus. Praesent ac dolor sit amet odio scelerisque aliquet sodales nec sapien. Morbi suscipit, lorem ac tristique pharetra, quam augue facilisis turpis, luctus gravida ante neque vitae urna. Nunc sem lorem, tincidunt non odio at, tempor volutpat nisi. Morbi vel placerat turpis. Pellentesque consectetur metus eget lacus sollicitudin condimentum. Class aptent taciti sociosqu ad litora torquent per conubia nostra, per inceptos himenaeos. Nunc varius ac nisl vulputate maximus.

In suscipit odio eu interdum finibus. Integer ut est et erat varius lacinia. Nullam consequat tempor ligula, quis commodo augue varius vel. Maecenas est metus, pellentesque ut sollicitudin et, pellentesque at lectus. Donec tincidunt elit orci, eu vestibulum ex rhoncus at. Nulla facilisi. Ut sit amet lobortis magna. Quisque malesuada mi quis consequat auctor. Mauris ut bibendum ante. Nulla nec eros eros. Donec euismod blandit lobortis. Aenean non lacinia odio. Sed consequat est nec faucibus accumsan. Fusce vel nisi ac massa efficitur euismod at sed turpis. Nunc vehicula posuere pharetra.

Sed ultricies est at malesuada pharetra. Donec varius nisl eu diam suscipit, vel interdum leo ultricies. Vestibulum ante

ipsum primis in faucibus orci luctus et ultrices posuere cubilia curae; Nam sed lectus nulla. Mauris congue dapibus quam. Etiam sit amet lobortis velit. Nunc libero nunc, auctor in convallis a, molestie at leo. Cras lacus elit, dignissim sit amet diam eget, ultrices tristique dolor. Etiam quis viverra lectus. Donec semper, dui ut accumsan congue, nulla sapien maximus massa, nec vulputate massa quam ut sapien. Praesent sagittis accumsan tincidunt. Donec porta ligula fermentum ultricies dignissim. Mauris imperdiet, arcu feugiat eleifend laoreet, sem ipsum interdum ligula, eu cursus turpis arcu eget tortor. Fusce a tristique tortor. Sed vel aliquam lectus. Donec laoreet tellus erat, nec facilisis sapien placerat sed.

Mauris pretium malesuada justo, ut luctus tellus commodo mattis. Nullam ornare suscipit ligula a placerat. Donec cursus tellus ultrices ante aliquet, nec iaculis libero lacinia. Praesent quis dolor eget nulla consectetur luctus tristique fermentum ex. Sed accumsan sollicitudin metus at elementum. Phasellus dictum, libero sit amet placerat maximus, nisi ipsum gravida turpis, sed tempor neque nunc sed massa. Nunc blandit posuere augue. Nunc efficitur mollis justo, et aliquam urna faucibus eu. Ut ultricies nunc et enim auctor interdum. Donec luctus massa eu justo fermentum, a tincidunt neque tincidunt. Orci varius natoque penatibus et magnis dis parturient montes, nascetur ridiculus mus. Quisque et ornare lorem. Integer vulputate, risus a porta euismod, mi tortor ultrices mi, eu tincidunt enim odio quis tellus. Aliquam eleifend, est eget maximus facilisis, augue nibh auctor lorem, sed mattis arcu odio luctus est. Proin tellus turpis, mollis quis sodales ut, semper vitae mauris.

Class aptent taciti sociosqu ad litora torquent per conubia nostra, per inceptos himenaeos. Donec vitae finibus sem. Pellentesque ultrices in ex ac scelerisque. Morbi imperdiet hendrerit odio quis laoreet. Cras aliquet est eu nulla porta accumsan. Quisque pulvinar et libero at porta. Quisque

vehicula ipsum mi, vitae pretium lectus ultricies et. In hac habitasse platea dictumst. Praesent rutrum, nisi in tincidunt aliquet, leo dolor fermentum elit, at vulputate quam odio nec felis. Aliquam non orci tincidunt, ultricies purus at, posuere felis.

Sed dapibus nisi sed tortor consectetur fermentum. Sed ex purus, faucibus laoreet diam nec, auctor malesuada risus. Quisque quis sagittis elit. Etiam dapibus diam orci, in sollicitudin massa tincidunt pellentesque. Nullam mattis posuere dignissim. Maecenas feugiat, nisi vel feugiat ornare, neque augue suscipit libero, quis malesuada enim metus a metus. Pellentesque iaculis turpis et odio dictum, ut elementum felis egestas. Fusce ut quam at tortor aliquam lacinia. Class aptent taciti sociosqu ad litora torquent per conubia nostra, per inceptos himenaeos. Ut quis mattis libero. Fusce quis ultricies sem.

Curabitur et magna tempus, faucibus tortor sed, aliquet velit. Fusce sed urna nulla. Mauris in nibh quam. Aliquam sed odio ultricies libero accumsan aliquet et quis justo. Praesent rutrum velit turpis, at consequat risus ullamcorper vel. Nam imperdiet ac magna a faucibus. Aliquam placerat fermentum dapibus. Nam ultricies euismod facilisis. Quisque consequat tincidunt enim eget fringilla. Fusce purus odio, lacinia et laoreet sit amet, ornare in magna. Vivamus a consectetur magna. Phasellus ornare sem luctus, maximus nisi quis, condimentum risus. Etiam ullamcorper sed massa sit amet mollis. Maecenas quis lacus fringilla ex volutpat ornare. Suspendisse lobortis fermentum fringilla. Vestibulum sit amet maximus leo, ac cursus nibh.

Donec iaculis maximus dui quis egestas. Ut gravida, tellus vitae mollis tincidunt, leo mauris ultrices turpis, sed finibus urna quam non tellus. Mauris sollicitudin venenatis neque vel ultricies. Lorem ipsum dolor sit amet, consectetur adipiscing elit. Nunc vestibulum sapien id lacus ullamcorper euismod. Aliquam id rhoncus purus, ac sagittis est. Fusce

finibus sagittis diam, non elementum est. Nulla rutrum eros eget risus mattis, in condimentum erat eleifend. Sed arcu odio, cursus ac tincidunt ac, aliquet sit amet nibh. Fusce aliquam dictum orci. Donec aliquet ultrices nisi.

Donec volutpat tortor nec elementum tincidunt. Cras tempor ultrices mauris vel semper. Phasellus vitae odio dapibus, lobortis massa ac, malesuada ex. Nulla tincidunt at lacus sit amet tincidunt. Maecenas orci nisi, ullamcorper nec condimentum faucibus, consequat non metus. Maecenas ac porttitor elit. Fusce fermentum lorem eget turpis pellentesque pellentesque. Pellentesque habitant morbi tristique senectus et netus et malesuada fames ac turpis egestas. Curabitur interdum, ligula non bibendum blandit, lectus arcu molestie metus, ut dictum nibh lectus vel dolor. Duis laoreet ipsum ac purus consequat, eu ullamcorper mi aliquet.

Donec id dignissim felis, in placerat mi. Integer ut magna faucibus, maximus nulla euismod, semper urna. Nunc quis dui lacinia, facilisis magna ac, pulvinar turpis. Praesent volutpat nibh eu pharetra fringilla. Integer tristique fermentum fringilla. Aenean eu rutrum neque. Nullam lobortis lectus dolor, non volutpat lectus consequat at.

Ut diam elit, blandit quis tortor ac, ultrices varius diam. Nam consequat rhoncus nisi, eget viverra massa. Proin sollicitudin sem quis sodales lobortis. Aliquam vulputate ac sapien id interdum. Curabitur posuere dapibus magna, et imperdiet sem consectetur vitae. In a ornare purus. Donec nulla risus, dapibus vel aliquet vel, imperdiet sit amet sem. Class aptent taciti sociosqu ad litora torquent per conubia nostra, per inceptos himenaeos. Maecenas varius condimentum dapibus. Nulla fringilla, leo ac dignissim porta, eros risus pharetra elit, vitae feugiat erat lectus non dui.

Proin in leo neque. Aenean imperdiet augue sed ex sollicitudin, sed vehicula sapien tempor. Praesent cursus condimentum dictum. Vestibulum eget sapien nec lectus pulvinar vestibulum. Proin accumsan tincidunt lacus, eu rhoncus ante

tempus ullamcorper. Suspendisse feugiat fringilla sagittis. Sed pulvinar dui et malesuada porttitor. Etiam sit amet justo dui. Nam at sem id enim lacinia porta. Curabitur sem dui, facilisis a molestie nec, aliquet eget elit. Vivamus viverra luctus tortor id condimentum. Curabitur ultricies blandit laoreet. Pellentesque vel risus non lacus feugiat gravida a sit amet mi. Ut ut placerat urna. In scelerisque ultricies odio.

Suspendisse vitae est hendrerit, tempor magna et, molestie turpis. Nam nec quam sapien. Vivamus imperdiet in risus ac posuere. Aenean varius rhoncus elementum. Aenean augue quam, euismod id lacus vitae, gravida aliquet felis. In augue turpis, lobortis sit amet augue vel, elementum aliquam risus. Donec viverra iaculis efficitur. Mauris auctor dui risus, ac fermentum magna auctor at. Vestibulum at bibendum enim. Proin venenatis, ex sed tempor consectetur, lectus metus suscipit augue, in rutrum erat est in augue. Praesent pulvinar eu nisl sit amet molestie. Sed at egestas velit. Fusce et molestie eros. Donec sit amet nisl sit amet felis aliquam fermentum eu in ligula. Pellentesque tincidunt, eros non aliquam pharetra, metus erat volutpat metus, a tincidunt dolor mi eget est.

Sed venenatis nunc sed dolor fringilla congue quis a ligula. Aliquam erat volutpat. Proin egestas est ut porttitor vulputate. Phasellus commodo metus vel sem auctor lacinia. Suspendisse tempus lorem justo, id ullamcorper dolor iaculis a. Phasellus quis auctor neque. Phasellus dapibus ut tortor a varius. Integer sit amet iaculis metus. Etiam diam metus, molestie mollis sodales euismod, fringilla vitae ligula. Suspendisse pellentesque ante sem, commodo mattis tortor semper ultrices. Vestibulum nec posuere ex.

Sed vitae velit lacus. Integer eleifend pulvinar dolor. Integer a libero quis sapien ullamcorper scelerisque quis quis eros. Maecenas id ligula ac nisi gravida varius nec in enim. Pellentesque rhoncus porta nunc, iaculis scelerisque metus rhoncus in. Nullam posuere purus id leo gravida, ut

consectetur nisl pulvinar. Cras ultrices hendrerit est nec accumsan. Mauris molestie sapien ut rhoncus malesuada. Mauris pulvinar suscipit luctus.

Quisque nec bibendum orci, at mattis sapien. Sed ut elit condimentum, consectetur quam id, tincidunt turpis. Phasellus nec tortor ex. Pellentesque habitant morbi tristique senectus et netus et malesuada fames ac turpis egestas. Nam maximus purus velit, at volutpat lorem tempus sit amet. Donec iaculis ultricies nulla ut bibendum. Vestibulum ante ipsum primis in faucibus.

CHAPTER 7

*L*orem ipsum dolor sit amet, consectetur adipiscing elit. Vivamus bibendum mi vitae lacus accumsan dignissim. Phasellus condimentum, sapien ut feugiat ullamcorper, neque dui convallis orci, a pulvinar ante dolor a felis. Nunc varius sapien sit amet porttitor rutrum. Vivamus eget semper nibh. Vivamus euismod neque a convallis vehicula. In sagittis porta elit, in dictum massa scelerisque a. Maecenas sit amet pharetra est, in rhoncus ex. Morbi placerat nulla at nisi lobortis sagittis. Suspendisse ligula lorem, pulvinar et tellus ut, iaculis pellentesque orci. Integer tincidunt, elit cursus dignissim tempus, ex diam auctor magna, vitae fringilla massa sapien quis est. Sed sit amet laoreet elit, id hendrerit turpis. Suspendisse suscipit fringilla placerat. Nunc diam erat, posuere sit amet leo id, porta pharetra orci.

Donec bibendum gravida massa id venenatis. In tincidunt lacinia elit bibendum luctus. Duis finibus enim ut enim ultricies, commodo efficitur diam venenatis. Vestibulum pellentesque justo eget purus hendrerit, ac lobortis augue consectetur. Etiam vitae consectetur velit, eget rutrum ipsum. Ut eget ante eu dolor ultricies pulvinar. Etiam

volutpat commodo justo eget dignissim. Donec ac lectus scelerisque, gravida est a, tincidunt sem. Integer volutpat orci quis mi pharetra porta. Etiam at fermentum nisl. Praesent et magna nunc. Mauris justo turpis, bibendum at lectus vitae, ultrices dictum nisi.

Quisque nunc massa, congue sed iaculis a, blandit ac enim. Suspendisse tristique tellus at sollicitudin venenatis. Vivamus vitae ornare tellus. Vestibulum mollis molestie tortor, et aliquam nisi iaculis luctus. Vivamus risus nisl, mattis vel tincidunt ac, posuere tempus tellus. Quisque in turpis neque. Ut iaculis eleifend urna, nec consequat elit egestas vitae. Nunc a massa fringilla, convallis velit at, molestie justo. Donec blandit iaculis tellus. Nam scelerisque vehicula pulvinar. Donec condimentum neque ut quam bibendum placerat.

Nullam viverra sem imperdiet eros pulvinar molestie. Morbi est lectus, vestibulum sed quam eu, scelerisque ultricies augue. Curabitur nisl libero, porttitor ut ipsum sit amet, gravida dignissim lorem. Aliquam vel molestie diam. Aliquam urna ligula, maximus eget purus nec, porttitor malesuada magna. Aenean orci nisi, sagittis sit amet odio et, euismod interdum ligula. Etiam venenatis risus sit amet consequat vehicula. Sed et aliquet ante. Mauris convallis eget ligula id hendrerit. Pellentesque vitae fringilla nibh. Integer interdum, libero non rhoncus consequat, arcu nisi commodo diam, eget facilisis erat sapien et justo. Morbi efficitur sapien nisl, sit amet fringilla neque pretium vel. Ut ex nisl, mattis a tempor a, aliquet eu leo.

Sed fermentum malesuada purus lacinia sollicitudin. Aliquam luctus pharetra molestie. Nunc luctus vehicula justo, quis finibus nunc feugiat vitae. Orci varius natoque penatibus et magnis dis parturient montes, nascetur ridiculus mus. Curabitur et enim vitae neque ornare condimentum. Nullam semper venenatis mauris, ut malesuada justo eleifend non. Duis eleifend pharetra erat, nec pretium nisl placerat sit

amet. Fusce malesuada vestibulum ligula eget iaculis. Mauris maximus porta nisi eget sollicitudin. Donec ultrices tincidunt risus, cursus volutpat quam tincidunt sit amet. Etiam commodo diam id urna imperdiet, vitae luctus dolor condimentum. Proin commodo justo vel orci tempus mollis. Morbi gravida mauris id lorem venenatis, ut tincidunt diam feugiat. Vivamus pretium faucibus urna id laoreet. Etiam et egestas arcu.

Aliquam in enim eu elit dapibus aliquam. Praesent in elit id nibh vulputate interdum. Class aptent taciti sociosqu ad litora torquent per conubia nostra, per inceptos himenaeos. Aliquam id euismod quam. Mauris tellus ligula, congue a quam vitae, scelerisque consequat sapien. Lorem ipsum dolor sit amet, consectetur adipiscing elit. Fusce sed quam rutrum, commodo tellus eu, aliquet justo.

Etiam mattis tristique libero, a aliquam sapien. Maecenas tortor urna, ultrices id elit sed, feugiat volutpat quam. Sed auctor, ligula at ornare maximus, quam mi malesuada urna, a aliquet enim nisl at erat. Ut scelerisque lacus id ipsum mollis, eu sollicitudin libero vehicula. Curabitur condimentum tortor quis sapien scelerisque ornare. Sed porta metus vel eros consectetur mollis. Cras imperdiet, ipsum quis sollici-tudin venenatis, ligula urna molestie tellus, ullamcorper suscipit nibh quam vitae arcu. Etiam at ligula eget mauris blandit lobortis hendrerit at nunc. Quisque vestibulum eleifend porta. Ut at semper nunc. Quisque non accumsan ante. Sed quis placerat sem, ac pharetra erat. Integer posuere orci nisl, quis auctor nisi volutpat non. Donec vulputate, purus ac suscipit congue, lorem neque fringilla justo, id congue leo risus id lacus.

In hac habitasse platea dictumst. Nullam a nisl at urna rutrum blandit in nec ligula. Vestibulum quis massa ut dolor ultrices pulvinar a sit amet dui. Vivamus volutpat dolor a sodales efficitur. Cras laoreet placerat tincidunt. Donec vulputate turpis a ipsum ultrices sollicitudin. Cras sed turpis

et sapien tristique luctus. Nullam in fermentum nisi, eu consequat justo. Morbi enim purus, imperdiet sit amet ipsum in, cursus eleifend mi. Donec porta lectus mi, pellentesque luctus urna pretium sed. Sed aliquam erat nec rhoncus lacinia. Vestibulum viverra pretium sapien nec ultrices. Maecenas finibus luctus erat, in accumsan purus gravida ut. Curabitur venenatis est fringilla rutrum sollicitudin. Nulla efficitur eleifend sem, non egestas elit sodales quis. Fusce ornare sem dolor, eu rutrum magna pretium ac.

Vivamus posuere massa et posuere semper. Pellentesque turpis tortor, bibendum nec porta tristique, venenatis quis ligula. Maecenas bibendum porta turpis, consectetur fringilla sem varius at. Suspendisse potenti. Morbi odio diam, fermentum ac libero sed, porta scelerisque arcu. Sed porttitor sapien turpis, eget pharetra magna scelerisque ut. Phasellus ornare leo in turpis viverra interdum.

Nulla id venenatis enim. Donec placerat dignissim sapien, in rutrum libero iaculis vel. Cras et placerat metus, ut pulvinar leo. Etiam ut cursus ante, nec pellentesque libero. Curabitur vitae lacinia diam. Nunc malesuada tortor sapien, sed aliquet est facilisis sit amet. Nunc scelerisque malesuada accumsan. Nunc nec maximus nisi. Mauris vitae vulputate neque. Mauris ac urna leo. Vestibulum placerat pulvinar sem sed dapibus. Sed nulla augue, elementum eget convallis id, egestas cursus leo. Pellentesque mi lacus, accumsan id mauris nec, malesuada lacinia sapien. Donec tincidunt odio sit amet ligula venenatis, vitae euismod erat rhoncus. Maecenas semper et ligula id ultricies. Nulla fringilla libero felis, sit amet cursus orci accumsan quis.

Sed non purus odio. Duis aliquet justo ligula, placerat maximus odio iaculis vitae. Integer dignissim at ligula vitae porttitor. Sed blandit mauris sed faucibus malesuada. Donec a porta quam. Cras ut tempus mi, auctor maximus neque. Proin at metus mauris. Maecenas fermentum ultrices porttitor. Aliquam eget augue a diam mollis consequat ultrices

condimentum nulla. Vivamus vel felis ullamcorper, tincidunt quam ut, malesuada ligula. Nulla vel lectus lacus. Etiam ut dictum dolor. Duis tempus maximus volutpat. Fusce maximus tincidunt dui, vitae rutrum elit imperdiet et. Sed eget urna mi. Aenean nec metus nisi.

Cras pellentesque justo enim, ac pulvinar nulla ultrices vitae. Vestibulum suscipit consectetur tempor. Pellentesque sed congue libero, in semper sapien. Interdum et malesuada fames ac ante ipsum primis in faucibus. Maecenas vehicula sit amet diam eu congue. Cras pretium, sapien sed posuere laoreet, tortor tortor mollis risus, quis dictum quam risus in metus. Quisque a ligula nisl. Morbi consectetur nisi id libero luctus dictum. Cras at arcu risus. Praesent venenatis dapibus dictum. Praesent molestie quis sem sit amet tincidunt. Vivamus suscipit mauris sed scelerisque pharetra. Aliquam feugiat urna fringilla nunc ornare, sed laoreet quam vehicula. Nullam ac justo sit amet augue consectetur facilisis. Nunc imperdiet dolor dolor.

Sed vitae lacus lacus. Mauris in enim posuere felis sollici-tudin maximus. Sed et ante ac quam tincidunt efficitur. Fusce nisl sem, auctor eget nisl accumsan, tincidunt gravida nulla. Integer scelerisque in eros fermentum semper. Donec sollicitudin a sem eget volutpat. Suspendisse justo neque, aliquam bibendum velit at, malesuada egestas sem. Nulla ac est convallis urna tincidunt pulvinar fermentum non libero. Proin vestibulum, lorem vel euismod vulputate, lacus nisl varius tellus, ut ultrices dolor orci eu turpis. Duis efficitur ut tellus sit amet luctus. Aliquam erat volutpat. Nulla consequat viverra mauris sit amet consectetur. Phasellus laoreet tempus mauris sed varius.

Aliquam a sem dui. Suspendisse potenti. Morbi nec enim non diam vehicula fermentum. Sed porttitor elit non ante molestie, eu aliquet nulla pharetra. Phasellus eros magna, dapibus nec quam id, egestas mattis quam. Vestibulum sed mi ac justo elementum efficitur quis quis enim. Vestibulum

leo leo, condimentum vitae dolor eget, dignissim placerat eros. Maecenas elementum porttitor sollicitudin. Proin convallis posuere scelerisque. Vestibulum lacinia vulputate porta. Pellentesque habitant morbi tristique senectus et netus et malesuada fames ac turpis egestas.

Fusce aliquet metus massa, at elementum justo elementum id. Mauris aliquam justo sed elit dignissim, nec egestas augue condimentum. Proin consequat arcu ut ligula sollicitudin, at elementum est rutrum. Aliquam tristique, odio at vehicula volutpat, nunc sem porttitor lectus, ut fringilla dolor eros in eros. Morbi quis bibendum felis, in porta ligula. Aenean dignissim feugiat purus vitae sagittis. Duis finibus massa felis, at finibus odio sollicitudin eu. Morbi at finibus ligula.

Morbi ante purus, laoreet dignissim enim in, ullamcorper iaculis purus. Nunc malesuada nisl justo. Sed consequat enim id pulvinar convallis. Fusce blandit, sem varius cursus commodo, nisi purus imperdiet odio, eget mollis orci ante a magna. Praesent molestie nunc vel quam mollis porttitor. Integer mi est, pellentesque ut orci eget, ultricies porttitor velit. Integer feugiat, est vel ullamcorper sodales, libero felis sodales ante, nec tincidunt lectus nibh vitae sapien.

Sed arcu tortor, ultrices vitae tortor vel, ornare fermentum mi. Sed finibus nulla quis blandit egestas. Phasellus eu nulla mauris. Pellentesque ultricies libero metus, eu finibus justo mollis quis. Aliquam pharetra lacus ut facilisis vestibulum. Nunc imperdiet a tellus vitae rhoncus. Nulla non ornare felis, eu consectetur risus. Pellentesque a congue ante. In hac habitasse platea dictumst. Phasellus in pellentesque ex. Praesent iaculis orci id velit suscipit, ac laoreet augue venenatis. Proin felis turpis, molestie vitae commodo quis, suscipit nec nunc. Vestibulum in magna orci. Sed at consequat erat, quis lacinia ex.

Suspendisse faucibus, lorem vitae fermentum fermentum, odio purus efficitur enim, eu sollicitudin sapien lectus nec

erat. Vestibulum ante ipsum primis in faucibus orci luctus et ultrices posuere cubilia curae; Lorem ipsum dolor sit amet, consectetur adipiscing elit. Integer aliquam tempor ipsum, in rutrum enim consectetur in. Fusce vel imperdiet purus. Suspendisse quis euismod eros. Ut et ex pellentesque diam posuere faucibus iaculis dignissim orci. Nunc sed nibh mi. Nunc vitae dignissim quam. Morbi dictum est a magna cursus, nec rhoncus sem pellentesque.

Sed dignissim cursus ex. Donec lacinia nisi in neque semper ullamcorper. Praesent non nibh at ante eleifend ultrices non vel magna. Donec congue viverra dolor sed consequat. Donec fermentum nunc ut congue malesuada. In nec nisi felis. Etiam lectus dolor, tincidunt a pharetra eget, placerat vulputate mauris.

Nulla sodales, arcu ullamcorper placerat dignissim, dolor turpis congue nisl, quis fringilla ex massa lacinia enim. In vulputate aliquam augue. Mauris eget imperdiet lectus. Pellentesque habitant morbi tristique senectus et netus et malesuada fames ac turpis egestas. Quisque at augue purus. Donec sit amet tincidunt augue. Nunc ac metus nec urna maximus accumsan.

Quisque bibendum nisl tincidunt nulla tincidunt tempor. Nulla viverra laoreet ex id imperdiet. Proin feugiat, magna interdum dapibus mattis, libero dui fermentum felis, eget luctus ante risus in justo. Aliquam luctus imperdiet nisl, vel porta erat egestas quis. Nulla ullamcorper auctor neque a ullamcorper. Nam aliquet justo a dui aliquam, eu mattis sapien pulvinar. Vivamus neque felis, pellentesque sed lorem non, elementum faucibus eros.

Nunc nulla tellus, sollicitudin sed turpis sit amet, rhoncus feugiat dui. Vivamus id feugiat mauris. Cras consectetur dapibus risus sed suscipit. Aenean porttitor, lorem quis gravida sollicitudin, velit libero elementum erat, quis port-titor tortor neque id dui. Vestibulum sed tempus quam. Maecenas laoreet sapien sed lacus commodo hendrerit. Cras

aliquet, odio id rutrum viverra, enim eros laoreet orci, nec hendrerit nibh nisl quis neque. Donec consequat, ligula a facilisis fringilla, urna odio iaculis nunc, eu convallis felis dolor ut purus. Sed ultricies placerat ante, blandit pharetra orci tincidunt sit amet. Nullam cursus, leo eget porta aliquet, nisl est sagittis nibh, ut placerat elit tellus nec risus. Vivamus cursus nec neque at sollicitudin. Morbi sit amet lacus erat. Duis tempor ipsum sem, in varius sem molestie eget. Phasellus aliquam nibh sed diam viverra, sit amet ornare ex fringilla. Donec ut ipsum laoreet, gravida justo vel, convallis ante. Nullam consequat tortor eu sapien iaculis, nec mattis justo ultricies.

Suspendisse semper massa porttitor molestie laoreet. Proin elementum dui neque, et feugiat libero porta a. In vel condimentum lectus, sit amet bibendum odio. Nunc nec lectus consequat, faucibus leo non, volutpat tortor. Mauris malesuada imperdiet lacus, eget placerat ipsum tempor non. Nunc sit amet purus finibus, consequat lectus et, venenatis magna. Curabitur iaculis vehicula augue. Duis ultrices efficitur metus ac maximus. Suspendisse vehicula ipsum justo. Suspendisse enim velit, facilisis id leo vel, ultricies ultrices lacus.

Donec finibus sodales diam ac sodales. Morbi sollicitudin iaculis neque, vitae fermentum quam. Donec ac urna nunc. Aenean urna orci, suscipit et quam mattis, tristique lobortis augue. Fusce ut sapien convallis, dapibus sem vitae, mattis quam. Etiam risus purus, porttitor eget lobortis sit amet, dictum et velit. Curabitur eget luctus sapien. Class aptent taciti sociosqu ad litora torquent per conubia nostra, per inceptos himenaeos. Nullam efficitur, ante malesuada efficitur aliquet, lorem tellus ornare urna, nec fermentum nunc eros nec purus.

Morbi nec pellentesque quam. Suspendisse quis ex nunc. Etiam in aliquam leo. Etiam volutpat euismod gravida. Aenean ultricies nisl nulla, quis condimentum tellus convallis

eget. Etiam malesuada egestas nisl sed vulputate. Mauris lacinia accumsan ornare. Donec bibendum ex ac gravida pretium. Nunc vitae pellentesque nisi.

Nam egestas imperdiet euismod. Ut id augue condimentum, varius nisl at, gravida nisi. Aliquam convallis velit gravida, dictum quam a, luctus nibh. In justo orci, venenatis eget orci quis, fringilla volutpat arcu. Nulla nec est sed erat ornare vehicula sit amet quis eros. Vestibulum nec magna orci. Donec ut semper massa.

Suspendisse id ex imperdiet, dapibus purus vel, euismod ex. In id nibh quis erat dapibus sollicitudin. Aliquam sit amet elit id purus fringilla tempus et vel diam. Mauris vel nulla volutpat, vehicula tellus et, mattis lorem. Fusce tempus consectetur vulputate. Proin lorem sem, lobortis fringilla consectetur id, aliquam et libero. Duis ultrices, mauris et posuere convallis, lorem risus imperdiet diam, vel ullamcorper quam ipsum sed tellus. Pellentesque quam nulla, suscipit non convallis quis, mollis vitae nisl. Donec elementum turpis non nibh convallis laoreet. Duis ornare sollicitudin blandit. Nunc sodales massa ex, porta euismod nisi molestie sit amet. Integer augue diam, consequat quis libero sed, dapibus dignissim augue. Etiam egestas est et luctus volutpat. In velit neque, bibendum ac finibus eget, tristique sit amet neque. Ut risus sem, lacinia quis hendrerit ut, luctus in neque. Suspendisse cursus mauris id lorem bibendum, a rutrum quam ullamcorper.

Aliquam non ipsum vitae purus congue pulvinar. Donec sodales sit amet elit et ullamcorper. Morbi at felis dignissim odio malesuada varius et vitae dolor. Ut scelerisque nisi eros, et fermentum nisl bibendum eget. Pellentesque leo ipsum, bibendum sit amet lectus in, imperdiet volutpat justo. Nunc a magna id magna ultricies gravida sit amet laoreet metus. Vestibulum in laoreet nisi. Fusce eget egestas dui. Aenean eget laoreet lorem. Nunc in tristique nisi, eget tempus leo. Aliquam maximus nunc sed rutrum gravida. Ut lobortis

suscipit vehicula. Aenean a massa id metus elementum suscipit sed at enim. Nullam luctus cursus hendrerit.

Vestibulum sed ante scelerisque, ullamcorper sem ac, pretium arcu. Aliquam erat volutpat. Curabitur at egestas nunc, eu aliquet ligula. Phasellus lorem felis, faucibus in dui a, consectetur volutpat elit. Integer bibendum lorem non erat blandit vehicula. Sed dapibus augue quam, eu sagittis velit euismod at. Duis condimentum auctor quam, in suscipit purus hendrerit at. Donec semper nibh vel iaculis rhoncus.

Nulla facilisi. Aliquam interdum posuere commodo. Donec id mi facilisis, faucibus sem a, venenatis mauris. Phasellus pharetra erat eu metus tempus porta. Sed vel augue finibus, commodo ex id, vulputate ligula. Quisque sed lorem eleifend, tristique lectus et, porttitor purus. Praesent ac dolor sit amet odio scelerisque aliquet sodales nec sapien. Morbi suscipit, lorem ac tristique pharetra, quam augue facilisis turpis, luctus gravida ante neque vitae urna. Nunc sem lorem, tincidunt non odio at, tempor volutpat nisi. Morbi vel placerat turpis. Pellentesque consectetur metus eget lacus sollicitudin condimentum. Class aptent taciti sociosqu ad litora torquent per conubia nostra, per inceptos himenaeos. Nunc varius ac nisl vulputate maximus.

In suscipit odio eu interdum finibus. Integer ut est et erat varius lacinia. Nullam consequat tempor ligula, quis commodo augue varius vel. Maecenas est metus, pellentesque ut sollicitudin et, pellentesque at lectus. Donec tincidunt elit orci, eu vestibulum ex rhoncus at. Nulla facilisi. Ut sit amet lobortis magna. Quisque malesuada mi quis consequat auctor. Mauris ut bibendum ante. Nulla nec eros eros. Donec euismod blandit lobortis. Aenean non lacinia odio. Sed consequat est nec faucibus accumsan. Fusce vel nisi ac massa efficitur euismod at sed turpis. Nunc vehicula posuere pharetra.

Sed ultricies est at malesuada pharetra. Donec varius nisl eu diam suscipit, vel interdum leo ultricies. Vestibulum ante

ipsum primis in faucibus orci luctus et ultrices posuere cubilia curae; Nam sed lectus nulla. Mauris congue dapibus quam. Etiam sit amet lobortis velit. Nunc libero nunc, auctor in convallis a, molestie at leo. Cras lacus elit, dignissim sit amet diam eget, ultrices tristique dolor. Etiam quis viverra lectus. Donec semper, dui ut accumsan congue, nulla sapien maximus massa, nec vulputate massa quam ut sapien. Praesent sagittis accumsan tincidunt. Donec porta ligula fermentum ultricies dignissim. Mauris imperdiet, arcu feugiat eleifend laoreet, sem ipsum interdum ligula, eu cursus turpis arcu eget tortor. Fusce a tristique tortor. Sed vel aliquam lectus. Donec laoreet tellus erat, nec facilisis sapien placerat sed.

Mauris pretium malesuada justo, ut luctus tellus commodo mattis. Nullam ornare suscipit ligula a placerat. Donec cursus tellus ultrices ante aliquet, nec iaculis libero lacinia. Praesent quis dolor eget nulla consectetur luctus tristique fermentum ex. Sed accumsan sollicitudin metus at elementum. Phasellus dictum, libero sit amet placerat maximus, nisi ipsum gravida turpis, sed tempor neque nunc sed massa. Nunc blandit posuere augue. Nunc efficitur mollis justo, et aliquam urna faucibus eu. Ut ultricies nunc et enim auctor interdum. Donec luctus massa eu justo fermentum, a tincidunt neque tincidunt. Orci varius natoque penatibus et magnis dis parturient montes, nascetur ridiculus mus. Quisque et ornare lorem. Integer vulputate, risus a porta euismod, mi tortor ultrices mi, eu tincidunt enim odio quis tellus. Aliquam eleifend, est eget maximus facilisis, augue nibh auctor lorem, sed mattis arcu odio luctus est. Proin tellus turpis, mollis quis sodales ut, semper vitae mauris.

Class aptent taciti sociosqu ad litora torquent per conubia nostra, per inceptos himenaeos. Donec vitae finibus sem. Pellentesque ultrices in ex ac scelerisque. Morbi imperdiet hendrerit odio quis laoreet. Cras aliquet est eu nulla porta accumsan. Quisque pulvinar et libero at porta. Quisque

vehicula ipsum mi, vitae pretium lectus ultricies et. In hac habitasse platea dictumst. Praesent rutrum, nisi in tincidunt aliquet, leo dolor fermentum elit, at vulputate quam odio nec felis. Aliquam non orci tincidunt, ultricies purus at, posuere felis.

Sed dapibus nisi sed tortor consectetur fermentum. Sed ex purus, faucibus laoreet diam nec, auctor malesuada risus. Quisque quis sagittis elit. Etiam dapibus diam orci, in sollicitudin massa tincidunt pellentesque. Nullam mattis posuere dignissim. Maecenas feugiat, nisi vel feugiat ornare, neque augue suscipit libero, quis malesuada enim metus a metus. Pellentesque iaculis turpis et odio dictum, ut elementum felis egestas. Fusce ut quam at tortor aliquam lacinia. Class aptent taciti sociosqu ad litora torquent per conubia nostra, per inceptos himenaeos. Ut quis mattis libero. Fusce quis ultricies sem.

Curabitur et magna tempus, faucibus tortor sed, aliquet velit. Fusce sed urna nulla. Mauris in nibh quam. Aliquam sed odio ultricies libero accumsan aliquet et quis justo. Praesent rutrum velit turpis, at consequat risus ullamcorper vel. Nam imperdiet ac magna a faucibus. Aliquam placerat fermentum dapibus. Nam ultricies euismod facilisis. Quisque consequat tincidunt enim eget fringilla. Fusce purus odio, lacinia et laoreet sit amet, ornare in magna. Vivamus a consectetur magna. Phasellus ornare sem luctus, maximus nisi quis, condimentum risus. Etiam ullamcorper sed massa sit amet mollis. Maecenas quis lacus fringilla ex volutpat ornare. Suspendisse lobortis fermentum fringilla. Vestibulum sit amet maximus leo, ac cursus nibh.

Donec iaculis maximus dui quis egestas. Ut gravida, tellus vitae mollis tincidunt, leo mauris ultrices turpis, sed finibus urna quam non tellus. Mauris sollicitudin venenatis neque vel ultricies. Lorem ipsum dolor sit amet, consectetur adipiscing elit. Nunc vestibulum sapien id lacus ullamcorper euismod. Aliquam id rhoncus purus, ac sagittis est. Fusce

finibus sagittis diam, non elementum est. Nulla rutrum eros eget risus mattis, in condimentum erat eleifend. Sed arcu odio, cursus ac tincidunt ac, aliquet sit amet nibh. Fusce aliquam dictum orci. Donec aliquet ultrices nisi.

Donec volutpat tortor nec elementum tincidunt. Cras tempor ultrices mauris vel semper. Phasellus vitae odio dapibus, lobortis massa ac, malesuada ex. Nulla tincidunt at lacus sit amet tincidunt. Maecenas orci nisi, ullamcorper nec condimentum faucibus, consequat non metus. Maecenas ac porttitor elit. Fusce fermentum lorem eget turpis pellentesque pellentesque. Pellentesque habitant morbi tristique senectus et netus et malesuada fames ac turpis egestas. Curabitur interdum, ligula non bibendum blandit, lectus arcu molestie metus, ut dictum nibh lectus vel dolor. Duis laoreet ipsum ac purus consequat, eu ullamcorper mi aliquet.

Donec id dignissim felis, in placerat mi. Integer ut magna faucibus, maximus nulla euismod, semper urna. Nunc quis dui lacinia, facilisis magna ac, pulvinar turpis. Praesent volutpat nibh eu pharetra fringilla. Integer tristique fermentum fringilla. Aenean eu rutrum neque. Nullam lobortis lectus dolor, non volutpat lectus consequat at.

Ut diam elit, blandit quis tortor ac, ultrices varius diam. Nam consequat rhoncus nisi, eget viverra massa. Proin sollicitudin sem quis sodales lobortis. Aliquam vulputate ac sapien id interdum. Curabitur posuere dapibus magna, et imperdiet sem consectetur vitae. In a ornare purus. Donec nulla risus, dapibus vel aliquet vel, imperdiet sit amet sem. Class aptent taciti sociosqu ad litora torquent per conubia nostra, per inceptos himenaeos. Maecenas varius condimentum dapibus. Nulla fringilla, leo ac dignissim porta, eros risus pharetra elit, vitae feugiat erat lectus non dui.

Proin in leo neque. Aenean imperdiet augue sed ex sollicitudin, sed vehicula sapien tempor. Praesent cursus condimentum dictum. Vestibulum eget sapien nec lectus pulvinar vestibulum. Proin accumsan tincidunt lacus, eu rhoncus ante

tempus ullamcorper. Suspendisse feugiat fringilla sagittis. Sed pulvinar dui et malesuada porttitor. Etiam sit amet justo dui. Nam at sem id enim lacinia porta. Curabitur sem dui, facilisis a molestie nec, aliquet eget elit. Vivamus viverra luctus tortor id condimentum. Curabitur ultricies blandit laoreet. Pellentesque vel risus non lacus feugiat gravida a sit amet mi. Ut ut placerat urna. In scelerisque ultricies odio.

Suspendisse vitae est hendrerit, tempor magna et, molestie turpis. Nam nec quam sapien. Vivamus imperdiet in risus ac posuere. Aenean varius rhoncus elementum. Aenean augue quam, euismod id lacus vitae, gravida aliquet felis. In augue turpis, lobortis sit amet augue vel, elementum aliquam risus. Donec viverra iaculis efficitur. Mauris auctor dui risus, ac fermentum magna auctor at. Vestibulum at bibendum enim. Proin venenatis, ex sed tempor consectetur, lectus metus suscipit augue, in rutrum erat est in augue. Praesent pulvinar eu nisl sit amet molestie. Sed at egestas velit. Fusce et molestie eros. Donec sit amet nisl sit amet felis aliquam fermentum eu in ligula. Pellentesque tincidunt, eros non aliquam pharetra, metus erat volutpat metus, a tincidunt dolor mi eget est.

Sed venenatis nunc sed dolor fringilla congue quis a ligula. Aliquam erat volutpat. Proin egestas est ut porttitor vulputate. Phasellus commodo metus vel sem auctor lacinia. Suspendisse tempus lorem justo, id ullamcorper dolor iaculis a. Phasellus quis auctor neque. Phasellus dapibus ut tortor a varius. Integer sit amet iaculis metus. Etiam diam metus, molestie mollis sodales euismod, fringilla vitae ligula. Suspendisse pellentesque ante sem, commodo mattis tortor semper ultrices. Vestibulum nec posuere ex.

Sed vitae velit lacus. Integer eleifend pulvinar dolor. Integer a libero quis sapien ullamcorper scelerisque quis quis eros. Maecenas id ligula ac nisi gravida varius nec in enim. Pellentesque rhoncus porta nunc, iaculis scelerisque metus rhoncus in. Nullam posuere purus id leo gravida, ut

consectetur nisl pulvinar. Cras ultrices hendrerit est nec accumsan. Mauris molestie sapien ut rhoncus malesuada. Mauris pulvinar suscipit luctus.

Quisque nec bibendum orci, at mattis sapien. Sed ut elit condimentum, consectetur quam id, tincidunt turpis. Phasellus nec tortor ex. Pellentesque habitant morbi tristique senectus et netus et malesuada fames ac turpis egestas. Nam maximus purus velit, at volutpat lorem tempus sit amet. Donec iaculis ultricies nulla ut bibendum. Vestibulum ante ipsum primis in faucibus.

CHAPTER 8

*L*orem ipsum dolor sit amet, consectetur adipiscing elit. Vivamus bibendum mi vitae lacus accumsan dignissim. Phasellus condimentum, sapien ut feugiat ullamcorper, neque dui convallis orci, a pulvinar ante dolor a felis. Nunc varius sapien sit amet porttitor rutrum. Vivamus eget semper nibh. Vivamus euismod neque a convallis vehicula. In sagittis porta elit, in dictum massa scelerisque a. Maecenas sit amet pharetra est, in rhoncus ex. Morbi placerat nulla at nisi lobortis sagittis. Suspendisse ligula lorem, pulvinar et tellus ut, iaculis pellentesque orci. Integer tincidunt, elit cursus dignissim tempus, ex diam auctor magna, vitae fringilla massa sapien quis est. Sed sit amet laoreet elit, id hendrerit turpis. Suspendisse suscipit fringilla placerat. Nunc diam erat, posuere sit amet leo id, porta pharetra orci.

Donec bibendum gravida massa id venenatis. In tincidunt lacinia elit bibendum luctus. Duis finibus enim ut enim ultricies, commodo efficitur diam venenatis. Vestibulum pellentesque justo eget purus hendrerit, ac lobortis augue consectetur. Etiam vitae consectetur velit, eget rutrum ipsum. Ut eget ante eu dolor ultricies pulvinar. Etiam

volutpat commodo justo eget dignissim. Donec ac lectus scelerisque, gravida est a, tincidunt sem. Integer volutpat orci quis mi pharetra porta. Etiam at fermentum nisl. Praesent et magna nunc. Mauris justo turpis, bibendum at lectus vitae, ultrices dictum nisi.

Quisque nunc massa, congue sed iaculis a, blandit ac enim. Suspendisse tristique tellus at sollicitudin venenatis. Vivamus vitae ornare tellus. Vestibulum mollis molestie tortor, et aliquam nisi iaculis luctus. Vivamus risus nisl, mattis vel tincidunt ac, posuere tempus tellus. Quisque in turpis neque. Ut iaculis eleifend urna, nec consequat elit egestas vitae. Nunc a massa fringilla, convallis velit at, molestie justo. Donec blandit iaculis tellus. Nam scelerisque vehicula pulvinar. Donec condimentum neque ut quam bibendum placerat.

Nullam viverra sem imperdiet eros pulvinar molestie. Morbi est lectus, vestibulum sed quam eu, scelerisque ultricies augue. Curabitur nisl libero, porttitor ut ipsum sit amet, gravida dignissim lorem. Aliquam vel molestie diam. Aliquam urna ligula, maximus eget purus nec, porttitor malesuada magna. Aenean orci nisi, sagittis sit amet odio et, euismod interdum ligula. Etiam venenatis risus sit amet consequat vehicula. Sed et aliquet ante. Mauris convallis eget ligula id hendrerit. Pellentesque vitae fringilla nibh. Integer interdum, libero non rhoncus consequat, arcu nisi commodo diam, eget facilisis erat sapien et justo. Morbi efficitur sapien nisl, sit amet fringilla neque pretium vel. Ut ex nisl, mattis a tempor a, aliquet eu leo.

Sed fermentum malesuada purus lacinia sollicitudin. Aliquam luctus pharetra molestie. Nunc luctus vehicula justo, quis finibus nunc feugiat vitae. Orci varius natoque penatibus et magnis dis parturient montes, nascetur ridiculus mus. Curabitur et enim vitae neque ornare condimentum. Nullam semper venenatis mauris, ut malesuada justo eleifend non. Duis eleifend pharetra erat, nec pretium nisl placerat sit

amet. Fusce malesuada vestibulum ligula eget iaculis. Mauris maximus porta nisi eget sollicitudin. Donec ultrices tincidunt risus, cursus volutpat quam tincidunt sit amet. Etiam commodo diam id urna imperdiet, vitae luctus dolor condimentum. Proin commodo justo vel orci tempus mollis. Morbi gravida mauris id lorem venenatis, ut tincidunt diam feugiat. Vivamus pretium faucibus urna id laoreet. Etiam et egestas arcu.

Aliquam in enim eu elit dapibus aliquam. Praesent in elit id nibh vulputate interdum. Class aptent taciti sociosqu ad litora torquent per conubia nostra, per inceptos himenaeos. Aliquam id euismod quam. Mauris tellus ligula, congue a quam vitae, scelerisque consequat sapien. Lorem ipsum dolor sit amet, consectetur adipiscing elit. Fusce sed quam rutrum, commodo tellus eu, aliquet justo.

Etiam mattis tristique libero, a aliquam sapien. Maecenas tortor urna, ultrices id elit sed, feugiat volutpat quam. Sed auctor, ligula at ornare maximus, quam mi malesuada urna, a aliquet enim nisl at erat. Ut scelerisque lacus id ipsum mollis, eu sollicitudin libero vehicula. Curabitur condimentum tortor quis sapien scelerisque ornare. Sed porta metus vel eros consectetur mollis. Cras imperdiet, ipsum quis sollici- tudin venenatis, ligula urna molestie tellus, ullamcorper suscipit nibh quam vitae arcu. Etiam at ligula eget mauris blandit lobortis hendrerit at nunc. Quisque vestibulum eleifend porta. Ut at semper nunc. Quisque non accumsan ante. Sed quis placerat sem, ac pharetra erat. Integer posuere orci nisl, quis auctor nisi volutpat non. Donec vulputate, purus ac suscipit congue, lorem neque fringilla justo, id congue leo risus id lacus.

In hac habitasse platea dictumst. Nullam a nisl at urna rutrum blandit in nec ligula. Vestibulum quis massa ut dolor ultrices pulvinar a sit amet dui. Vivamus volutpat dolor a sodales efficitur. Cras laoreet placerat tincidunt. Donec vulputate turpis a ipsum ultrices sollicitudin. Cras sed turpis

et sapien tristique luctus. Nullam in fermentum nisi, eu consequat justo. Morbi enim purus, imperdiet sit amet ipsum in, cursus eleifend mi. Donec porta lectus mi, pellentesque luctus urna pretium sed. Sed aliquam erat nec rhoncus lacinia. Vestibulum viverra pretium sapien nec ultrices. Maecenas finibus luctus erat, in accumsan purus gravida ut. Curabitur venenatis est fringilla rutrum sollicitudin. Nulla efficitur eleifend sem, non egestas elit sodales quis. Fusce ornare sem dolor, eu rutrum magna pretium ac.

Vivamus posuere massa et posuere semper. Pellentesque turpis tortor, bibendum nec porta tristique, venenatis quis ligula. Maecenas bibendum porta turpis, consectetur fringilla sem varius at. Suspendisse potenti. Morbi odio diam, fermentum ac libero sed, porta scelerisque arcu. Sed porttitor sapien turpis, eget pharetra magna scelerisque ut. Phasellus ornare leo in turpis viverra interdum.

Nulla id venenatis enim. Donec placerat dignissim sapien, in rutrum libero iaculis vel. Cras et placerat metus, ut pulvinar leo. Etiam ut cursus ante, nec pellentesque libero. Curabitur vitae lacinia diam. Nunc malesuada tortor sapien, sed aliquet est facilisis sit amet. Nunc scelerisque malesuada accumsan. Nunc nec maximus nisi. Mauris vitae vulputate neque. Mauris ac urna leo. Vestibulum placerat pulvinar sem sed dapibus. Sed nulla augue, elementum eget convallis id, egestas cursus leo. Pellentesque mi lacus, accumsan id mauris nec, malesuada lacinia sapien. Donec tincidunt odio sit amet ligula venenatis, vitae euismod erat rhoncus. Maecenas semper et ligula id ultricies. Nulla fringilla libero felis, sit amet cursus orci accumsan quis.

Sed non purus odio. Duis aliquet justo ligula, placerat maximus odio iaculis vitae. Integer dignissim at ligula vitae porttitor. Sed blandit mauris sed faucibus malesuada. Donec a porta quam. Cras ut tempus mi, auctor maximus neque. Proin at metus mauris. Maecenas fermentum ultrices porttitor. Aliquam eget augue a diam mollis consequat ultrices

condimentum nulla. Vivamus vel felis ullamcorper, tincidunt quam ut, malesuada ligula. Nulla vel lectus lacus. Etiam ut dictum dolor. Duis tempus maximus volutpat. Fusce maximus tincidunt dui, vitae rutrum elit imperdiet et. Sed eget urna mi. Aenean nec metus nisi.

Cras pellentesque justo enim, ac pulvinar nulla ultrices vitae. Vestibulum suscipit consectetur tempor. Pellentesque sed congue libero, in semper sapien. Interdum et malesuada fames ac ante ipsum primis in faucibus. Maecenas vehicula sit amet diam eu congue. Cras pretium, sapien sed posuere laoreet, tortor tortor mollis risus, quis dictum quam risus in metus. Quisque a ligula nisl. Morbi consectetur nisi id libero luctus dictum. Cras at arcu risus. Praesent venenatis dapibus dictum. Praesent molestie quis sem sit amet tincidunt. Vivamus suscipit mauris sed scelerisque pharetra. Aliquam feugiat urna fringilla nunc ornare, sed laoreet quam vehicula. Nullam ac justo sit amet augue consectetur facilisis. Nunc imperdiet dolor dolor.

Sed vitae lacus lacus. Mauris in enim posuere felis sollicitudin maximus. Sed et ante ac quam tincidunt efficitur. Fusce nisl sem, auctor eget nisl accumsan, tincidunt gravida nulla. Integer scelerisque in eros fermentum semper. Donec sollicitudin a sem eget volutpat. Suspendisse justo neque, aliquam bibendum velit at, malesuada egestas sem. Nulla ac est convallis urna tincidunt pulvinar fermentum non libero. Proin vestibulum, lorem vel euismod vulputate, lacus nisl varius tellus, ut ultrices dolor orci eu turpis. Duis efficitur ut tellus sit amet luctus. Aliquam erat volutpat. Nulla consequat viverra mauris sit amet consectetur. Phasellus laoreet tempus mauris sed varius.

Aliquam a sem dui. Suspendisse potenti. Morbi nec enim non diam vehicula fermentum. Sed porttitor elit non ante molestie, eu aliquet nulla pharetra. Phasellus eros magna, dapibus nec quam id, egestas mattis quam. Vestibulum sed mi ac justo elementum efficitur quis quis enim. Vestibulum

leo leo, condimentum vitae dolor eget, dignissim placerat eros. Maecenas elementum porttitor sollicitudin. Proin convallis posuere scelerisque. Vestibulum lacinia vulputate porta. Pellentesque habitant morbi tristique senectus et netus et malesuada fames ac turpis egestas.

Fusce aliquet metus massa, at elementum justo elementum id. Mauris aliquam justo sed elit dignissim, nec egestas augue condimentum. Proin consequat arcu ut ligula sollicitudin, at elementum est rutrum. Aliquam tristique, odio at vehicula volutpat, nunc sem porttitor lectus, ut fringilla dolor eros in eros. Morbi quis bibendum felis, in porta ligula. Aenean dignissim feugiat purus vitae sagittis. Duis finibus massa felis, at finibus odio sollicitudin eu. Morbi at finibus ligula.

Morbi ante purus, laoreet dignissim enim in, ullamcorper iaculis purus. Nunc malesuada nisl justo. Sed consequat enim id pulvinar convallis. Fusce blandit, sem varius cursus commodo, nisi purus imperdiet odio, eget mollis orci ante a magna. Praesent molestie nunc vel quam mollis porttitor. Integer mi est, pellentesque ut orci eget, ultricies porttitor velit. Integer feugiat, est vel ullamcorper sodales, libero felis sodales ante, nec tincidunt lectus nibh vitae sapien.

Sed arcu tortor, ultrices vitae tortor vel, ornare fermentum mi. Sed finibus nulla quis blandit egestas. Phasellus eu nulla mauris. Pellentesque ultricies libero metus, eu finibus justo mollis quis. Aliquam pharetra lacus ut facilisis vestibulum. Nunc imperdiet a tellus vitae rhoncus. Nulla non ornare felis, eu consectetur risus. Pellentesque a congue ante. In hac habitasse platea dictumst. Phasellus in pellentesque ex. Praesent iaculis orci id velit suscipit, ac laoreet augue venenatis. Proin felis turpis, molestie vitae commodo quis, suscipit nec nunc. Vestibulum in magna orci. Sed at consequat erat, quis lacinia ex.

Suspendisse faucibus, lorem vitae fermentum fermentum, odio purus efficitur enim, eu sollicitudin sapien lectus nec

erat. Vestibulum ante ipsum primis in faucibus orci luctus et ultrices posuere cubilia curae; Lorem ipsum dolor sit amet, consectetur adipiscing elit. Integer aliquam tempor ipsum, in rutrum enim consectetur in. Fusce vel imperdiet purus. Suspendisse quis euismod eros. Ut et ex pellentesque diam posuere faucibus iaculis dignissim orci. Nunc sed nibh mi. Nunc vitae dignissim quam. Morbi dictum est a magna cursus, nec rhoncus sem pellentesque.

Sed dignissim cursus ex. Donec lacinia nisi in neque semper ullamcorper. Praesent non nibh at ante eleifend ultrices non vel magna. Donec congue viverra dolor sed consequat. Donec fermentum nunc ut congue malesuada. In nec nisi felis. Etiam lectus dolor, tincidunt a pharetra eget, placerat vulputate mauris.

Nulla sodales, arcu ullamcorper placerat dignissim, dolor turpis congue nisl, quis fringilla ex massa lacinia enim. In vulputate aliquam augue. Mauris eget imperdiet lectus. Pellentesque habitant morbi tristique senectus et netus et malesuada fames ac turpis egestas. Quisque at augue purus. Donec sit amet tincidunt augue. Nunc ac metus nec urna maximus accumsan.

Quisque bibendum nisl tincidunt nulla tincidunt tempor. Nulla viverra laoreet ex id imperdiet. Proin feugiat, magna interdum dapibus mattis, libero dui fermentum felis, eget luctus ante risus in justo. Aliquam luctus imperdiet nisl, vel porta erat egestas quis. Nulla ullamcorper auctor neque a ullamcorper. Nam aliquet justo a dui aliquam, eu mattis sapien pulvinar. Vivamus neque felis, pellentesque sed lorem non, elementum faucibus eros.

Nunc nulla tellus, sollicitudin sed turpis sit amet, rhoncus feugiat dui. Vivamus id feugiat mauris. Cras consectetur dapibus risus sed suscipit. Aenean porttitor, lorem quis gravida sollicitudin, velit libero elementum erat, quis porttitor tortor neque id dui. Vestibulum sed tempus quam. Maecenas laoreet sapien sed lacus commodo hendrerit. Cras

aliquet, odio id rutrum viverra, enim eros laoreet orci, nec hendrerit nibh nisl quis neque. Donec consequat, ligula a facilisis fringilla, urna odio iaculis nunc, eu convallis felis dolor ut purus. Sed ultricies placerat ante, blandit pharetra orci tincidunt sit amet. Nullam cursus, leo eget porta aliquet, nisl est sagittis nibh, ut placerat elit tellus nec risus. Vivamus cursus nec neque at sollicitudin. Morbi sit amet lacus erat. Duis tempor ipsum sem, in varius sem molestie eget. Phasellus aliquam nibh sed diam viverra, sit amet ornare ex fringilla. Donec ut ipsum laoreet, gravida justo vel, convallis ante. Nullam consequat tortor eu sapien iaculis, nec mattis justo ultricies.

Suspendisse semper massa porttitor molestie laoreet. Proin elementum dui neque, et feugiat libero porta a. In vel condimentum lectus, sit amet bibendum odio. Nunc nec lectus consequat, faucibus leo non, volutpat tortor. Mauris malesuada imperdiet lacus, eget placerat ipsum tempor non. Nunc sit amet purus finibus, consequat lectus et, venenatis magna. Curabitur iaculis vehicula augue. Duis ultrices efficitur metus ac maximus. Suspendisse vehicula ipsum justo. Suspendisse enim velit, facilisis id leo vel, ultricies ultrices lacus.

Donec finibus sodales diam ac sodales. Morbi sollicitudin iaculis neque, vitae fermentum quam. Donec ac urna nunc. Aenean urna orci, suscipit et quam mattis, tristique lobortis augue. Fusce ut sapien convallis, dapibus sem vitae, mattis quam. Etiam risus purus, porttitor eget lobortis sit amet, dictum et velit. Curabitur eget luctus sapien. Class aptent taciti sociosqu ad litora torquent per conubia nostra, per inceptos himenaeos. Nullam efficitur, ante malesuada efficitur aliquet, lorem tellus ornare urna, nec fermentum nunc eros nec purus.

Morbi nec pellentesque quam. Suspendisse quis ex nunc. Etiam in aliquam leo. Etiam volutpat euismod gravida. Aenean ultricies nisl nulla, quis condimentum tellus convallis

eget. Etiam malesuada egestas nisl sed vulputate. Mauris lacinia accumsan ornare. Donec bibendum ex ac gravida pretium. Nunc vitae pellentesque nisi.

Nam egestas imperdiet euismod. Ut id augue condimentum, varius nisl at, gravida nisi. Aliquam convallis velit gravida, dictum quam a, luctus nibh. In justo orci, venenatis eget orci quis, fringilla volutpat arcu. Nulla nec est sed erat ornare vehicula sit amet quis eros. Vestibulum nec magna orci. Donec ut semper massa.

Suspendisse id ex imperdiet, dapibus purus vel, euismod ex. In id nibh quis erat dapibus sollicitudin. Aliquam sit amet elit id purus fringilla tempus et vel diam. Mauris vel nulla volutpat, vehicula tellus et, mattis lorem. Fusce tempus consectetur vulputate. Proin lorem sem, lobortis fringilla consectetur id, aliquam et libero. Duis ultrices, mauris et posuere convallis, lorem risus imperdiet diam, vel ullamcorper quam ipsum sed tellus. Pellentesque quam nulla, suscipit non convallis quis, mollis vitae nisl. Donec elementum turpis non nibh convallis laoreet. Duis ornare sollicitudin blandit. Nunc sodales massa ex, porta euismod nisi molestie sit amet. Integer augue diam, consequat quis libero sed, dapibus dignissim augue. Etiam egestas est et luctus volutpat. In velit neque, bibendum ac finibus eget, tristique sit amet neque. Ut risus sem, lacinia quis hendrerit ut, luctus in neque. Suspendisse cursus mauris id lorem bibendum, a rutrum quam ullamcorper.

Aliquam non ipsum vitae purus congue pulvinar. Donec sodales sit amet elit et ullamcorper. Morbi at felis dignissim odio malesuada varius et vitae dolor. Ut scelerisque nisi eros, et fermentum nisl bibendum eget. Pellentesque leo ipsum, bibendum sit amet lectus in, imperdiet volutpat justo. Nunc a magna id magna ultricies gravida sit amet laoreet metus. Vestibulum in laoreet nisi. Fusce eget egestas dui. Aenean eget laoreet lorem. Nunc in tristique nisi, eget tempus leo. Aliquam maximus nunc sed rutrum gravida. Ut lobortis

suscipit vehicula. Aenean a massa id metus elementum suscipit sed at enim. Nullam luctus cursus hendrerit.

Vestibulum sed ante scelerisque, ullamcorper sem ac, pretium arcu. Aliquam erat volutpat. Curabitur at egestas nunc, eu aliquet ligula. Phasellus lorem felis, faucibus in dui a, consectetur volutpat elit. Integer bibendum lorem non erat blandit vehicula. Sed dapibus augue quam, eu sagittis velit euismod at. Duis condimentum auctor quam, in suscipit purus hendrerit at. Donec semper nibh vel iaculis rhoncus.

Nulla facilisi. Aliquam interdum posuere commodo. Donec id mi facilisis, faucibus sem a, venenatis mauris. Phasellus pharetra erat eu metus tempus porta. Sed vel augue finibus, commodo ex id, vulputate ligula. Quisque sed lorem eleifend, tristique lectus et, porttitor purus. Praesent ac dolor sit amet odio scelerisque aliquet sodales nec sapien. Morbi suscipit, lorem ac tristique pharetra, quam augue facilisis turpis, luctus gravida ante neque vitae urna. Nunc sem lorem, tincidunt non odio at, tempor volutpat nisi. Morbi vel placerat turpis. Pellentesque consectetur metus eget lacus sollicitudin condimentum. Class aptent taciti sociosqu ad litora torquent per conubia nostra, per inceptos himenaeos. Nunc varius ac nisl vulputate maximus.

In suscipit odio eu interdum finibus. Integer ut est et erat varius lacinia. Nullam consequat tempor ligula, quis commodo augue varius vel. Maecenas est metus, pellentesque ut sollicitudin et, pellentesque at lectus. Donec tincidunt elit orci, eu vestibulum ex rhoncus at. Nulla facilisi. Ut sit amet lobortis magna. Quisque malesuada mi quis consequat auctor. Mauris ut bibendum ante. Nulla nec eros eros. Donec euismod blandit lobortis. Aenean non lacinia odio. Sed consequat est nec faucibus accumsan. Fusce vel nisi ac massa efficitur euismod at sed turpis. Nunc vehicula posuere pharetra.

Sed ultricies est at malesuada pharetra. Donec varius nisl eu diam suscipit, vel interdum leo ultricies. Vestibulum ante

J. KENNER

ipsum primis in faucibus orci luctus et ultrices posuere cubilia curae; Nam sed lectus nulla. Mauris congue dapibus quam. Etiam sit amet lobortis velit. Nunc libero nunc, auctor in convallis a, molestie at leo. Cras lacus elit, dignissim sit amet diam eget, ultrices tristique dolor. Etiam quis viverra lectus. Donec semper, dui ut accumsan congue, nulla sapien maximus massa, nec vulputate massa quam ut sapien. Praesent sagittis accumsan tincidunt. Donec porta ligula fermentum ultricies dignissim. Mauris imperdiet, arcu feugiat eleifend laoreet, sem ipsum interdum ligula, eu cursus turpis arcu eget tortor. Fusce a tristique tortor. Sed vel aliquam lectus. Donec laoreet tellus erat, nec facilisis sapien placerat sed.

Mauris pretium malesuada justo, ut luctus tellus commodo mattis. Nullam ornare suscipit ligula a placerat. Donec cursus tellus ultrices ante aliquet, nec iaculis libero lacinia. Praesent quis dolor eget nulla consectetur luctus tristique fermentum ex. Sed accumsan sollicitudin metus at elementum. Phasellus dictum, libero sit amet placerat maximus, nisi ipsum gravida turpis, sed tempor neque nunc sed massa. Nunc blandit posuere augue. Nunc efficitur mollis justo, et aliquam urna faucibus eu. Ut ultricies nunc et enim auctor interdum. Donec luctus massa eu justo fermentum, a tincidunt neque tincidunt. Orci varius natoque penatibus et magnis dis parturient montes, nascetur ridiculus mus. Quisque et ornare lorem. Integer vulputate, risus a porta euismod, mi tortor ultrices mi, eu tincidunt enim odio quis tellus. Aliquam eleifend, est eget maximus facilisis, augue nibh auctor lorem, sed mattis arcu odio luctus est. Proin tellus turpis, mollis quis sodales ut, semper vitae mauris.

Class aptent taciti sociosqu ad litora torquent per conubia nostra, per inceptos himenaeos. Donec vitae finibus sem. Pellentesque ultrices in ex ac scelerisque. Morbi imperdiet hendrerit odio quis laoreet. Cras aliquet est eu nulla porta accumsan. Quisque pulvinar et libero at porta. Quisque

vehicula ipsum mi, vitae pretium lectus ultricies et. In hac habitasse platea dictumst. Praesent rutrum, nisi in tincidunt aliquet, leo dolor fermentum elit, at vulputate quam odio nec felis. Aliquam non orci tincidunt, ultricies purus at, posuere felis.

Sed dapibus nisi sed tortor consectetur fermentum. Sed ex purus, faucibus laoreet diam nec, auctor malesuada risus. Quisque quis sagittis elit. Etiam dapibus diam orci, in sollicitudin massa tincidunt pellentesque. Nullam mattis posuere dignissim. Maecenas feugiat, nisi vel feugiat ornare, neque augue suscipit libero, quis malesuada enim metus a metus. Pellentesque iaculis turpis et odio dictum, ut elementum felis egestas. Fusce ut quam at tortor aliquam lacinia. Class aptent taciti sociosqu ad litora torquent per conubia nostra, per inceptos himenaeos. Ut quis mattis libero. Fusce quis ultricies sem.

Curabitur et magna tempus, faucibus tortor sed, aliquet velit. Fusce sed urna nulla. Mauris in nibh quam. Aliquam sed odio ultricies libero accumsan aliquet et quis justo. Praesent rutrum velit turpis, at consequat risus ullamcorper vel. Nam imperdiet ac magna a faucibus. Aliquam placerat fermentum dapibus. Nam ultricies euismod facilisis. Quisque consequat tincidunt enim eget fringilla. Fusce purus odio, lacinia et laoreet sit amet, ornare in magna. Vivamus a consectetur magna. Phasellus ornare sem luctus, maximus nisi quis, condimentum risus. Etiam ullamcorper sed massa sit amet mollis. Maecenas quis lacus fringilla ex volutpat ornare. Suspendisse lobortis fermentum fringilla. Vestibulum sit amet maximus leo, ac cursus nibh.

Donec iaculis maximus dui quis egestas. Ut gravida, tellus vitae mollis tincidunt, leo mauris ultrices turpis, sed finibus urna quam non tellus. Mauris sollicitudin venenatis neque vel ultricies. Lorem ipsum dolor sit amet, consectetur adipiscing elit. Nunc vestibulum sapien id lacus ullamcorper euismod. Aliquam id rhoncus purus, ac sagittis est. Fusce

finibus sagittis diam, non elementum est. Nulla rutrum eros eget risus mattis, in condimentum erat eleifend. Sed arcu odio, cursus ac tincidunt ac, aliquet sit amet nibh. Fusce aliquam dictum orci. Donec aliquet ultrices nisi.

Donec volutpat tortor nec elementum tincidunt. Cras tempor ultrices mauris vel semper. Phasellus vitae odio dapibus, lobortis massa ac, malesuada ex. Nulla tincidunt at lacus sit amet tincidunt. Maecenas orci nisi, ullamcorper nec condimentum faucibus, consequat non metus. Maecenas ac porttitor elit. Fusce fermentum lorem eget turpis pellentesque pellentesque. Pellentesque habitant morbi tristique senectus et netus et malesuada fames ac turpis egestas. Curabitur interdum, ligula non bibendum blandit, lectus arcu molestie metus, ut dictum nibh lectus vel dolor. Duis laoreet ipsum ac purus consequat, eu ullamcorper mi aliquet.

Donec id dignissim felis, in placerat mi. Integer ut magna faucibus, maximus nulla euismod, semper urna. Nunc quis dui lacinia, facilisis magna ac, pulvinar turpis. Praesent volutpat nibh eu pharetra fringilla. Integer tristique fermentum fringilla. Aenean eu rutrum neque. Nullam lobortis lectus dolor, non volutpat lectus consequat at.

Ut diam elit, blandit quis tortor ac, ultrices varius diam. Nam consequat rhoncus nisi, eget viverra massa. Proin sollicitudin sem quis sodales lobortis. Aliquam vulputate ac sapien id interdum. Curabitur posuere dapibus magna, et imperdiet sem consectetur vitae. In a ornare purus. Donec nulla risus, dapibus vel aliquet vel, imperdiet sit amet sem. Class aptent taciti sociosqu ad litora torquent per conubia nostra, per inceptos himenaeos. Maecenas varius condimentum dapibus. Nulla fringilla, leo ac dignissim porta, eros risus pharetra elit, vitae feugiat erat lectus non dui.

Proin in leo neque. Aenean imperdiet augue sed ex sollicitudin, sed vehicula sapien tempor. Praesent cursus condimentum dictum. Vestibulum eget sapien nec lectus pulvinar vestibulum. Proin accumsan tincidunt lacus, eu rhoncus ante

tempus ullamcorper. Suspendisse feugiat fringilla sagittis. Sed pulvinar dui et malesuada porttitor. Etiam sit amet justo dui. Nam at sem id enim lacinia porta. Curabitur sem dui, facilisis a molestie nec, aliquet eget elit. Vivamus viverra luctus tortor id condimentum. Curabitur ultricies blandit laoreet. Pellentesque vel risus non lacus feugiat gravida a sit amet mi. Ut ut placerat urna. In scelerisque ultricies odio.

Suspendisse vitae est hendrerit, tempor magna et, molestie turpis. Nam nec quam sapien. Vivamus imperdiet in risus ac posuere. Aenean varius rhoncus elementum. Aenean augue quam, euismod id lacus vitae, gravida aliquet felis. In augue turpis, lobortis sit amet augue vel, elementum aliquam risus. Donec viverra iaculis efficitur. Mauris auctor dui risus, ac fermentum magna auctor at. Vestibulum at bibendum enim. Proin venenatis, ex sed tempor consectetur, lectus metus suscipit augue, in rutrum erat est in augue. Praesent pulvinar eu nisl sit amet molestie. Sed at egestas velit. Fusce et molestie eros. Donec sit amet nisl sit amet felis aliquam fermentum eu in ligula. Pellentesque tincidunt, eros non aliquam pharetra, metus erat volutpat metus, a tincidunt dolor mi eget est.

Sed venenatis nunc sed dolor fringilla congue quis a ligula. Aliquam erat volutpat. Proin egestas est ut porttitor vulputate. Phasellus commodo metus vel sem auctor lacinia. Suspendisse tempus lorem justo, id ullamcorper dolor iaculis a. Phasellus quis auctor neque. Phasellus dapibus ut tortor a varius. Integer sit amet iaculis metus. Etiam diam metus, molestie mollis sodales euismod, fringilla vitae ligula. Suspendisse pellentesque ante sem, commodo mattis tortor semper ultrices. Vestibulum nec posuere ex.

Sed vitae velit lacus. Integer eleifend pulvinar dolor. Integer a libero quis sapien ullamcorper scelerisque quis quis eros. Maecenas id ligula ac nisi gravida varius nec in enim. Pellentesque rhoncus porta nunc, iaculis scelerisque metus rhoncus in. Nullam posuere purus id leo gravida, ut

consectetur nisl pulvinar. Cras ultrices hendrerit est nec accumsan. Mauris molestie sapien ut rhoncus malesuada. Mauris pulvinar suscipit luctus.

Quisque nec bibendum orci, at mattis sapien. Sed ut elit condimentum, consectetur quam id, tincidunt turpis. Phasellus nec tortor ex. Pellentesque habitant morbi tristique senectus et netus et malesuada fames ac turpis egestas. Nam maximus purus velit, at volutpat lorem tempus sit amet. Donec iaculis ultricies nulla ut bibendum. Vestibulum ante ipsum primis in faucibus.

CHAPTER 9

*L*orem ipsum dolor sit amet, consectetur adipiscing elit. Vivamus bibendum mi vitae lacus accumsan dignissim. Phasellus condimentum, sapien ut feugiat ullamcorper, neque dui convallis orci, a pulvinar ante dolor a felis. Nunc varius sapien sit amet porttitor rutrum. Vivamus eget semper nibh. Vivamus euismod neque a convallis vehicula. In sagittis porta elit, in dictum massa scelerisque a. Maecenas sit amet pharetra est, in rhoncus ex. Morbi placerat nulla at nisi lobortis sagittis. Suspendisse ligula lorem, pulvinar et tellus ut, iaculis pellentesque orci. Integer tincidunt, elit cursus dignissim tempus, ex diam auctor magna, vitae fringilla massa sapien quis est. Sed sit amet laoreet elit, id hendrerit turpis. Suspendisse suscipit fringilla placerat. Nunc diam erat, posuere sit amet leo id, porta pharetra orci.

Donec bibendum gravida massa id venenatis. In tincidunt lacinia elit bibendum luctus. Duis finibus enim ut enim ultricies, commodo efficitur diam venenatis. Vestibulum pellentesque justo eget purus hendrerit, ac lobortis augue consectetur. Etiam vitae consectetur velit, eget rutrum ipsum. Ut eget ante eu dolor ultricies pulvinar. Etiam

volutpat commodo justo eget dignissim. Donec ac lectus scelerisque, gravida est a, tincidunt sem. Integer volutpat orci quis mi pharetra porta. Etiam at fermentum nisl. Praesent et magna nunc. Mauris justo turpis, bibendum at lectus vitae, ultrices dictum nisi.

Quisque nunc massa, congue sed iaculis a, blandit ac enim. Suspendisse tristique tellus at sollicitudin venenatis. Vivamus vitae ornare tellus. Vestibulum mollis molestie tortor, et aliquam nisi iaculis luctus. Vivamus risus nisl, mattis vel tincidunt ac, posuere tempus tellus. Quisque in turpis neque. Ut iaculis eleifend urna, nec consequat elit egestas vitae. Nunc a massa fringilla, convallis velit at, molestie justo. Donec blandit iaculis tellus. Nam scelerisque vehicula pulvinar. Donec condimentum neque ut quam bibendum placerat.

Nullam viverra sem imperdiet eros pulvinar molestie. Morbi est lectus, vestibulum sed quam eu, scelerisque ultricies augue. Curabitur nisl libero, porttitor ut ipsum sit amet, gravida dignissim lorem. Aliquam vel molestie diam. Aliquam urna ligula, maximus eget purus nec, porttitor malesuada magna. Aenean orci nisi, sagittis sit amet odio et, euismod interdum ligula. Etiam venenatis risus sit amet consequat vehicula. Sed et aliquet ante. Mauris convallis eget ligula id hendrerit. Pellentesque vitae fringilla nibh. Integer interdum, libero non rhoncus consequat, arcu nisi commodo diam, eget facilisis erat sapien et justo. Morbi efficitur sapien nisl, sit amet fringilla neque pretium vel. Ut ex nisl, mattis a tempor a, aliquet eu leo.

Sed fermentum malesuada purus lacinia sollicitudin. Aliquam luctus pharetra molestie. Nunc luctus vehicula justo, quis finibus nunc feugiat vitae. Orci varius natoque penatibus et magnis dis parturient montes, nascetur ridiculus mus. Curabitur et enim vitae neque ornare condimentum. Nullam semper venenatis mauris, ut malesuada justo eleifend non. Duis eleifend pharetra erat, nec pretium nisl placerat sit

amet. Fusce malesuada vestibulum ligula eget iaculis. Mauris maximus porta nisi eget sollicitudin. Donec ultrices tincidunt risus, cursus volutpat quam tincidunt sit amet. Etiam commodo diam id urna imperdiet, vitae luctus dolor condimentum. Proin commodo justo vel orci tempus mollis. Morbi gravida mauris id lorem venenatis, ut tincidunt diam feugiat. Vivamus pretium faucibus urna id laoreet. Etiam et egestas arcu.

Aliquam in enim eu elit dapibus aliquam. Praesent in elit id nibh vulputate interdum. Class aptent taciti sociosqu ad litora torquent per conubia nostra, per inceptos himenaeos. Aliquam id euismod quam. Mauris tellus ligula, congue a quam vitae, scelerisque consequat sapien. Lorem ipsum dolor sit amet, consectetur adipiscing elit. Fusce sed quam rutrum, commodo tellus eu, aliquet justo.

Etiam mattis tristique libero, a aliquam sapien. Maecenas tortor urna, ultrices id elit sed, feugiat volutpat quam. Sed auctor, ligula at ornare maximus, quam mi malesuada urna, a aliquet enim nisl at erat. Ut scelerisque lacus id ipsum mollis, eu sollicitudin libero vehicula. Curabitur condimentum tortor quis sapien scelerisque ornare. Sed porta metus vel eros consectetur mollis. Cras imperdiet, ipsum quis sollicitudin venenatis, ligula urna molestie tellus, ullamcorper suscipit nibh quam vitae arcu. Etiam at ligula eget mauris blandit lobortis hendrerit at nunc. Quisque vestibulum eleifend porta. Ut at semper nunc. Quisque non accumsan ante. Sed quis placerat sem, ac pharetra erat. Integer posuere orci nisl, quis auctor nisi volutpat non. Donec vulputate, purus ac suscipit congue, lorem neque fringilla justo, id congue leo risus id lacus.

In hac habitasse platea dictumst. Nullam a nisl at urna rutrum blandit in nec ligula. Vestibulum quis massa ut dolor ultrices pulvinar a sit amet dui. Vivamus volutpat dolor a sodales efficitur. Cras laoreet placerat tincidunt. Donec vulputate turpis a ipsum ultrices sollicitudin. Cras sed turpis

et sapien tristique luctus. Nullam in fermentum nisi, eu consequat justo. Morbi enim purus, imperdiet sit amet ipsum in, cursus eleifend mi. Donec porta lectus mi, pellentesque luctus urna pretium sed. Sed aliquam erat nec rhoncus lacinia. Vestibulum viverra pretium sapien nec ultrices. Maecenas finibus luctus erat, in accumsan purus gravida ut. Curabitur venenatis est fringilla rutrum sollicitudin. Nulla efficitur eleifend sem, non egestas elit sodales quis. Fusce ornare sem dolor, eu rutrum magna pretium ac.

Vivamus posuere massa et posuere semper. Pellentesque turpis tortor, bibendum nec porta tristique, venenatis quis ligula. Maecenas bibendum porta turpis, consectetur fringilla sem varius at. Suspendisse potenti. Morbi odio diam, fermentum ac libero sed, porta scelerisque arcu. Sed porttitor sapien turpis, eget pharetra magna scelerisque ut. Phasellus ornare leo in turpis viverra interdum.

Nulla id venenatis enim. Donec placerat dignissim sapien, in rutrum libero iaculis vel. Cras et placerat metus, ut pulvinar leo. Etiam ut cursus ante, nec pellentesque libero. Curabitur vitae lacinia diam. Nunc malesuada tortor sapien, sed aliquet est facilisis sit amet. Nunc scelerisque malesuada accumsan. Nunc nec maximus nisi. Mauris vitae vulputate neque. Mauris ac urna leo. Vestibulum placerat pulvinar sem sed dapibus. Sed nulla augue, elementum eget convallis id, egestas cursus leo. Pellentesque mi lacus, accumsan id mauris nec, malesuada lacinia sapien. Donec tincidunt odio sit amet ligula venenatis, vitae euismod erat rhoncus. Maecenas semper et ligula id ultricies. Nulla fringilla libero felis, sit amet cursus orci accumsan quis.

Sed non purus odio. Duis aliquet justo ligula, placerat maximus odio iaculis vitae. Integer dignissim at ligula vitae porttitor. Sed blandit mauris sed faucibus malesuada. Donec a porta quam. Cras ut tempus mi, auctor maximus neque. Proin at metus mauris. Maecenas fermentum ultrices porttitor. Aliquam eget augue a diam mollis consequat ultrices

condimentum nulla. Vivamus vel felis ullamcorper, tincidunt quam ut, malesuada ligula. Nulla vel lectus lacus. Etiam ut dictum dolor. Duis tempus maximus volutpat. Fusce maximus tincidunt dui, vitae rutrum elit imperdiet et. Sed eget urna mi. Aenean nec metus nisi.

Cras pellentesque justo enim, ac pulvinar nulla ultrices vitae. Vestibulum suscipit consectetur tempor. Pellentesque sed congue libero, in semper sapien. Interdum et malesuada fames ac ante ipsum primis in faucibus. Maecenas vehicula sit amet diam eu congue. Cras pretium, sapien sed posuere laoreet, tortor tortor mollis risus, quis dictum quam risus in metus. Quisque a ligula nisl. Morbi consectetur nisi id libero luctus dictum. Cras at arcu risus. Praesent venenatis dapibus dictum. Praesent molestie quis sem sit amet tincidunt. Vivamus suscipit mauris sed scelerisque pharetra. Aliquam feugiat urna fringilla nunc ornare, sed laoreet quam vehicula. Nullam ac justo sit amet augue consectetur facilisis. Nunc imperdiet dolor dolor.

Sed vitae lacus lacus. Mauris in enim posuere felis sollici-tudin maximus. Sed et ante ac quam tincidunt efficitur. Fusce nisl sem, auctor eget nisl accumsan, tincidunt gravida nulla. Integer scelerisque in eros fermentum semper. Donec sollicitudin a sem eget volutpat. Suspendisse justo neque, aliquam bibendum velit at, malesuada egestas sem. Nulla ac est convallis urna tincidunt pulvinar fermentum non libero. Proin vestibulum, lorem vel euismod vulputate, lacus nisl varius tellus, ut ultrices dolor orci eu turpis. Duis efficitur ut tellus sit amet luctus. Aliquam erat volutpat. Nulla consequat viverra mauris sit amet consectetur. Phasellus laoreet tempus mauris sed varius.

Aliquam a sem dui. Suspendisse potenti. Morbi nec enim non diam vehicula fermentum. Sed porttitor elit non ante molestie, eu aliquet nulla pharetra. Phasellus eros magna, dapibus nec quam id, egestas mattis quam. Vestibulum sed mi ac justo elementum efficitur quis quis enim. Vestibulum

leo leo, condimentum vitae dolor eget, dignissim placerat eros. Maecenas elementum porttitor sollicitudin. Proin convallis posuere scelerisque. Vestibulum lacinia vulputate porta. Pellentesque habitant morbi tristique senectus et netus et malesuada fames ac turpis egestas.

Fusce aliquet metus massa, at elementum justo elementum id. Mauris aliquam justo sed elit dignissim, nec egestas augue condimentum. Proin consequat arcu ut ligula sollicitudin, at elementum est rutrum. Aliquam tristique, odio at vehicula volutpat, nunc sem porttitor lectus, ut fringilla dolor eros in eros. Morbi quis bibendum felis, in porta ligula. Aenean dignissim feugiat purus vitae sagittis. Duis finibus massa felis, at finibus odio sollicitudin eu. Morbi at finibus ligula.

Morbi ante purus, laoreet dignissim enim in, ullamcorper iaculis purus. Nunc malesuada nisl justo. Sed consequat enim id pulvinar convallis. Fusce blandit, sem varius cursus commodo, nisi purus imperdiet odio, eget mollis orci ante a magna. Praesent molestie nunc vel quam mollis porttitor. Integer mi est, pellentesque ut orci eget, ultricies porttitor velit. Integer feugiat, est vel ullamcorper sodales, libero felis sodales ante, nec tincidunt lectus nibh vitae sapien.

Sed arcu tortor, ultrices vitae tortor vel, ornare fermentum mi. Sed finibus nulla quis blandit egestas. Phasellus eu nulla mauris. Pellentesque ultricies libero metus, eu finibus justo mollis quis. Aliquam pharetra lacus ut facilisis vestibulum. Nunc imperdiet a tellus vitae rhoncus. Nulla non ornare felis, eu consectetur risus. Pellentesque a congue ante. In hac habitasse platea dictumst. Phasellus in pellentesque ex. Praesent iaculis orci id velit suscipit, ac laoreet augue venenatis. Proin felis turpis, molestie vitae commodo quis, suscipit nec nunc. Vestibulum in magna orci. Sed at consequat erat, quis lacinia ex.

Suspendisse faucibus, lorem vitae fermentum fermentum, odio purus efficitur enim, eu sollicitudin sapien lectus nec

erat. Vestibulum ante ipsum primis in faucibus orci luctus et ultrices posuere cubilia curae; Lorem ipsum dolor sit amet, consectetur adipiscing elit. Integer aliquam tempor ipsum, in rutrum enim consectetur in. Fusce vel imperdiet purus. Suspendisse quis euismod eros. Ut et ex pellentesque diam posuere faucibus iaculis dignissim orci. Nunc sed nibh mi. Nunc vitae dignissim quam. Morbi dictum est a magna cursus, nec rhoncus sem pellentesque.

Sed dignissim cursus ex. Donec lacinia nisi in neque semper ullamcorper. Praesent non nibh at ante eleifend ultrices non vel magna. Donec congue viverra dolor sed consequat. Donec fermentum nunc ut congue malesuada. In nec nisi felis. Etiam lectus dolor, tincidunt a pharetra eget, placerat vulputate mauris.

Nulla sodales, arcu ullamcorper placerat dignissim, dolor turpis congue nisl, quis fringilla ex massa lacinia enim. In vulputate aliquam augue. Mauris eget imperdiet lectus. Pellentesque habitant morbi tristique senectus et netus et malesuada fames ac turpis egestas. Quisque at augue purus. Donec sit amet tincidunt augue. Nunc ac metus nec urna maximus accumsan.

Quisque bibendum nisl tincidunt nulla tincidunt tempor. Nulla viverra laoreet ex id imperdiet. Proin feugiat, magna interdum dapibus mattis, libero dui fermentum felis, eget luctus ante risus in justo. Aliquam luctus imperdiet nisl, vel porta erat egestas quis. Nulla ullamcorper auctor neque a ullamcorper. Nam aliquet justo a dui aliquam, eu mattis sapien pulvinar. Vivamus neque felis, pellentesque sed lorem non, elementum faucibus eros.

Nunc nulla tellus, sollicitudin sed turpis sit amet, rhoncus feugiat dui. Vivamus id feugiat mauris. Cras consectetur dapibus risus sed suscipit. Aenean porttitor, lorem quis gravida sollicitudin, velit libero elementum erat, quis porttitor tortor neque id dui. Vestibulum sed tempus quam. Maecenas laoreet sapien sed lacus commodo hendrerit. Cras

aliquet, odio id rutrum viverra, enim eros laoreet orci, nec hendrerit nibh nisl quis neque. Donec consequat, ligula a facilisis fringilla, urna odio iaculis nunc, eu convallis felis dolor ut purus. Sed ultricies placerat ante, blandit pharetra orci tincidunt sit amet. Nullam cursus, leo eget porta aliquet, nisl est sagittis nibh, ut placerat elit tellus nec risus. Vivamus cursus nec neque at sollicitudin. Morbi sit amet lacus erat. Duis tempor ipsum sem, in varius sem molestie eget. Phasellus aliquam nibh sed diam viverra, sit amet ornare ex fringilla. Donec ut ipsum laoreet, gravida justo vel, convallis ante. Nullam consequat tortor eu sapien iaculis, nec mattis justo ultricies.

Suspendisse semper massa porttitor molestie laoreet. Proin elementum dui neque, et feugiat libero porta a. In vel condimentum lectus, sit amet bibendum odio. Nunc nec lectus consequat, faucibus leo non, volutpat tortor. Mauris malesuada imperdiet lacus, eget placerat ipsum tempor non. Nunc sit amet purus finibus, consequat lectus et, venenatis magna. Curabitur iaculis vehicula augue. Duis ultrices efficitur metus ac maximus. Suspendisse vehicula ipsum justo. Suspendisse enim velit, facilisis id leo vel, ultricies ultrices lacus.

Donec finibus sodales diam ac sodales. Morbi sollicitudin iaculis neque, vitae fermentum quam. Donec ac urna nunc. Aenean urna orci, suscipit et quam mattis, tristique lobortis augue. Fusce ut sapien convallis, dapibus sem vitae, mattis quam. Etiam risus purus, porttitor eget lobortis sit amet, dictum et velit. Curabitur eget luctus sapien. Class aptent taciti sociosqu ad litora torquent per conubia nostra, per inceptos himenaeos. Nullam efficitur, ante malesuada efficitur aliquet, lorem tellus ornare urna, nec fermentum nunc eros nec purus.

Morbi nec pellentesque quam. Suspendisse quis ex nunc. Etiam in aliquam leo. Etiam volutpat euismod gravida. Aenean ultricies nisl nulla, quis condimentum tellus convallis

eget. Etiam malesuada egestas nisl sed vulputate. Mauris lacinia accumsan ornare. Donec bibendum ex ac gravida pretium. Nunc vitae pellentesque nisi.

Nam egestas imperdiet euismod. Ut id augue condimentum, varius nisl at, gravida nisi. Aliquam convallis velit gravida, dictum quam a, luctus nibh. In justo orci, venenatis eget orci quis, fringilla volutpat arcu. Nulla nec est sed erat ornare vehicula sit amet quis eros. Vestibulum nec magna orci. Donec ut semper massa.

Suspendisse id ex imperdiet, dapibus purus vel, euismod ex. In id nibh quis erat dapibus sollicitudin. Aliquam sit amet elit id purus fringilla tempus et vel diam. Mauris vel nulla volutpat, vehicula tellus et, mattis lorem. Fusce tempus consectetur vulputate. Proin lorem sem, lobortis fringilla consectetur id, aliquam et libero. Duis ultrices, mauris et posuere convallis, lorem risus imperdiet diam, vel ullamcorper quam ipsum sed tellus. Pellentesque quam nulla, suscipit non convallis quis, mollis vitae nisl. Donec elementum turpis non nibh convallis laoreet. Duis ornare sollicitudin blandit. Nunc sodales massa ex, porta euismod nisi molestie sit amet. Integer augue diam, consequat quis libero sed, dapibus dignissim augue. Etiam egestas est et luctus volutpat. In velit neque, bibendum ac finibus eget, tristique sit amet neque. Ut risus sem, lacinia quis hendrerit ut, luctus in neque. Suspendisse cursus mauris id lorem bibendum, a rutrum quam ullamcorper.

Aliquam non ipsum vitae purus congue pulvinar. Donec sodales sit amet elit et ullamcorper. Morbi at felis dignissim odio malesuada varius et vitae dolor. Ut scelerisque nisi eros, et fermentum nisl bibendum eget. Pellentesque leo ipsum, bibendum sit amet lectus in, imperdiet volutpat justo. Nunc a magna id magna ultricies gravida sit amet laoreet metus. Vestibulum in laoreet nisi. Fusce eget egestas dui. Aenean eget laoreet lorem. Nunc in tristique nisi, eget tempus leo. Aliquam maximus nunc sed rutrum gravida. Ut lobortis

suscipit vehicula. Aenean a massa id metus elementum suscipit sed at enim. Nullam luctus cursus hendrerit.

Vestibulum sed ante scelerisque, ullamcorper sem ac, pretium arcu. Aliquam erat volutpat. Curabitur at egestas nunc, eu aliquet ligula. Phasellus lorem felis, faucibus in dui a, consectetur volutpat elit. Integer bibendum lorem non erat blandit vehicula. Sed dapibus augue quam, eu sagittis velit euismod at. Duis condimentum auctor quam, in suscipit purus hendrerit at. Donec semper nibh vel iaculis rhoncus.

Nulla facilisi. Aliquam interdum posuere commodo. Donec id mi facilisis, faucibus sem a, venenatis mauris. Phasellus pharetra erat eu metus tempus porta. Sed vel augue finibus, commodo ex id, vulputate ligula. Quisque sed lorem eleifend, tristique lectus et, porttitor purus. Praesent ac dolor sit amet odio scelerisque aliquet sodales nec sapien. Morbi suscipit, lorem ac tristique pharetra, quam augue facilisis turpis, luctus gravida ante neque vitae urna. Nunc sem lorem, tincidunt non odio at, tempor volutpat nisi. Morbi vel placerat turpis. Pellentesque consectetur metus eget lacus sollicitudin condimentum. Class aptent taciti sociosqu ad litora torquent per conubia nostra, per inceptos himenaeos. Nunc varius ac nisl vulputate maximus.

In suscipit odio eu interdum finibus. Integer ut est et erat varius lacinia. Nullam consequat tempor ligula, quis commodo augue varius vel. Maecenas est metus, pellentesque ut sollicitudin et, pellentesque at lectus. Donec tincidunt elit orci, eu vestibulum ex rhoncus at. Nulla facilisi. Ut sit amet lobortis magna. Quisque malesuada mi quis consequat auctor. Mauris ut bibendum ante. Nulla nec eros eros. Donec euismod blandit lobortis. Aenean non lacinia odio. Sed consequat est nec faucibus accumsan. Fusce vel nisi ac massa efficitur euismod at sed turpis. Nunc vehicula posuere pharetra.

Sed ultricies est at malesuada pharetra. Donec varius nisl eu diam suscipit, vel interdum leo ultricies. Vestibulum ante

ipsum primis in faucibus orci luctus et ultrices posuere cubilia curae; Nam sed lectus nulla. Mauris congue dapibus quam. Etiam sit amet lobortis velit. Nunc libero nunc, auctor in convallis a, molestie at leo. Cras lacus elit, dignissim sit amet diam eget, ultrices tristique dolor. Etiam quis viverra lectus. Donec semper, dui ut accumsan congue, nulla sapien maximus massa, nec vulputate massa quam ut sapien. Praesent sagittis accumsan tincidunt. Donec porta ligula fermentum ultricies dignissim. Mauris imperdiet, arcu feugiat eleifend laoreet, sem ipsum interdum ligula, eu cursus turpis arcu eget tortor. Fusce a tristique tortor. Sed vel aliquam lectus. Donec laoreet tellus erat, nec facilisis sapien placerat sed.

Mauris pretium malesuada justo, ut luctus tellus commodo mattis. Nullam ornare suscipit ligula a placerat. Donec cursus tellus ultrices ante aliquet, nec iaculis libero lacinia. Praesent quis dolor eget nulla consectetur luctus tristique fermentum ex. Sed accumsan sollicitudin metus at elementum. Phasellus dictum, libero sit amet placerat maximus, nisi ipsum gravida turpis, sed tempor neque nunc sed massa. Nunc blandit posuere augue. Nunc efficitur mollis justo, et aliquam urna faucibus eu. Ut ultricies nunc et enim auctor interdum. Donec luctus massa eu justo fermentum, a tincidunt neque tincidunt. Orci varius natoque penatibus et magnis dis parturient montes, nascetur ridiculus mus. Quisque et ornare lorem. Integer vulputate, risus a porta euismod, mi tortor ultrices mi, eu tincidunt enim odio quis tellus. Aliquam eleifend, est eget maximus facilisis, augue nibh auctor lorem, sed mattis arcu odio luctus est. Proin tellus turpis, mollis quis sodales ut, semper vitae mauris.

Class aptent taciti sociosqu ad litora torquent per conubia nostra, per inceptos himenaeos. Donec vitae finibus sem. Pellentesque ultrices in ex ac scelerisque. Morbi imperdiet hendrerit odio quis laoreet. Cras aliquet est eu nulla porta accumsan. Quisque pulvinar et libero at porta. Quisque

vehicula ipsum mi, vitae pretium lectus ultricies et. In hac habitasse platea dictumst. Praesent rutrum, nisi in tincidunt aliquet, leo dolor fermentum elit, at vulputate quam odio nec felis. Aliquam non orci tincidunt, ultricies purus at, posuere felis.

Sed dapibus nisi sed tortor consectetur fermentum. Sed ex purus, faucibus laoreet diam nec, auctor malesuada risus. Quisque quis sagittis elit. Etiam dapibus diam orci, in sollicitudin massa tincidunt pellentesque. Nullam mattis posuere dignissim. Maecenas feugiat, nisi vel feugiat ornare, neque augue suscipit libero, quis malesuada enim metus a metus. Pellentesque iaculis turpis et odio dictum, ut elementum felis egestas. Fusce ut quam at tortor aliquam lacinia. Class aptent taciti sociosqu ad litora torquent per conubia nostra, per inceptos himenaeos. Ut quis mattis libero. Fusce quis ultricies sem.

Curabitur et magna tempus, faucibus tortor sed, aliquet velit. Fusce sed urna nulla. Mauris in nibh quam. Aliquam sed odio ultricies libero accumsan aliquet et quis justo. Praesent rutrum velit turpis, at consequat risus ullamcorper vel. Nam imperdiet ac magna a faucibus. Aliquam placerat fermentum dapibus. Nam ultricies euismod facilisis. Quisque consequat tincidunt enim eget fringilla. Fusce purus odio, lacinia et laoreet sit amet, ornare in magna. Vivamus a consectetur magna. Phasellus ornare sem luctus, maximus nisi quis, condimentum risus. Etiam ullamcorper sed massa sit amet mollis. Maecenas quis lacus fringilla ex volutpat ornare. Suspendisse lobortis fermentum fringilla. Vestibulum sit amet maximus leo, ac cursus nibh.

Donec iaculis maximus dui quis egestas. Ut gravida, tellus vitae mollis tincidunt, leo mauris ultrices turpis, sed finibus urna quam non tellus. Mauris sollicitudin venenatis neque vel ultricies. Lorem ipsum dolor sit amet, consectetur adipiscing elit. Nunc vestibulum sapien id lacus ullamcorper euismod. Aliquam id rhoncus purus, ac sagittis est. Fusce

finibus sagittis diam, non elementum est. Nulla rutrum eros eget risus mattis, in condimentum erat eleifend. Sed arcu odio, cursus ac tincidunt ac, aliquet sit amet nibh. Fusce aliquam dictum orci. Donec aliquet ultrices nisi.

Donec volutpat tortor nec elementum tincidunt. Cras tempor ultrices mauris vel semper. Phasellus vitae odio dapibus, lobortis massa ac, malesuada ex. Nulla tincidunt at lacus sit amet tincidunt. Maecenas orci nisi, ullamcorper nec condimentum faucibus, consequat non metus. Maecenas ac porttitor elit. Fusce fermentum lorem eget turpis pellentesque pellentesque. Pellentesque habitant morbi tristique senectus et netus et malesuada fames ac turpis egestas. Curabitur interdum, ligula non bibendum blandit, lectus arcu molestie metus, ut dictum nibh lectus vel dolor. Duis laoreet ipsum ac purus consequat, eu ullamcorper mi aliquet.

Donec id dignissim felis, in placerat mi. Integer ut magna faucibus, maximus nulla euismod, semper urna. Nunc quis dui lacinia, facilisis magna ac, pulvinar turpis. Praesent volutpat nibh eu pharetra fringilla. Integer tristique fermentum fringilla. Aenean eu rutrum neque. Nullam lobortis lectus dolor, non volutpat lectus consequat at.

Ut diam elit, blandit quis tortor ac, ultrices varius diam. Nam consequat rhoncus nisi, eget viverra massa. Proin sollicitudin sem quis sodales lobortis. Aliquam vulputate ac sapien id interdum. Curabitur posuere dapibus magna, et imperdiet sem consectetur vitae. In a ornare purus. Donec nulla risus, dapibus vel aliquet vel, imperdiet sit amet sem. Class aptent taciti sociosqu ad litora torquent per conubia nostra, per inceptos himenaeos. Maecenas varius condimentum dapibus. Nulla fringilla, leo ac dignissim porta, eros risus pharetra elit, vitae feugiat erat lectus non dui.

Proin in leo neque. Aenean imperdiet augue sed ex sollicitudin, sed vehicula sapien tempor. Praesent cursus condimentum dictum. Vestibulum eget sapien nec lectus pulvinar vestibulum. Proin accumsan tincidunt lacus, eu rhoncus ante

tempus ullamcorper. Suspendisse feugiat fringilla sagittis. Sed pulvinar dui et malesuada porttitor. Etiam sit amet justo dui. Nam at sem id enim lacinia porta. Curabitur sem dui, facilisis a molestie nec, aliquet eget elit. Vivamus viverra luctus tortor id condimentum. Curabitur ultricies blandit laoreet. Pellentesque vel risus non lacus feugiat gravida a sit amet mi. Ut ut placerat urna. In scelerisque ultricies odio.

Suspendisse vitae est hendrerit, tempor magna et, molestie turpis. Nam nec quam sapien. Vivamus imperdiet in risus ac posuere. Aenean varius rhoncus elementum. Aenean augue quam, euismod id lacus vitae, gravida aliquet felis. In augue turpis, lobortis sit amet augue vel, elementum aliquam risus. Donec viverra iaculis efficitur. Mauris auctor dui risus, ac fermentum magna auctor at. Vestibulum at bibendum enim. Proin venenatis, ex sed tempor consectetur, lectus metus suscipit augue, in rutrum erat est in augue. Praesent pulvinar eu nisl sit amet molestie. Sed at egestas velit. Fusce et molestie eros. Donec sit amet nisl sit amet felis aliquam fermentum eu in ligula. Pellentesque tincidunt, eros non aliquam pharetra, metus erat volutpat metus, a tincidunt dolor mi eget est.

Sed venenatis nunc sed dolor fringilla congue quis a ligula. Aliquam erat volutpat. Proin egestas est ut porttitor vulputate. Phasellus commodo metus vel sem auctor lacinia. Suspendisse tempus lorem justo, id ullamcorper dolor iaculis a. Phasellus quis auctor neque. Phasellus dapibus ut tortor a varius. Integer sit amet iaculis metus. Etiam diam metus, molestie mollis sodales euismod, fringilla vitae ligula. Suspendisse pellentesque ante sem, commodo mattis tortor semper ultrices. Vestibulum nec posuere ex.

Sed vitae velit lacus. Integer eleifend pulvinar dolor. Integer a libero quis sapien ullamcorper scelerisque quis quis eros. Maecenas id ligula ac nisi gravida varius nec in enim. Pellentesque rhoncus porta nunc, iaculis scelerisque metus rhoncus in. Nullam posuere purus id leo gravida, ut

consectetur nisl pulvinar. Cras ultrices hendrerit est nec accumsan. Mauris molestie sapien ut rhoncus malesuada. Mauris pulvinar suscipit luctus.

Quisque nec bibendum orci, at mattis sapien. Sed ut elit condimentum, consectetur quam id, tincidunt turpis. Phasellus nec tortor ex. Pellentesque habitant morbi tristique senectus et netus et malesuada fames ac turpis egestas. Nam maximus purus velit, at volutpat lorem tempus sit amet. Donec iaculis ultricies nulla ut bibendum. Vestibulum ante ipsum primis in faucibus.

CHAPTER 10

*L*orem ipsum dolor sit amet, consectetur adipiscing elit. Vivamus bibendum mi vitae lacus accumsan dignissim. Phasellus condimentum, sapien ut feugiat ullamcorper, neque dui convallis orci, a pulvinar ante dolor a felis. Nunc varius sapien sit amet porttitor rutrum. Vivamus eget semper nibh. Vivamus euismod neque a convallis vehicula. In sagittis porta elit, in dictum massa scelerisque a. Maecenas sit amet pharetra est, in rhoncus ex. Morbi placerat nulla at nisi lobortis sagittis. Suspendisse ligula lorem, pulvinar et tellus ut, iaculis pellentesque orci. Integer tincidunt, elit cursus dignissim tempus, ex diam auctor magna, vitae fringilla massa sapien quis est. Sed sit amet laoreet elit, id hendrerit turpis. Suspendisse suscipit fringilla placerat. Nunc diam erat, posuere sit amet leo id, porta pharetra orci.

Donec bibendum gravida massa id venenatis. In tincidunt lacinia elit bibendum luctus. Duis finibus enim ut enim ultricies, commodo efficitur diam venenatis. Vestibulum pellentesque justo eget purus hendrerit, ac lobortis augue consectetur. Etiam vitae consectetur velit, eget rutrum ipsum. Ut eget ante eu dolor ultricies pulvinar. Etiam

volutpat commodo justo eget dignissim. Donec ac lectus scelerisque, gravida est a, tincidunt sem. Integer volutpat orci quis mi pharetra porta. Etiam at fermentum nisl. Praesent et magna nunc. Mauris justo turpis, bibendum at lectus vitae, ultrices dictum nisi.

Quisque nunc massa, congue sed iaculis a, blandit ac enim. Suspendisse tristique tellus at sollicitudin venenatis. Vivamus vitae ornare tellus. Vestibulum mollis molestie tortor, et aliquam nisi iaculis luctus. Vivamus risus nisl, mattis vel tincidunt ac, posuere tempus tellus. Quisque in turpis neque. Ut iaculis eleifend urna, nec consequat elit egestas vitae. Nunc a massa fringilla, convallis velit at, molestie justo. Donec blandit iaculis tellus. Nam scelerisque vehicula pulvinar. Donec condimentum neque ut quam bibendum placerat.

Nullam viverra sem imperdiet eros pulvinar molestie. Morbi est lectus, vestibulum sed quam eu, scelerisque ultricies augue. Curabitur nisl libero, porttitor ut ipsum sit amet, gravida dignissim lorem. Aliquam vel molestie diam. Aliquam urna ligula, maximus eget purus nec, porttitor malesuada magna. Aenean orci nisi, sagittis sit amet odio et, euismod interdum ligula. Etiam venenatis risus sit amet consequat vehicula. Sed et aliquet ante. Mauris convallis eget ligula id hendrerit. Pellentesque vitae fringilla nibh. Integer interdum, libero non rhoncus consequat, arcu nisi commodo diam, eget facilisis erat sapien et justo. Morbi efficitur sapien nisl, sit amet fringilla neque pretium vel. Ut ex nisl, mattis a tempor a, aliquet eu leo.

Sed fermentum malesuada purus lacinia sollicitudin. Aliquam luctus pharetra molestie. Nunc luctus vehicula justo, quis finibus nunc feugiat vitae. Orci varius natoque penatibus et magnis dis parturient montes, nascetur ridiculus mus. Curabitur et enim vitae neque ornare condimentum. Nullam semper venenatis mauris, ut malesuada justo eleifend non. Duis eleifend pharetra erat, nec pretium nisl placerat sit

amet. Fusce malesuada vestibulum ligula eget iaculis. Mauris maximus porta nisi eget sollicitudin. Donec ultrices tincidunt risus, cursus volutpat quam tincidunt sit amet. Etiam commodo diam id urna imperdiet, vitae luctus dolor condimentum. Proin commodo justo vel orci tempus mollis. Morbi gravida mauris id lorem venenatis, ut tincidunt diam feugiat. Vivamus pretium faucibus urna id laoreet. Etiam et egestas arcu.

Aliquam in enim eu elit dapibus aliquam. Praesent in elit id nibh vulputate interdum. Class aptent taciti sociosqu ad litora torquent per conubia nostra, per inceptos himenaeos. Aliquam id euismod quam. Mauris tellus ligula, congue a quam vitae, scelerisque consequat sapien. Lorem ipsum dolor sit amet, consectetur adipiscing elit. Fusce sed quam rutrum, commodo tellus eu, aliquet justo.

Etiam mattis tristique libero, a aliquam sapien. Maecenas tortor urna, ultrices id elit sed, feugiat volutpat quam. Sed auctor, ligula at ornare maximus, quam mi malesuada urna, a aliquet enim nisl at erat. Ut scelerisque lacus id ipsum mollis, eu sollicitudin libero vehicula. Curabitur condimentum tortor quis sapien scelerisque ornare. Sed porta metus vel eros consectetur mollis. Cras imperdiet, ipsum quis sollici-tudin venenatis, ligula urna molestie tellus, ullamcorper suscipit nibh quam vitae arcu. Etiam at ligula eget mauris blandit lobortis hendrerit at nunc. Quisque vestibulum eleifend porta. Ut at semper nunc. Quisque non accumsan ante. Sed quis placerat sem, ac pharetra erat. Integer posuere orci nisl, quis auctor nisi volutpat non. Donec vulputate, purus ac suscipit congue, lorem neque fringilla justo, id congue leo risus id lacus.

In hac habitasse platea dictumst. Nullam a nisl at urna rutrum blandit in nec ligula. Vestibulum quis massa ut dolor ultrices pulvinar a sit amet dui. Vivamus volutpat dolor a sodales efficitur. Cras laoreet placerat tincidunt. Donec vulputate turpis a ipsum ultrices sollicitudin. Cras sed turpis

et sapien tristique luctus. Nullam in fermentum nisi, eu consequat justo. Morbi enim purus, imperdiet sit amet ipsum in, cursus eleifend mi. Donec porta lectus mi, pellentesque luctus urna pretium sed. Sed aliquam erat nec rhoncus lacinia. Vestibulum viverra pretium sapien nec ultrices. Maecenas finibus luctus erat, in accumsan purus gravida ut. Curabitur venenatis est fringilla rutrum sollicitudin. Nulla efficitur eleifend sem, non egestas elit sodales quis. Fusce ornare sem dolor, eu rutrum magna pretium ac.

Vivamus posuere massa et posuere semper. Pellentesque turpis tortor, bibendum nec porta tristique, venenatis quis ligula. Maecenas bibendum porta turpis, consectetur fringilla sem varius at. Suspendisse potenti. Morbi odio diam, fermentum ac libero sed, porta scelerisque arcu. Sed porttitor sapien turpis, eget pharetra magna scelerisque ut. Phasellus ornare leo in turpis viverra interdum.

Nulla id venenatis enim. Donec placerat dignissim sapien, in rutrum libero iaculis vel. Cras et placerat metus, ut pulvinar leo. Etiam ut cursus ante, nec pellentesque libero. Curabitur vitae lacinia diam. Nunc malesuada tortor sapien, sed aliquet est facilisis sit amet. Nunc scelerisque malesuada accumsan. Nunc nec maximus nisi. Mauris vitae vulputate neque. Mauris ac urna leo. Vestibulum placerat pulvinar sem sed dapibus. Sed nulla augue, elementum eget convallis id, egestas cursus leo. Pellentesque mi lacus, accumsan id mauris nec, malesuada lacinia sapien. Donec tincidunt odio sit amet ligula venenatis, vitae euismod erat rhoncus. Maecenas semper et ligula id ultricies. Nulla fringilla libero felis, sit amet cursus orci accumsan quis.

Sed non purus odio. Duis aliquet justo ligula, placerat maximus odio iaculis vitae. Integer dignissim at ligula vitae porttitor. Sed blandit mauris sed faucibus malesuada. Donec a porta quam. Cras ut tempus mi, auctor maximus neque. Proin at metus mauris. Maecenas fermentum ultrices porttitor. Aliquam eget augue a diam mollis consequat ultrices

condimentum nulla. Vivamus vel felis ullamcorper, tincidunt quam ut, malesuada ligula. Nulla vel lectus lacus. Etiam ut dictum dolor. Duis tempus maximus volutpat. Fusce maximus tincidunt dui, vitae rutrum elit imperdiet et. Sed eget urna mi. Aenean nec metus nisi.

Cras pellentesque justo enim, ac pulvinar nulla ultrices vitae. Vestibulum suscipit consectetur tempor. Pellentesque sed congue libero, in semper sapien. Interdum et malesuada fames ac ante ipsum primis in faucibus. Maecenas vehicula sit amet diam eu congue. Cras pretium, sapien sed posuere laoreet, tortor tortor mollis risus, quis dictum quam risus in metus. Quisque a ligula nisl. Morbi consectetur nisi id libero luctus dictum. Cras at arcu risus. Praesent venenatis dapibus dictum. Praesent molestie quis sem sit amet tincidunt. Vivamus suscipit mauris sed scelerisque pharetra. Aliquam feugiat urna fringilla nunc ornare, sed laoreet quam vehicula. Nullam ac justo sit amet augue consectetur facilisis. Nunc imperdiet dolor dolor.

Sed vitae lacus lacus. Mauris in enim posuere felis sollicitudin maximus. Sed et ante ac quam tincidunt efficitur. Fusce nisl sem, auctor eget nisl accumsan, tincidunt gravida nulla. Integer scelerisque in eros fermentum semper. Donec sollicitudin a sem eget volutpat. Suspendisse justo neque, aliquam bibendum velit at, malesuada egestas sem. Nulla ac est convallis urna tincidunt pulvinar fermentum non libero. Proin vestibulum, lorem vel euismod vulputate, lacus nisl varius tellus, ut ultrices dolor orci eu turpis. Duis efficitur ut tellus sit amet luctus. Aliquam erat volutpat. Nulla consequat viverra mauris sit amet consectetur. Phasellus laoreet tempus mauris sed varius.

Aliquam a sem dui. Suspendisse potenti. Morbi nec enim non diam vehicula fermentum. Sed porttitor elit non ante molestie, eu aliquet nulla pharetra. Phasellus eros magna, dapibus nec quam id, egestas mattis quam. Vestibulum sed mi ac justo elementum efficitur quis quis enim. Vestibulum

leo leo, condimentum vitae dolor eget, dignissim placerat eros. Maecenas elementum porttitor sollicitudin. Proin convallis posuere scelerisque. Vestibulum lacinia vulputate porta. Pellentesque habitant morbi tristique senectus et netus et malesuada fames ac turpis egestas.

Fusce aliquet metus massa, at elementum justo elementum id. Mauris aliquam justo sed elit dignissim, nec egestas augue condimentum. Proin consequat arcu ut ligula sollicitudin, at elementum est rutrum. Aliquam tristique, odio at vehicula volutpat, nunc sem porttitor lectus, ut fringilla dolor eros in eros. Morbi quis bibendum felis, in porta ligula. Aenean dignissim feugiat purus vitae sagittis. Duis finibus massa felis, at finibus odio sollicitudin eu. Morbi at finibus ligula.

Morbi ante purus, laoreet dignissim enim in, ullamcorper iaculis purus. Nunc malesuada nisl justo. Sed consequat enim id pulvinar convallis. Fusce blandit, sem varius cursus commodo, nisi purus imperdiet odio, eget mollis orci ante a magna. Praesent molestie nunc vel quam mollis porttitor. Integer mi est, pellentesque ut orci eget, ultricies porttitor velit. Integer feugiat, est vel ullamcorper sodales, libero felis sodales ante, nec tincidunt lectus nibh vitae sapien.

Sed arcu tortor, ultrices vitae tortor vel, ornare fermentum mi. Sed finibus nulla quis blandit egestas. Phasellus eu nulla mauris. Pellentesque ultricies libero metus, eu finibus justo mollis quis. Aliquam pharetra lacus ut facilisis vestibulum. Nunc imperdiet a tellus vitae rhoncus. Nulla non ornare felis, eu consectetur risus. Pellentesque a congue ante. In hac habitasse platea dictumst. Phasellus in pellentesque ex. Praesent iaculis orci id velit suscipit, ac laoreet augue venenatis. Proin felis turpis, molestie vitae commodo quis, suscipit nec nunc. Vestibulum in magna orci. Sed at consequat erat, quis lacinia ex.

Suspendisse faucibus, lorem vitae fermentum fermentum, odio purus efficitur enim, eu sollicitudin sapien lectus nec

erat. Vestibulum ante ipsum primis in faucibus orci luctus et ultrices posuere cubilia curae; Lorem ipsum dolor sit amet, consectetur adipiscing elit. Integer aliquam tempor ipsum, in rutrum enim consectetur in. Fusce vel imperdiet purus. Suspendisse quis euismod eros. Ut et ex pellentesque diam posuere faucibus iaculis dignissim orci. Nunc sed nibh mi. Nunc vitae dignissim quam. Morbi dictum est a magna cursus, nec rhoncus sem pellentesque.

Sed dignissim cursus ex. Donec lacinia nisi in neque semper ullamcorper. Praesent non nibh at ante eleifend ultrices non vel magna. Donec congue viverra dolor sed consequat. Donec fermentum nunc ut congue malesuada. In nec nisi felis. Etiam lectus dolor, tincidunt a pharetra eget, placerat vulputate mauris.

Nulla sodales, arcu ullamcorper placerat dignissim, dolor turpis congue nisl, quis fringilla ex massa lacinia enim. In vulputate aliquam augue. Mauris eget imperdiet lectus. Pellentesque habitant morbi tristique senectus et netus et malesuada fames ac turpis egestas. Quisque at augue purus. Donec sit amet tincidunt augue. Nunc ac metus nec urna maximus accumsan.

Quisque bibendum nisl tincidunt nulla tincidunt tempor. Nulla viverra laoreet ex id imperdiet. Proin feugiat, magna interdum dapibus mattis, libero dui fermentum felis, eget luctus ante risus in justo. Aliquam luctus imperdiet nisl, vel porta erat egestas quis. Nulla ullamcorper auctor neque a ullamcorper. Nam aliquet justo a dui aliquam, eu mattis sapien pulvinar. Vivamus neque felis, pellentesque sed lorem non, elementum faucibus eros.

Nunc nulla tellus, sollicitudin sed turpis sit amet, rhoncus feugiat dui. Vivamus id feugiat mauris. Cras consectetur dapibus risus sed suscipit. Aenean porttitor, lorem quis gravida sollicitudin, velit libero elementum erat, quis porttitor tortor neque id dui. Vestibulum sed tempus quam. Maecenas laoreet sapien sed lacus commodo hendrerit. Cras

aliquet, odio id rutrum viverra, enim eros laoreet orci, nec hendrerit nibh nisl quis neque. Donec consequat, ligula a facilisis fringilla, urna odio iaculis nunc, eu convallis felis dolor ut purus. Sed ultricies placerat ante, blandit pharetra orci tincidunt sit amet. Nullam cursus, leo eget porta aliquet, nisl est sagittis nibh, ut placerat elit tellus nec risus. Vivamus cursus nec neque at sollicitudin. Morbi sit amet lacus erat. Duis tempor ipsum sem, in varius sem molestie eget. Phasellus aliquam nibh sed diam viverra, sit amet ornare ex fringilla. Donec ut ipsum laoreet, gravida justo vel, convallis ante. Nullam consequat tortor eu sapien iaculis, nec mattis justo ultricies.

Suspendisse semper massa porttitor molestie laoreet. Proin elementum dui neque, et feugiat libero porta a. In vel condimentum lectus, sit amet bibendum odio. Nunc nec lectus consequat, faucibus leo non, volutpat tortor. Mauris malesuada imperdiet lacus, eget placerat ipsum tempor non. Nunc sit amet purus finibus, consequat lectus et, venenatis magna. Curabitur iaculis vehicula augue. Duis ultrices efficitur metus ac maximus. Suspendisse vehicula ipsum justo. Suspendisse enim velit, facilisis id leo vel, ultricies ultrices lacus.

Donec finibus sodales diam ac sodales. Morbi sollicitudin iaculis neque, vitae fermentum quam. Donec ac urna nunc. Aenean urna orci, suscipit et quam mattis, tristique lobortis augue. Fusce ut sapien convallis, dapibus sem vitae, mattis quam. Etiam risus purus, porttitor eget lobortis sit amet, dictum et velit. Curabitur eget luctus sapien. Class aptent taciti sociosqu ad litora torquent per conubia nostra, per inceptos himenaeos. Nullam efficitur, ante malesuada efficitur aliquet, lorem tellus ornare urna, nec fermentum nunc eros nec purus.

Morbi nec pellentesque quam. Suspendisse quis ex nunc. Etiam in aliquam leo. Etiam volutpat euismod gravida. Aenean ultricies nisl nulla, quis condimentum tellus convallis

eget. Etiam malesuada egestas nisl sed vulputate. Mauris lacinia accumsan ornare. Donec bibendum ex ac gravida pretium. Nunc vitae pellentesque nisi.

Nam egestas imperdiet euismod. Ut id augue condimentum, varius nisl at, gravida nisi. Aliquam convallis velit gravida, dictum quam a, luctus nibh. In justo orci, venenatis eget orci quis, fringilla volutpat arcu. Nulla nec est sed erat ornare vehicula sit amet quis eros. Vestibulum nec magna orci. Donec ut semper massa.

Suspendisse id ex imperdiet, dapibus purus vel, euismod ex. In id nibh quis erat dapibus sollicitudin. Aliquam sit amet elit id purus fringilla tempus et vel diam. Mauris vel nulla volutpat, vehicula tellus et, mattis lorem. Fusce tempus consectetur vulputate. Proin lorem sem, lobortis fringilla consectetur id, aliquam et libero. Duis ultrices, mauris et posuere convallis, lorem risus imperdiet diam, vel ullamcorper quam ipsum sed tellus. Pellentesque quam nulla, suscipit non convallis quis, mollis vitae nisl. Donec elementum turpis non nibh convallis laoreet. Duis ornare sollicitudin blandit. Nunc sodales massa ex, porta euismod nisi molestie sit amet. Integer augue diam, consequat quis libero sed, dapibus dignissim augue. Etiam egestas est et luctus volutpat. In velit neque, bibendum ac finibus eget, tristique sit amet neque. Ut risus sem, lacinia quis hendrerit ut, luctus in neque. Suspendisse cursus mauris id lorem bibendum, a rutrum quam ullamcorper.

Aliquam non ipsum vitae purus congue pulvinar. Donec sodales sit amet elit et ullamcorper. Morbi at felis dignissim odio malesuada varius et vitae dolor. Ut scelerisque nisi eros, et fermentum nisl bibendum eget. Pellentesque leo ipsum, bibendum sit amet lectus in, imperdiet volutpat justo. Nunc a magna id magna ultricies gravida sit amet laoreet metus. Vestibulum in laoreet nisi. Fusce eget egestas dui. Aenean eget laoreet lorem. Nunc in tristique nisi, eget tempus leo. Aliquam maximus nunc sed rutrum gravida. Ut lobortis

suscipit vehicula. Aenean a massa id metus elementum suscipit sed at enim. Nullam luctus cursus hendrerit.

Vestibulum sed ante scelerisque, ullamcorper sem ac, pretium arcu. Aliquam erat volutpat. Curabitur at egestas nunc, eu aliquet ligula. Phasellus lorem felis, faucibus in dui a, consectetur volutpat elit. Integer bibendum lorem non erat blandit vehicula. Sed dapibus augue quam, eu sagittis velit euismod at. Duis condimentum auctor quam, in suscipit purus hendrerit at. Donec semper nibh vel iaculis rhoncus.

Nulla facilisi. Aliquam interdum posuere commodo. Donec id mi facilisis, faucibus sem a, venenatis mauris. Phasellus pharetra erat eu metus tempus porta. Sed vel augue finibus, commodo ex id, vulputate ligula. Quisque sed lorem eleifend, tristique lectus et, porttitor purus. Praesent ac dolor sit amet odio scelerisque aliquet sodales nec sapien. Morbi suscipit, lorem ac tristique pharetra, quam augue facilisis turpis, luctus gravida ante neque vitae urna. Nunc sem lorem, tincidunt non odio at, tempor volutpat nisi. Morbi vel placerat turpis. Pellentesque consectetur metus eget lacus sollicitudin condimentum. Class aptent taciti sociosqu ad litora torquent per conubia nostra, per inceptos himenaeos. Nunc varius ac nisl vulputate maximus.

In suscipit odio eu interdum finibus. Integer ut est et erat varius lacinia. Nullam consequat tempor ligula, quis commodo augue varius vel. Maecenas est metus, pellentesque ut sollicitudin et, pellentesque at lectus. Donec tincidunt elit orci, eu vestibulum ex rhoncus at. Nulla facilisi. Ut sit amet lobortis magna. Quisque malesuada mi quis consequat auctor. Mauris ut bibendum ante. Nulla nec eros eros. Donec euismod blandit lobortis. Aenean non lacinia odio. Sed consequat est nec faucibus accumsan. Fusce vel nisi ac massa efficitur euismod at sed turpis. Nunc vehicula posuere pharetra.

Sed ultricies est at malesuada pharetra. Donec varius nisl eu diam suscipit, vel interdum leo ultricies. Vestibulum ante

ipsum primis in faucibus orci luctus et ultrices posuere cubilia curae; Nam sed lectus nulla. Mauris congue dapibus quam. Etiam sit amet lobortis velit. Nunc libero nunc, auctor in convallis a, molestie at leo. Cras lacus elit, dignissim sit amet diam eget, ultrices tristique dolor. Etiam quis viverra lectus. Donec semper, dui ut accumsan congue, nulla sapien maximus massa, nec vulputate massa quam ut sapien. Praesent sagittis accumsan tincidunt. Donec porta ligula fermentum ultricies dignissim. Mauris imperdiet, arcu feugiat eleifend laoreet, sem ipsum interdum ligula, eu cursus turpis arcu eget tortor. Fusce a tristique tortor. Sed vel aliquam lectus. Donec laoreet tellus erat, nec facilisis sapien placerat sed.

Mauris pretium malesuada justo, ut luctus tellus commodo mattis. Nullam ornare suscipit ligula a placerat. Donec cursus tellus ultrices ante aliquet, nec iaculis libero lacinia. Praesent quis dolor eget nulla consectetur luctus tristique fermentum ex. Sed accumsan sollicitudin metus at elementum. Phasellus dictum, libero sit amet placerat maximus, nisi ipsum gravida turpis, sed tempor neque nunc sed massa. Nunc blandit posuere augue. Nunc efficitur mollis justo, et aliquam urna faucibus eu. Ut ultricies nunc et enim auctor interdum. Donec luctus massa eu justo fermentum, a tincidunt neque tincidunt. Orci varius natoque penatibus et magnis dis parturient montes, nascetur ridiculus mus. Quisque et ornare lorem. Integer vulputate, risus a porta euismod, mi tortor ultrices mi, eu tincidunt enim odio quis tellus. Aliquam eleifend, est eget maximus facilisis, augue nibh auctor lorem, sed mattis arcu odio luctus est. Proin tellus turpis, mollis quis sodales ut, semper vitae mauris.

Class aptent taciti sociosqu ad litora torquent per conubia nostra, per inceptos himenaeos. Donec vitae finibus sem. Pellentesque ultrices in ex ac scelerisque. Morbi imperdiet hendrerit odio quis laoreet. Cras aliquet est eu nulla porta accumsan. Quisque pulvinar et libero at porta. Quisque

vehicula ipsum mi, vitae pretium lectus ultricies et. In hac habitasse platea dictumst. Praesent rutrum, nisi in tincidunt aliquet, leo dolor fermentum elit, at vulputate quam odio nec felis. Aliquam non orci tincidunt, ultricies purus at, posuere felis.

Sed dapibus nisi sed tortor consectetur fermentum. Sed ex purus, faucibus laoreet diam nec, auctor malesuada risus. Quisque quis sagittis elit. Etiam dapibus diam orci, in sollicitudin massa tincidunt pellentesque. Nullam mattis posuere dignissim. Maecenas feugiat, nisi vel feugiat ornare, neque augue suscipit libero, quis malesuada enim metus a metus. Pellentesque iaculis turpis et odio dictum, ut elementum felis egestas. Fusce ut quam at tortor aliquam lacinia. Class aptent taciti sociosqu ad litora torquent per conubia nostra, per inceptos himenaeos. Ut quis mattis libero. Fusce quis ultricies sem.

Curabitur et magna tempus, faucibus tortor sed, aliquet velit. Fusce sed urna nulla. Mauris in nibh quam. Aliquam sed odio ultricies libero accumsan aliquet et quis justo. Praesent rutrum velit turpis, at consequat risus ullamcorper vel. Nam imperdiet ac magna a faucibus. Aliquam placerat fermentum dapibus. Nam ultricies euismod facilisis. Quisque consequat tincidunt enim eget fringilla. Fusce purus odio, lacinia et laoreet sit amet, ornare in magna. Vivamus a consectetur magna. Phasellus ornare sem luctus, maximus nisi quis, condimentum risus. Etiam ullamcorper sed massa sit amet mollis. Maecenas quis lacus fringilla ex volutpat ornare. Suspendisse lobortis fermentum fringilla. Vestibulum sit amet maximus leo, ac cursus nibh.

Donec iaculis maximus dui quis egestas. Ut gravida, tellus vitae mollis tincidunt, leo mauris ultrices turpis, sed finibus urna quam non tellus. Mauris sollicitudin venenatis neque vel ultricies. Lorem ipsum dolor sit amet, consectetur adipiscing elit. Nunc vestibulum sapien id lacus ullamcorper euismod. Aliquam id rhoncus purus, ac sagittis est. Fusce

finibus sagittis diam, non elementum est. Nulla rutrum eros
eget risus mattis, in condimentum erat eleifend. Sed arcu
odio, cursus ac tincidunt ac, aliquet sit amet nibh. Fusce
aliquam dictum orci. Donec aliquet ultrices nisi.

Donec volutpat tortor nec elementum tincidunt. Cras
tempor ultrices mauris vel semper. Phasellus vitae odio
dapibus, lobortis massa ac, malesuada ex. Nulla tincidunt at
lacus sit amet tincidunt. Maecenas orci nisi, ullamcorper nec
condimentum faucibus, consequat non metus. Maecenas ac
porttitor elit. Fusce fermentum lorem eget turpis pellentesque pellentesque. Pellentesque habitant morbi tristique
senectus et netus et malesuada fames ac turpis egestas.
Curabitur interdum, ligula non bibendum blandit, lectus
arcu molestie metus, ut dictum nibh lectus vel dolor. Duis
laoreet ipsum ac purus consequat, eu ullamcorper mi aliquet.

Donec id dignissim felis, in placerat mi. Integer ut magna
faucibus, maximus nulla euismod, semper urna. Nunc quis
dui lacinia, facilisis magna ac, pulvinar turpis. Praesent
volutpat nibh eu pharetra fringilla. Integer tristique
fermentum fringilla. Aenean eu rutrum neque. Nullam
lobortis lectus dolor, non volutpat lectus consequat at.

Ut diam elit, blandit quis tortor ac, ultrices varius diam.
Nam consequat rhoncus nisi, eget viverra massa. Proin
sollicitudin sem quis sodales lobortis. Aliquam vulputate ac
sapien id interdum. Curabitur posuere dapibus magna, et
imperdiet sem consectetur vitae. In a ornare purus. Donec
nulla risus, dapibus vel aliquet vel, imperdiet sit amet sem.
Class aptent taciti sociosqu ad litora torquent per conubia
nostra, per inceptos himenaeos. Maecenas varius condimentum dapibus. Nulla fringilla, leo ac dignissim porta, eros
risus pharetra elit, vitae feugiat erat lectus non dui.

Proin in leo neque. Aenean imperdiet augue sed ex sollicitudin, sed vehicula sapien tempor. Praesent cursus condimentum dictum. Vestibulum eget sapien nec lectus pulvinar
vestibulum. Proin accumsan tincidunt lacus, eu rhoncus ante

tempus ullamcorper. Suspendisse feugiat fringilla sagittis. Sed pulvinar dui et malesuada porttitor. Etiam sit amet justo dui. Nam at sem id enim lacinia porta. Curabitur sem dui, facilisis a molestie nec, aliquet eget elit. Vivamus viverra luctus tortor id condimentum. Curabitur ultricies blandit laoreet. Pellentesque vel risus non lacus feugiat gravida a sit amet mi. Ut ut placerat urna. In scelerisque ultricies odio.

Suspendisse vitae est hendrerit, tempor magna et, molestie turpis. Nam nec quam sapien. Vivamus imperdiet in risus ac posuere. Aenean varius rhoncus elementum. Aenean augue quam, euismod id lacus vitae, gravida aliquet felis. In augue turpis, lobortis sit amet augue vel, elementum aliquam risus. Donec viverra iaculis efficitur. Mauris auctor dui risus, ac fermentum magna auctor at. Vestibulum at bibendum enim. Proin venenatis, ex sed tempor consectetur, lectus metus suscipit augue, in rutrum erat est in augue. Praesent pulvinar eu nisl sit amet molestie. Sed at egestas velit. Fusce et molestie eros. Donec sit amet nisl sit amet felis aliquam fermentum eu in ligula. Pellentesque tincidunt, eros non aliquam pharetra, metus erat volutpat metus, a tincidunt dolor mi eget est.

Sed venenatis nunc sed dolor fringilla congue quis a ligula. Aliquam erat volutpat. Proin egestas est ut porttitor vulputate. Phasellus commodo metus vel sem auctor lacinia. Suspendisse tempus lorem justo, id ullamcorper dolor iaculis a. Phasellus quis auctor neque. Phasellus dapibus ut tortor a varius. Integer sit amet iaculis metus. Etiam diam metus, molestie mollis sodales euismod, fringilla vitae ligula. Suspendisse pellentesque ante sem, commodo mattis tortor semper ultrices. Vestibulum nec posuere ex.

Sed vitae velit lacus. Integer eleifend pulvinar dolor. Integer a libero quis sapien ullamcorper scelerisque quis quis eros. Maecenas id ligula ac nisi gravida varius nec in enim. Pellentesque rhoncus porta nunc, iaculis scelerisque metus rhoncus in. Nullam posuere purus id leo gravida, ut

consectetur nisl pulvinar. Cras ultrices hendrerit est nec accumsan. Mauris molestie sapien ut rhoncus malesuada. Mauris pulvinar suscipit luctus.

Quisque nec bibendum orci, at mattis sapien. Sed ut elit condimentum, consectetur quam id, tincidunt turpis. Phasellus nec tortor ex. Pellentesque habitant morbi tristique senectus et netus et malesuada fames ac turpis egestas. Nam maximus purus velit, at volutpat lorem tempus sit amet. Donec iaculis ultricies nulla ut bibendum. Vestibulum ante ipsum primis in faucibus.

CHAPTER 11

*L*orem ipsum dolor sit amet, consectetur adipiscing elit. Vivamus bibendum mi vitae lacus accumsan dignissim. Phasellus condimentum, sapien ut feugiat ullamcorper, neque dui convallis orci, a pulvinar ante dolor a felis. Nunc varius sapien sit amet porttitor rutrum. Vivamus eget semper nibh. Vivamus euismod neque a convallis vehicula. In sagittis porta elit, in dictum massa scelerisque a. Maecenas sit amet pharetra est, in rhoncus ex. Morbi placerat nulla at nisi lobortis sagittis. Suspendisse ligula lorem, pulvinar et tellus ut, iaculis pellentesque orci. Integer tincidunt, elit cursus dignissim tempus, ex diam auctor magna, vitae fringilla massa sapien quis est. Sed sit amet laoreet elit, id hendrerit turpis. Suspendisse suscipit fringilla placerat. Nunc diam erat, posuere sit amet leo id, porta pharetra orci.

Donec bibendum gravida massa id venenatis. In tincidunt lacinia elit bibendum luctus. Duis finibus enim ut enim ultricies, commodo efficitur diam venenatis. Vestibulum pellentesque justo eget purus hendrerit, ac lobortis augue consectetur. Etiam vitae consectetur velit, eget rutrum ipsum. Ut eget ante eu dolor ultricies pulvinar. Etiam

volutpat commodo justo eget dignissim. Donec ac lectus scelerisque, gravida est a, tincidunt sem. Integer volutpat orci quis mi pharetra porta. Etiam at fermentum nisl. Praesent et magna nunc. Mauris justo turpis, bibendum at lectus vitae, ultrices dictum nisi.

Quisque nunc massa, congue sed iaculis a, blandit ac enim. Suspendisse tristique tellus at sollicitudin venenatis. Vivamus vitae ornare tellus. Vestibulum mollis molestie tortor, et aliquam nisi iaculis luctus. Vivamus risus nisl, mattis vel tincidunt ac, posuere tempus tellus. Quisque in turpis neque. Ut iaculis eleifend urna, nec consequat elit egestas vitae. Nunc a massa fringilla, convallis velit at, molestie justo. Donec blandit iaculis tellus. Nam scelerisque vehicula pulvinar. Donec condimentum neque ut quam bibendum placerat.

Nullam viverra sem imperdiet eros pulvinar molestie. Morbi est lectus, vestibulum sed quam eu, scelerisque ultricies augue. Curabitur nisl libero, porttitor ut ipsum sit amet, gravida dignissim lorem. Aliquam vel molestie diam. Aliquam urna ligula, maximus eget purus nec, porttitor malesuada magna. Aenean orci nisi, sagittis sit amet odio et, euismod interdum ligula. Etiam venenatis risus sit amet consequat vehicula. Sed et aliquet ante. Mauris convallis eget ligula id hendrerit. Pellentesque vitae fringilla nibh. Integer interdum, libero non rhoncus consequat, arcu nisi commodo diam, eget facilisis erat sapien et justo. Morbi efficitur sapien nisl, sit amet fringilla neque pretium vel. Ut ex nisl, mattis a tempor a, aliquet eu leo.

Sed fermentum malesuada purus lacinia sollicitudin. Aliquam luctus pharetra molestie. Nunc luctus vehicula justo, quis finibus nunc feugiat vitae. Orci varius natoque penatibus et magnis dis parturient montes, nascetur ridiculus mus. Curabitur et enim vitae neque ornare condimentum. Nullam semper venenatis mauris, ut malesuada justo eleifend non. Duis eleifend pharetra erat, nec pretium nisl placerat sit

amet. Fusce malesuada vestibulum ligula eget iaculis. Mauris maximus porta nisi eget sollicitudin. Donec ultrices tincidunt risus, cursus volutpat quam tincidunt sit amet. Etiam commodo diam id urna imperdiet, vitae luctus dolor condimentum. Proin commodo justo vel orci tempus mollis. Morbi gravida mauris id lorem venenatis, ut tincidunt diam feugiat. Vivamus pretium faucibus urna id laoreet. Etiam et egestas arcu.

Aliquam in enim eu elit dapibus aliquam. Praesent in elit id nibh vulputate interdum. Class aptent taciti sociosqu ad litora torquent per conubia nostra, per inceptos himenaeos. Aliquam id euismod quam. Mauris tellus ligula, congue a quam vitae, scelerisque consequat sapien. Lorem ipsum dolor sit amet, consectetur adipiscing elit. Fusce sed quam rutrum, commodo tellus eu, aliquet justo.

Etiam mattis tristique libero, a aliquam sapien. Maecenas tortor urna, ultrices id elit sed, feugiat volutpat quam. Sed auctor, ligula at ornare maximus, quam mi malesuada urna, a aliquet enim nisl at erat. Ut scelerisque lacus id ipsum mollis, eu sollicitudin libero vehicula. Curabitur condimentum tortor quis sapien scelerisque ornare. Sed porta metus vel eros consectetur mollis. Cras imperdiet, ipsum quis sollicitudin venenatis, ligula urna molestie tellus, ullamcorper suscipit nibh quam vitae arcu. Etiam at ligula eget mauris blandit lobortis hendrerit at nunc. Quisque vestibulum eleifend porta. Ut at semper nunc. Quisque non accumsan ante. Sed quis placerat sem, ac pharetra erat. Integer posuere orci nisl, quis auctor nisi volutpat non. Donec vulputate, purus ac suscipit congue, lorem neque fringilla justo, id congue leo risus id lacus.

In hac habitasse platea dictumst. Nullam a nisl at urna rutrum blandit in nec ligula. Vestibulum quis massa ut dolor ultrices pulvinar a sit amet dui. Vivamus volutpat dolor a sodales efficitur. Cras laoreet placerat tincidunt. Donec vulputate turpis a ipsum ultrices sollicitudin. Cras sed turpis

et sapien tristique luctus. Nullam in fermentum nisi, eu consequat justo. Morbi enim purus, imperdiet sit amet ipsum in, cursus eleifend mi. Donec porta lectus mi, pellentesque luctus urna pretium sed. Sed aliquam erat nec rhoncus lacinia. Vestibulum viverra pretium sapien nec ultrices. Maecenas finibus luctus erat, in accumsan purus gravida ut. Curabitur venenatis est fringilla rutrum sollicitudin. Nulla efficitur eleifend sem, non egestas elit sodales quis. Fusce ornare sem dolor, eu rutrum magna pretium ac.

Vivamus posuere massa et posuere semper. Pellentesque turpis tortor, bibendum nec porta tristique, venenatis quis ligula. Maecenas bibendum porta turpis, consectetur fringilla sem varius at. Suspendisse potenti. Morbi odio diam, fermentum ac libero sed, porta scelerisque arcu. Sed porttitor sapien turpis, eget pharetra magna scelerisque ut. Phasellus ornare leo in turpis viverra interdum.

Nulla id venenatis enim. Donec placerat dignissim sapien, in rutrum libero iaculis vel. Cras et placerat metus, ut pulvinar leo. Etiam ut cursus ante, nec pellentesque libero. Curabitur vitae lacinia diam. Nunc malesuada tortor sapien, sed aliquet est facilisis sit amet. Nunc scelerisque malesuada accumsan. Nunc nec maximus nisi. Mauris vitae vulputate neque. Mauris ac urna leo. Vestibulum placerat pulvinar sem sed dapibus. Sed nulla augue, elementum eget convallis id, egestas cursus leo. Pellentesque mi lacus, accumsan id mauris nec, malesuada lacinia sapien. Donec tincidunt odio sit amet ligula venenatis, vitae euismod erat rhoncus. Maecenas semper et ligula id ultricies. Nulla fringilla libero felis, sit amet cursus orci accumsan quis.

Sed non purus odio. Duis aliquet justo ligula, placerat maximus odio iaculis vitae. Integer dignissim at ligula vitae porttitor. Sed blandit mauris sed faucibus malesuada. Donec a porta quam. Cras ut tempus mi, auctor maximus neque. Proin at metus mauris. Maecenas fermentum ultrices porttitor. Aliquam eget augue a diam mollis consequat ultrices

condimentum nulla. Vivamus vel felis ullamcorper, tincidunt quam ut, malesuada ligula. Nulla vel lectus lacus. Etiam ut dictum dolor. Duis tempus maximus volutpat. Fusce maximus tincidunt dui, vitae rutrum elit imperdiet et. Sed eget urna mi. Aenean nec metus nisi.

Cras pellentesque justo enim, ac pulvinar nulla ultrices vitae. Vestibulum suscipit consectetur tempor. Pellentesque sed congue libero, in semper sapien. Interdum et malesuada fames ac ante ipsum primis in faucibus. Maecenas vehicula sit amet diam eu congue. Cras pretium, sapien sed posuere laoreet, tortor tortor mollis risus, quis dictum quam risus in metus. Quisque a ligula nisl. Morbi consectetur nisi id libero luctus dictum. Cras at arcu risus. Praesent venenatis dapibus dictum. Praesent molestie quis sem sit amet tincidunt. Vivamus suscipit mauris sed scelerisque pharetra. Aliquam feugiat urna fringilla nunc ornare, sed laoreet quam vehicula. Nullam ac justo sit amet augue consectetur facilisis. Nunc imperdiet dolor dolor.

Sed vitae lacus lacus. Mauris in enim posuere felis sollicitudin maximus. Sed et ante ac quam tincidunt efficitur. Fusce nisl sem, auctor eget nisl accumsan, tincidunt gravida nulla. Integer scelerisque in eros fermentum semper. Donec sollicitudin a sem eget volutpat. Suspendisse justo neque, aliquam bibendum velit at, malesuada egestas sem. Nulla ac est convallis urna tincidunt pulvinar fermentum non libero. Proin vestibulum, lorem vel euismod vulputate, lacus nisl varius tellus, ut ultrices dolor orci eu turpis. Duis efficitur ut tellus sit amet luctus. Aliquam erat volutpat. Nulla consequat viverra mauris sit amet consectetur. Phasellus laoreet tempus mauris sed varius.

Aliquam a sem dui. Suspendisse potenti. Morbi nec enim non diam vehicula fermentum. Sed porttitor elit non ante molestie, eu aliquet nulla pharetra. Phasellus eros magna, dapibus nec quam id, egestas mattis quam. Vestibulum sed mi ac justo elementum efficitur quis quis enim. Vestibulum

leo leo, condimentum vitae dolor eget, dignissim placerat eros. Maecenas elementum porttitor sollicitudin. Proin convallis posuere scelerisque. Vestibulum lacinia vulputate porta. Pellentesque habitant morbi tristique senectus et netus et malesuada fames ac turpis egestas.

Fusce aliquet metus massa, at elementum justo elementum id. Mauris aliquam justo sed elit dignissim, nec egestas augue condimentum. Proin consequat arcu ut ligula sollicitudin, at elementum est rutrum. Aliquam tristique, odio at vehicula volutpat, nunc sem porttitor lectus, ut fringilla dolor eros in eros. Morbi quis bibendum felis, in porta ligula. Aenean dignissim feugiat purus vitae sagittis. Duis finibus massa felis, at finibus odio sollicitudin eu. Morbi at finibus ligula.

Morbi ante purus, laoreet dignissim enim in, ullamcorper iaculis purus. Nunc malesuada nisl justo. Sed consequat enim id pulvinar convallis. Fusce blandit, sem varius cursus commodo, nisi purus imperdiet odio, eget mollis orci ante a magna. Praesent molestie nunc vel quam mollis porttitor. Integer mi est, pellentesque ut orci eget, ultricies porttitor velit. Integer feugiat, est vel ullamcorper sodales, libero felis sodales ante, nec tincidunt lectus nibh vitae sapien.

Sed arcu tortor, ultrices vitae tortor vel, ornare fermentum mi. Sed finibus nulla quis blandit egestas. Phasellus eu nulla mauris. Pellentesque ultricies libero metus, eu finibus justo mollis quis. Aliquam pharetra lacus ut facilisis vestibulum. Nunc imperdiet a tellus vitae rhoncus. Nulla non ornare felis, eu consectetur risus. Pellentesque a congue ante. In hac habitasse platea dictumst. Phasellus in pellentesque ex. Praesent iaculis orci id velit suscipit, ac laoreet augue venenatis. Proin felis turpis, molestie vitae commodo quis, suscipit nec nunc. Vestibulum in magna orci. Sed at consequat erat, quis lacinia ex.

Suspendisse faucibus, lorem vitae fermentum fermentum, odio purus efficitur enim, eu sollicitudin sapien lectus nec

erat. Vestibulum ante ipsum primis in faucibus orci luctus et ultrices posuere cubilia curae; Lorem ipsum dolor sit amet, consectetur adipiscing elit. Integer aliquam tempor ipsum, in rutrum enim consectetur in. Fusce vel imperdiet purus. Suspendisse quis euismod eros. Ut et ex pellentesque diam posuere faucibus iaculis dignissim orci. Nunc sed nibh mi. Nunc vitae dignissim quam. Morbi dictum est a magna cursus, nec rhoncus sem pellentesque.

Sed dignissim cursus ex. Donec lacinia nisi in neque semper ullamcorper. Praesent non nibh at ante eleifend ultrices non vel magna. Donec congue viverra dolor sed consequat. Donec fermentum nunc ut congue malesuada. In nec nisi felis. Etiam lectus dolor, tincidunt a pharetra eget, placerat vulputate mauris.

Nulla sodales, arcu ullamcorper placerat dignissim, dolor turpis congue nisl, quis fringilla ex massa lacinia enim. In vulputate aliquam augue. Mauris eget imperdiet lectus. Pellentesque habitant morbi tristique senectus et netus et malesuada fames ac turpis egestas. Quisque at augue purus. Donec sit amet tincidunt augue. Nunc ac metus nec urna maximus accumsan.

Quisque bibendum nisl tincidunt nulla tincidunt tempor. Nulla viverra laoreet ex id imperdiet. Proin feugiat, magna interdum dapibus mattis, libero dui fermentum felis, eget luctus ante risus in justo. Aliquam luctus imperdiet nisl, vel porta erat egestas quis. Nulla ullamcorper auctor neque a ullamcorper. Nam aliquet justo a dui aliquam, eu mattis sapien pulvinar. Vivamus neque felis, pellentesque sed lorem non, elementum faucibus eros.

Nunc nulla tellus, sollicitudin sed turpis sit amet, rhoncus feugiat dui. Vivamus id feugiat mauris. Cras consectetur dapibus risus sed suscipit. Aenean porttitor, lorem quis gravida sollicitudin, velit libero elementum erat, quis porttitor tortor neque id dui. Vestibulum sed tempus quam. Maecenas laoreet sapien sed lacus commodo hendrerit. Cras

aliquet, odio id rutrum viverra, enim eros laoreet orci, nec hendrerit nibh nisl quis neque. Donec consequat, ligula a facilisis fringilla, urna odio iaculis nunc, eu convallis felis dolor ut purus. Sed ultricies placerat ante, blandit pharetra orci tincidunt sit amet. Nullam cursus, leo eget porta aliquet, nisl est sagittis nibh, ut placerat elit tellus nec risus. Vivamus cursus nec neque at sollicitudin. Morbi sit amet lacus erat. Duis tempor ipsum sem, in varius sem molestie eget. Phasellus aliquam nibh sed diam viverra, sit amet ornare ex fringilla. Donec ut ipsum laoreet, gravida justo vel, convallis ante. Nullam consequat tortor eu sapien iaculis, nec mattis justo ultricies.

Suspendisse semper massa porttitor molestie laoreet. Proin elementum dui neque, et feugiat libero porta a. In vel condimentum lectus, sit amet bibendum odio. Nunc nec lectus consequat, faucibus leo non, volutpat tortor. Mauris malesuada imperdiet lacus, eget placerat ipsum tempor non. Nunc sit amet purus finibus, consequat lectus et, venenatis magna. Curabitur iaculis vehicula augue. Duis ultrices efficitur metus ac maximus. Suspendisse vehicula ipsum justo. Suspendisse enim velit, facilisis id leo vel, ultricies ultrices lacus.

Donec finibus sodales diam ac sodales. Morbi sollicitudin iaculis neque, vitae fermentum quam. Donec ac urna nunc. Aenean urna orci, suscipit et quam mattis, tristique lobortis augue. Fusce ut sapien convallis, dapibus sem vitae, mattis quam. Etiam risus purus, porttitor eget lobortis sit amet, dictum et velit. Curabitur eget luctus sapien. Class aptent taciti sociosqu ad litora torquent per conubia nostra, per inceptos himenaeos. Nullam efficitur, ante malesuada efficitur aliquet, lorem tellus ornare urna, nec fermentum nunc eros nec purus.

Morbi nec pellentesque quam. Suspendisse quis ex nunc. Etiam in aliquam leo. Etiam volutpat euismod gravida. Aenean ultricies nisl nulla, quis condimentum tellus convallis

eget. Etiam malesuada egestas nisl sed vulputate. Mauris lacinia accumsan ornare. Donec bibendum ex ac gravida pretium. Nunc vitae pellentesque nisi.

Nam egestas imperdiet euismod. Ut id augue condimentum, varius nisl at, gravida nisi. Aliquam convallis velit gravida, dictum quam a, luctus nibh. In justo orci, venenatis eget orci quis, fringilla volutpat arcu. Nulla nec est sed erat ornare vehicula sit amet quis eros. Vestibulum nec magna orci. Donec ut semper massa.

Suspendisse id ex imperdiet, dapibus purus vel, euismod ex. In id nibh quis erat dapibus sollicitudin. Aliquam sit amet elit id purus fringilla tempus et vel diam. Mauris vel nulla volutpat, vehicula tellus et, mattis lorem. Fusce tempus consectetur vulputate. Proin lorem sem, lobortis fringilla consectetur id, aliquam et libero. Duis ultrices, mauris et posuere convallis, lorem risus imperdiet diam, vel ullamcorper quam ipsum sed tellus. Pellentesque quam nulla, suscipit non convallis quis, mollis vitae nisl. Donec elementum turpis non nibh convallis laoreet. Duis ornare sollicitudin blandit. Nunc sodales massa ex, porta euismod nisi molestie sit amet. Integer augue diam, consequat quis libero sed, dapibus dignissim augue. Etiam egestas est et luctus volutpat. In velit neque, bibendum ac finibus eget, tristique sit amet neque. Ut risus sem, lacinia quis hendrerit ut, luctus in neque. Suspendisse cursus mauris id lorem bibendum, a rutrum quam ullamcorper.

Aliquam non ipsum vitae purus congue pulvinar. Donec sodales sit amet elit et ullamcorper. Morbi at felis dignissim odio malesuada varius et vitae dolor. Ut scelerisque nisi eros, et fermentum nisl bibendum eget. Pellentesque leo ipsum, bibendum sit amet lectus in, imperdiet volutpat justo. Nunc a magna id magna ultricies gravida sit amet laoreet metus. Vestibulum in laoreet nisi. Fusce eget egestas dui. Aenean eget laoreet lorem. Nunc in tristique nisi, eget tempus leo. Aliquam maximus nunc sed rutrum gravida. Ut lobortis

suscipit vehicula. Aenean a massa id metus elementum suscipit sed at enim. Nullam luctus cursus hendrerit.

Vestibulum sed ante scelerisque, ullamcorper sem ac, pretium arcu. Aliquam erat volutpat. Curabitur at egestas nunc, eu aliquet ligula. Phasellus lorem felis, faucibus in dui a, consectetur volutpat elit. Integer bibendum lorem non erat blandit vehicula. Sed dapibus augue quam, eu sagittis velit euismod at. Duis condimentum auctor quam, in suscipit purus hendrerit at. Donec semper nibh vel iaculis rhoncus.

Nulla facilisi. Aliquam interdum posuere commodo. Donec id mi facilisis, faucibus sem a, venenatis mauris. Phasellus pharetra erat eu metus tempus porta. Sed vel augue finibus, commodo ex id, vulputate ligula. Quisque sed lorem eleifend, tristique lectus et, porttitor purus. Praesent ac dolor sit amet odio scelerisque aliquet sodales nec sapien. Morbi suscipit, lorem ac tristique pharetra, quam augue facilisis turpis, luctus gravida ante neque vitae urna. Nunc sem lorem, tincidunt non odio at, tempor volutpat nisi. Morbi vel placerat turpis. Pellentesque consectetur metus eget lacus sollicitudin condimentum. Class aptent taciti sociosqu ad litora torquent per conubia nostra, per inceptos himenaeos. Nunc varius ac nisl vulputate maximus.

In suscipit odio eu interdum finibus. Integer ut est et erat varius lacinia. Nullam consequat tempor ligula, quis commodo augue varius vel. Maecenas est metus, pellentesque ut sollicitudin et, pellentesque at lectus. Donec tincidunt elit orci, eu vestibulum ex rhoncus at. Nulla facilisi. Ut sit amet lobortis magna. Quisque malesuada mi quis consequat auctor. Mauris ut bibendum ante. Nulla nec eros eros. Donec euismod blandit lobortis. Aenean non lacinia odio. Sed consequat est nec faucibus accumsan. Fusce vel nisi ac massa efficitur euismod at sed turpis. Nunc vehicula posuere pharetra.

Sed ultricies est at malesuada pharetra. Donec varius nisl eu diam suscipit, vel interdum leo ultricies. Vestibulum ante

ipsum primis in faucibus orci luctus et ultrices posuere
cubilia curae; Nam sed lectus nulla. Mauris congue dapibus
quam. Etiam sit amet lobortis velit. Nunc libero nunc, auctor
in convallis a, molestie at leo. Cras lacus elit, dignissim sit
amet diam eget, ultrices tristique dolor. Etiam quis viverra
lectus. Donec semper, dui ut accumsan congue, nulla sapien
maximus massa, nec vulputate massa quam ut sapien. Praesent sagittis accumsan tincidunt. Donec porta ligula
fermentum ultricies dignissim. Mauris imperdiet, arcu
feugiat eleifend laoreet, sem ipsum interdum ligula, eu cursus
turpis arcu eget tortor. Fusce a tristique tortor. Sed vel
aliquam lectus. Donec laoreet tellus erat, nec facilisis sapien
placerat sed.

Mauris pretium malesuada justo, ut luctus tellus
commodo mattis. Nullam ornare suscipit ligula a placerat.
Donec cursus tellus ultrices ante aliquet, nec iaculis libero
lacinia. Praesent quis dolor eget nulla consectetur luctus tristique fermentum ex. Sed accumsan sollicitudin metus at
elementum. Phasellus dictum, libero sit amet placerat
maximus, nisi ipsum gravida turpis, sed tempor neque nunc
sed massa. Nunc blandit posuere augue. Nunc efficitur
mollis justo, et aliquam urna faucibus eu. Ut ultricies nunc et
enim auctor interdum. Donec luctus massa eu justo fermentum, a tincidunt neque tincidunt. Orci varius natoque penatibus et magnis dis parturient montes, nascetur ridiculus mus.
Quisque et ornare lorem. Integer vulputate, risus a porta
euismod, mi tortor ultrices mi, eu tincidunt enim odio quis
tellus. Aliquam eleifend, est eget maximus facilisis, augue
nibh auctor lorem, sed mattis arcu odio luctus est. Proin
tellus turpis, mollis quis sodales ut, semper vitae mauris.

Class aptent taciti sociosqu ad litora torquent per conubia
nostra, per inceptos himenaeos. Donec vitae finibus sem.
Pellentesque ultrices in ex ac scelerisque. Morbi imperdiet
hendrerit odio quis laoreet. Cras aliquet est eu nulla porta
accumsan. Quisque pulvinar et libero at porta. Quisque

vehicula ipsum mi, vitae pretium lectus ultricies et. In hac habitasse platea dictumst. Praesent rutrum, nisi in tincidunt aliquet, leo dolor fermentum elit, at vulputate quam odio nec felis. Aliquam non orci tincidunt, ultricies purus at, posuere felis.

Sed dapibus nisi sed tortor consectetur fermentum. Sed ex purus, faucibus laoreet diam nec, auctor malesuada risus. Quisque quis sagittis elit. Etiam dapibus diam orci, in sollicitudin massa tincidunt pellentesque. Nullam mattis posuere dignissim. Maecenas feugiat, nisi vel feugiat ornare, neque augue suscipit libero, quis malesuada enim metus a metus. Pellentesque iaculis turpis et odio dictum, ut elementum felis egestas. Fusce ut quam at tortor aliquam lacinia. Class aptent taciti sociosqu ad litora torquent per conubia nostra, per inceptos himenaeos. Ut quis mattis libero. Fusce quis ultricies sem.

Curabitur et magna tempus, faucibus tortor sed, aliquet velit. Fusce sed urna nulla. Mauris in nibh quam. Aliquam sed odio ultricies libero accumsan aliquet et quis justo. Praesent rutrum velit turpis, at consequat risus ullamcorper vel. Nam imperdiet ac magna a faucibus. Aliquam placerat fermentum dapibus. Nam ultricies euismod facilisis. Quisque consequat tincidunt enim eget fringilla. Fusce purus odio, lacinia et laoreet sit amet, ornare in magna. Vivamus a consectetur magna. Phasellus ornare sem luctus, maximus nisi quis, condimentum risus. Etiam ullamcorper sed massa sit amet mollis. Maecenas quis lacus fringilla ex volutpat ornare. Suspendisse lobortis fermentum fringilla. Vestibulum sit amet maximus leo, ac cursus nibh.

Donec iaculis maximus dui quis egestas. Ut gravida, tellus vitae mollis tincidunt, leo mauris ultrices turpis, sed finibus urna quam non tellus. Mauris sollicitudin venenatis neque vel ultricies. Lorem ipsum dolor sit amet, consectetur adipiscing elit. Nunc vestibulum sapien id lacus ullamcorper euismod. Aliquam id rhoncus purus, ac sagittis est. Fusce

finibus sagittis diam, non elementum est. Nulla rutrum eros eget risus mattis, in condimentum erat eleifend. Sed arcu odio, cursus ac tincidunt ac, aliquet sit amet nibh. Fusce aliquam dictum orci. Donec aliquet ultrices nisi.

Donec volutpat tortor nec elementum tincidunt. Cras tempor ultrices mauris vel semper. Phasellus vitae odio dapibus, lobortis massa ac, malesuada ex. Nulla tincidunt at lacus sit amet tincidunt. Maecenas orci nisi, ullamcorper nec condimentum faucibus, consequat non metus. Maecenas ac porttitor elit. Fusce fermentum lorem eget turpis pellentesque pellentesque. Pellentesque habitant morbi tristique senectus et netus et malesuada fames ac turpis egestas. Curabitur interdum, ligula non bibendum blandit, lectus arcu molestie metus, ut dictum nibh lectus vel dolor. Duis laoreet ipsum ac purus consequat, eu ullamcorper mi aliquet.

Donec id dignissim felis, in placerat mi. Integer ut magna faucibus, maximus nulla euismod, semper urna. Nunc quis dui lacinia, facilisis magna ac, pulvinar turpis. Praesent volutpat nibh eu pharetra fringilla. Integer tristique fermentum fringilla. Aenean eu rutrum neque. Nullam lobortis lectus dolor, non volutpat lectus consequat at.

Ut diam elit, blandit quis tortor ac, ultrices varius diam. Nam consequat rhoncus nisi, eget viverra massa. Proin sollicitudin sem quis sodales lobortis. Aliquam vulputate ac sapien id interdum. Curabitur posuere dapibus magna, et imperdiet sem consectetur vitae. In a ornare purus. Donec nulla risus, dapibus vel aliquet vel, imperdiet sit amet sem. Class aptent taciti sociosqu ad litora torquent per conubia nostra, per inceptos himenaeos. Maecenas varius condimentum dapibus. Nulla fringilla, leo ac dignissim porta, eros risus pharetra elit, vitae feugiat erat lectus non dui.

Proin in leo neque. Aenean imperdiet augue sed ex sollicitudin, sed vehicula sapien tempor. Praesent cursus condimentum dictum. Vestibulum eget sapien nec lectus pulvinar vestibulum. Proin accumsan tincidunt lacus, eu rhoncus ante

tempus ullamcorper. Suspendisse feugiat fringilla sagittis. Sed pulvinar dui et malesuada porttitor. Etiam sit amet justo dui. Nam at sem id enim lacinia porta. Curabitur sem dui, facilisis a molestie nec, aliquet eget elit. Vivamus viverra luctus tortor id condimentum. Curabitur ultricies blandit laoreet. Pellentesque vel risus non lacus feugiat gravida a sit amet mi. Ut ut placerat urna. In scelerisque ultricies odio.

Suspendisse vitae est hendrerit, tempor magna et, molestie turpis. Nam nec quam sapien. Vivamus imperdiet in risus ac posuere. Aenean varius rhoncus elementum. Aenean augue quam, euismod id lacus vitae, gravida aliquet felis. In augue turpis, lobortis sit amet augue vel, elementum aliquam risus. Donec viverra iaculis efficitur. Mauris auctor dui risus, ac fermentum magna auctor at. Vestibulum at bibendum enim. Proin venenatis, ex sed tempor consectetur, lectus metus suscipit augue, in rutrum erat est in augue. Praesent pulvinar eu nisl sit amet molestie. Sed at egestas velit. Fusce et molestie eros. Donec sit amet nisl sit amet felis aliquam fermentum eu in ligula. Pellentesque tincidunt, eros non aliquam pharetra, metus erat volutpat metus, a tincidunt dolor mi eget est.

Sed venenatis nunc sed dolor fringilla congue quis a ligula. Aliquam erat volutpat. Proin egestas est ut porttitor vulputate. Phasellus commodo metus vel sem auctor lacinia. Suspendisse tempus lorem justo, id ullamcorper dolor iaculis a. Phasellus quis auctor neque. Phasellus dapibus ut tortor a varius. Integer sit amet iaculis metus. Etiam diam metus, molestie mollis sodales euismod, fringilla vitae ligula. Suspendisse pellentesque ante sem, commodo mattis tortor semper ultrices. Vestibulum nec posuere ex.

Sed vitae velit lacus. Integer eleifend pulvinar dolor. Integer a libero quis sapien ullamcorper scelerisque quis quis eros. Maecenas id ligula ac nisi gravida varius nec in enim. Pellentesque rhoncus porta nunc, iaculis scelerisque metus rhoncus in. Nullam posuere purus id leo gravida, ut

consectetur nisl pulvinar. Cras ultrices hendrerit est nec accumsan. Mauris molestie sapien ut rhoncus malesuada. Mauris pulvinar suscipit luctus.

Quisque nec bibendum orci, at mattis sapien. Sed ut elit condimentum, consectetur quam id, tincidunt turpis. Phasellus nec tortor ex. Pellentesque habitant morbi tristique senectus et netus et malesuada fames ac turpis egestas. Nam maximus purus velit, at volutpat lorem tempus sit amet. Donec iaculis ultricies nulla ut bibendum. Vestibulum ante ipsum primis in faucibus.

CHAPTER 12

*L*orem ipsum dolor sit amet, consectetur adipiscing elit. Vivamus bibendum mi vitae lacus accumsan dignissim. Phasellus condimentum, sapien ut feugiat ullamcorper, neque dui convallis orci, a pulvinar ante dolor a felis. Nunc varius sapien sit amet porttitor rutrum. Vivamus eget semper nibh. Vivamus euismod neque a convallis vehicula. In sagittis porta elit, in dictum massa scelerisque a. Maecenas sit amet pharetra est, in rhoncus ex. Morbi placerat nulla at nisi lobortis sagittis. Suspendisse ligula lorem, pulvinar et tellus ut, iaculis pellentesque orci. Integer tincidunt, elit cursus dignissim tempus, ex diam auctor magna, vitae fringilla massa sapien quis est. Sed sit amet laoreet elit, id hendrerit turpis. Suspendisse suscipit fringilla placerat. Nunc diam erat, posuere sit amet leo id, porta pharetra orci.

Donec bibendum gravida massa id venenatis. In tincidunt lacinia elit bibendum luctus. Duis finibus enim ut enim ultricies, commodo efficitur diam venenatis. Vestibulum pellentesque justo eget purus hendrerit, ac lobortis augue consectetur. Etiam vitae consectetur velit, eget rutrum ipsum. Ut eget ante eu dolor ultricies pulvinar. Etiam

volutpat commodo justo eget dignissim. Donec ac lectus scelerisque, gravida est a, tincidunt sem. Integer volutpat orci quis mi pharetra porta. Etiam at fermentum nisl. Praesent et magna nunc. Mauris justo turpis, bibendum at lectus vitae, ultrices dictum nisi.

Quisque nunc massa, congue sed iaculis a, blandit ac enim. Suspendisse tristique tellus at sollicitudin venenatis. Vivamus vitae ornare tellus. Vestibulum mollis molestie tortor, et aliquam nisi iaculis luctus. Vivamus risus nisl, mattis vel tincidunt ac, posuere tempus tellus. Quisque in turpis neque. Ut iaculis eleifend urna, nec consequat elit egestas vitae. Nunc a massa fringilla, convallis velit at, molestie justo. Donec blandit iaculis tellus. Nam scelerisque vehicula pulvinar. Donec condimentum neque ut quam bibendum placerat.

Nullam viverra sem imperdiet eros pulvinar molestie. Morbi est lectus, vestibulum sed quam eu, scelerisque ultricies augue. Curabitur nisl libero, porttitor ut ipsum sit amet, gravida dignissim lorem. Aliquam vel molestie diam. Aliquam urna ligula, maximus eget purus nec, porttitor malesuada magna. Aenean orci nisi, sagittis sit amet odio et, euismod interdum ligula. Etiam venenatis risus sit amet consequat vehicula. Sed et aliquet ante. Mauris convallis eget ligula id hendrerit. Pellentesque vitae fringilla nibh. Integer interdum, libero non rhoncus consequat, arcu nisi commodo diam, eget facilisis erat sapien et justo. Morbi efficitur sapien nisl, sit amet fringilla neque pretium vel. Ut ex nisl, mattis a tempor a, aliquet eu leo.

Sed fermentum malesuada purus lacinia sollicitudin. Aliquam luctus pharetra molestie. Nunc luctus vehicula justo, quis finibus nunc feugiat vitae. Orci varius natoque penatibus et magnis dis parturient montes, nascetur ridiculus mus. Curabitur et enim vitae neque ornare condimentum. Nullam semper venenatis mauris, ut malesuada justo eleifend non. Duis eleifend pharetra erat, nec pretium nisl placerat sit

amet. Fusce malesuada vestibulum ligula eget iaculis. Mauris maximus porta nisi eget sollicitudin. Donec ultrices tincidunt risus, cursus volutpat quam tincidunt sit amet. Etiam commodo diam id urna imperdiet, vitae luctus dolor condimentum. Proin commodo justo vel orci tempus mollis. Morbi gravida mauris id lorem venenatis, ut tincidunt diam feugiat. Vivamus pretium faucibus urna id laoreet. Etiam et egestas arcu.

Aliquam in enim eu elit dapibus aliquam. Praesent in elit id nibh vulputate interdum. Class aptent taciti sociosqu ad litora torquent per conubia nostra, per inceptos himenaeos. Aliquam id euismod quam. Mauris tellus ligula, congue a quam vitae, scelerisque consequat sapien. Lorem ipsum dolor sit amet, consectetur adipiscing elit. Fusce sed quam rutrum, commodo tellus eu, aliquet justo.

Etiam mattis tristique libero, a aliquam sapien. Maecenas tortor urna, ultrices id elit sed, feugiat volutpat quam. Sed auctor, ligula at ornare maximus, quam mi malesuada urna, a aliquet enim nisl at erat. Ut scelerisque lacus id ipsum mollis, eu sollicitudin libero vehicula. Curabitur condimentum tortor quis sapien scelerisque ornare. Sed porta metus vel eros consectetur mollis. Cras imperdiet, ipsum quis sollici- tudin venenatis, ligula urna molestie tellus, ullamcorper suscipit nibh quam vitae arcu. Etiam at ligula eget mauris blandit lobortis hendrerit at nunc. Quisque vestibulum eleifend porta. Ut at semper nunc. Quisque non accumsan ante. Sed quis placerat sem, ac pharetra erat. Integer posuere orci nisl, quis auctor nisi volutpat non. Donec vulputate, purus ac suscipit congue, lorem neque fringilla justo, id congue leo risus id lacus.

In hac habitasse platea dictumst. Nullam a nisl at urna rutrum blandit in nec ligula. Vestibulum quis massa ut dolor ultrices pulvinar a sit amet dui. Vivamus volutpat dolor a sodales efficitur. Cras laoreet placerat tincidunt. Donec vulputate turpis a ipsum ultrices sollicitudin. Cras sed turpis

et sapien tristique luctus. Nullam in fermentum nisi, eu consequat justo. Morbi enim purus, imperdiet sit amet ipsum in, cursus eleifend mi. Donec porta lectus mi, pellentesque luctus urna pretium sed. Sed aliquam erat nec rhoncus lacinia. Vestibulum viverra pretium sapien nec ultrices. Maecenas finibus luctus erat, in accumsan purus gravida ut. Curabitur venenatis est fringilla rutrum sollicitudin. Nulla efficitur eleifend sem, non egestas elit sodales quis. Fusce ornare sem dolor, eu rutrum magna pretium ac.

Vivamus posuere massa et posuere semper. Pellentesque turpis tortor, bibendum nec porta tristique, venenatis quis ligula. Maecenas bibendum porta turpis, consectetur fringilla sem varius at. Suspendisse potenti. Morbi odio diam, fermentum ac libero sed, porta scelerisque arcu. Sed porttitor sapien turpis, eget pharetra magna scelerisque ut. Phasellus ornare leo in turpis viverra interdum.

Nulla id venenatis enim. Donec placerat dignissim sapien, in rutrum libero iaculis vel. Cras et placerat metus, ut pulvinar leo. Etiam ut cursus ante, nec pellentesque libero. Curabitur vitae lacinia diam. Nunc malesuada tortor sapien, sed aliquet est facilisis sit amet. Nunc scelerisque malesuada accumsan. Nunc nec maximus nisi. Mauris vitae vulputate neque. Mauris ac urna leo. Vestibulum placerat pulvinar sem sed dapibus. Sed nulla augue, elementum eget convallis id, egestas cursus leo. Pellentesque mi lacus, accumsan id mauris nec, malesuada lacinia sapien. Donec tincidunt odio sit amet ligula venenatis, vitae euismod erat rhoncus. Maecenas semper et ligula id ultricies. Nulla fringilla libero felis, sit amet cursus orci accumsan quis.

Sed non purus odio. Duis aliquet justo ligula, placerat maximus odio iaculis vitae. Integer dignissim at ligula vitae porttitor. Sed blandit mauris sed faucibus malesuada. Donec a porta quam. Cras ut tempus mi, auctor maximus neque. Proin at metus mauris. Maecenas fermentum ultrices porttitor. Aliquam eget augue a diam mollis consequat ultrices

condimentum nulla. Vivamus vel felis ullamcorper, tincidunt quam ut, malesuada ligula. Nulla vel lectus lacus. Etiam ut dictum dolor. Duis tempus maximus volutpat. Fusce maximus tincidunt dui, vitae rutrum elit imperdiet et. Sed eget urna mi. Aenean nec metus nisi.

Cras pellentesque justo enim, ac pulvinar nulla ultrices vitae. Vestibulum suscipit consectetur tempor. Pellentesque sed congue libero, in semper sapien. Interdum et malesuada fames ac ante ipsum primis in faucibus. Maecenas vehicula sit amet diam eu congue. Cras pretium, sapien sed posuere laoreet, tortor tortor mollis risus, quis dictum quam risus in metus. Quisque a ligula nisl. Morbi consectetur nisi id libero luctus dictum. Cras at arcu risus. Praesent venenatis dapibus dictum. Praesent molestie quis sem sit amet tincidunt. Vivamus suscipit mauris sed scelerisque pharetra. Aliquam feugiat urna fringilla nunc ornare, sed laoreet quam vehicula. Nullam ac justo sit amet augue consectetur facilisis. Nunc imperdiet dolor dolor.

Sed vitae lacus lacus. Mauris in enim posuere felis sollicitudin maximus. Sed et ante ac quam tincidunt efficitur. Fusce nisl sem, auctor eget nisl accumsan, tincidunt gravida nulla. Integer scelerisque in eros fermentum semper. Donec sollicitudin a sem eget volutpat. Suspendisse justo neque, aliquam bibendum velit at, malesuada egestas sem. Nulla ac est convallis urna tincidunt pulvinar fermentum non libero. Proin vestibulum, lorem vel euismod vulputate, lacus nisl varius tellus, ut ultrices dolor orci eu turpis. Duis efficitur ut tellus sit amet luctus. Aliquam erat volutpat. Nulla consequat viverra mauris sit amet consectetur. Phasellus laoreet tempus mauris sed varius.

Aliquam a sem dui. Suspendisse potenti. Morbi nec enim non diam vehicula fermentum. Sed porttitor elit non ante molestie, eu aliquet nulla pharetra. Phasellus eros magna, dapibus nec quam id, egestas mattis quam. Vestibulum sed mi ac justo elementum efficitur quis quis enim. Vestibulum

leo leo, condimentum vitae dolor eget, dignissim placerat eros. Maecenas elementum porttitor sollicitudin. Proin convallis posuere scelerisque. Vestibulum lacinia vulputate porta. Pellentesque habitant morbi tristique senectus et netus et malesuada fames ac turpis egestas.

Fusce aliquet metus massa, at elementum justo elementum id. Mauris aliquam justo sed elit dignissim, nec egestas augue condimentum. Proin consequat arcu ut ligula sollicitudin, at elementum est rutrum. Aliquam tristique, odio at vehicula volutpat, nunc sem porttitor lectus, ut fringilla dolor eros in eros. Morbi quis bibendum felis, in porta ligula. Aenean dignissim feugiat purus vitae sagittis. Duis finibus massa felis, at finibus odio sollicitudin eu. Morbi at finibus ligula.

Morbi ante purus, laoreet dignissim enim in, ullamcorper iaculis purus. Nunc malesuada nisl justo. Sed consequat enim id pulvinar convallis. Fusce blandit, sem varius cursus commodo, nisi purus imperdiet odio, eget mollis orci ante a magna. Praesent molestie nunc vel quam mollis porttitor. Integer mi est, pellentesque ut orci eget, ultricies porttitor velit. Integer feugiat, est vel ullamcorper sodales, libero felis sodales ante, nec tincidunt lectus nibh vitae sapien.

Sed arcu tortor, ultrices vitae tortor vel, ornare fermentum mi. Sed finibus nulla quis blandit egestas. Phasellus eu nulla mauris. Pellentesque ultricies libero metus, eu finibus justo mollis quis. Aliquam pharetra lacus ut facilisis vestibulum. Nunc imperdiet a tellus vitae rhoncus. Nulla non ornare felis, eu consectetur risus. Pellentesque a congue ante. In hac habitasse platea dictumst. Phasellus in pellentesque ex. Praesent iaculis orci id velit suscipit, ac laoreet augue venenatis. Proin felis turpis, molestie vitae commodo quis, suscipit nec nunc. Vestibulum in magna orci. Sed at consequat erat, quis lacinia ex.

Suspendisse faucibus, lorem vitae fermentum fermentum, odio purus efficitur enim, eu sollicitudin sapien lectus nec

erat. Vestibulum ante ipsum primis in faucibus orci luctus et ultrices posuere cubilia curae; Lorem ipsum dolor sit amet, consectetur adipiscing elit. Integer aliquam tempor ipsum, in rutrum enim consectetur in. Fusce vel imperdiet purus. Suspendisse quis euismod eros. Ut et ex pellentesque diam posuere faucibus iaculis dignissim orci. Nunc sed nibh mi. Nunc vitae dignissim quam. Morbi dictum est a magna cursus, nec rhoncus sem pellentesque.

Sed dignissim cursus ex. Donec lacinia nisi in neque semper ullamcorper. Praesent non nibh at ante eleifend ultrices non vel magna. Donec congue viverra dolor sed consequat. Donec fermentum nunc ut congue malesuada. In nec nisi felis. Etiam lectus dolor, tincidunt a pharetra eget, placerat vulputate mauris.

Nulla sodales, arcu ullamcorper placerat dignissim, dolor turpis congue nisl, quis fringilla ex massa lacinia enim. In vulputate aliquam augue. Mauris eget imperdiet lectus. Pellentesque habitant morbi tristique senectus et netus et malesuada fames ac turpis egestas. Quisque at augue purus. Donec sit amet tincidunt augue. Nunc ac metus nec urna maximus accumsan.

Quisque bibendum nisl tincidunt nulla tincidunt tempor. Nulla viverra laoreet ex id imperdiet. Proin feugiat, magna interdum dapibus mattis, libero dui fermentum felis, eget luctus ante risus in justo. Aliquam luctus imperdiet nisl, vel porta erat egestas quis. Nulla ullamcorper auctor neque a ullamcorper. Nam aliquet justo a dui aliquam, eu mattis sapien pulvinar. Vivamus neque felis, pellentesque sed lorem non, elementum faucibus eros.

Nunc nulla tellus, sollicitudin sed turpis sit amet, rhoncus feugiat dui. Vivamus id feugiat mauris. Cras consectetur dapibus risus sed suscipit. Aenean porttitor, lorem quis gravida sollicitudin, velit libero elementum erat, quis porttitor tortor neque id dui. Vestibulum sed tempus quam. Maecenas laoreet sapien sed lacus commodo hendrerit. Cras

aliquet, odio id rutrum viverra, enim eros laoreet orci, nec hendrerit nibh nisl quis neque. Donec consequat, ligula a facilisis fringilla, urna odio iaculis nunc, eu convallis felis dolor ut purus. Sed ultricies placerat ante, blandit pharetra orci tincidunt sit amet. Nullam cursus, leo eget porta aliquet, nisl est sagittis nibh, ut placerat elit tellus nec risus. Vivamus cursus nec neque at sollicitudin. Morbi sit amet lacus erat. Duis tempor ipsum sem, in varius sem molestie eget. Phasellus aliquam nibh sed diam viverra, sit amet ornare ex fringilla. Donec ut ipsum laoreet, gravida justo vel, convallis ante. Nullam consequat tortor eu sapien iaculis, nec mattis justo ultricies.

Suspendisse semper massa porttitor molestie laoreet. Proin elementum dui neque, et feugiat libero porta a. In vel condimentum lectus, sit amet bibendum odio. Nunc nec lectus consequat, faucibus leo non, volutpat tortor. Mauris malesuada imperdiet lacus, eget placerat ipsum tempor non. Nunc sit amet purus finibus, consequat lectus et, venenatis magna. Curabitur iaculis vehicula augue. Duis ultrices efficitur metus ac maximus. Suspendisse vehicula ipsum justo. Suspendisse enim velit, facilisis id leo vel, ultricies ultrices lacus.

Donec finibus sodales diam ac sodales. Morbi sollicitudin iaculis neque, vitae fermentum quam. Donec ac urna nunc. Aenean urna orci, suscipit et quam mattis, tristique lobortis augue. Fusce ut sapien convallis, dapibus sem vitae, mattis quam. Etiam risus purus, porttitor eget lobortis sit amet, dictum et velit. Curabitur eget luctus sapien. Class aptent taciti sociosqu ad litora torquent per conubia nostra, per inceptos himenaeos. Nullam efficitur, ante malesuada efficitur aliquet, lorem tellus ornare urna, nec fermentum nunc eros nec purus.

Morbi nec pellentesque quam. Suspendisse quis ex nunc. Etiam in aliquam leo. Etiam volutpat euismod gravida. Aenean ultricies nisl nulla, quis condimentum tellus convallis

eget. Etiam malesuada egestas nisl sed vulputate. Mauris lacinia accumsan ornare. Donec bibendum ex ac gravida pretium. Nunc vitae pellentesque nisi.

Nam egestas imperdiet euismod. Ut id augue condimentum, varius nisl at, gravida nisi. Aliquam convallis velit gravida, dictum quam a, luctus nibh. In justo orci, venenatis eget orci quis, fringilla volutpat arcu. Nulla nec est sed erat ornare vehicula sit amet quis eros. Vestibulum nec magna orci. Donec ut semper massa.

Suspendisse id ex imperdiet, dapibus purus vel, euismod ex. In id nibh quis erat dapibus sollicitudin. Aliquam sit amet elit id purus fringilla tempus et vel diam. Mauris vel nulla volutpat, vehicula tellus et, mattis lorem. Fusce tempus consectetur vulputate. Proin lorem sem, lobortis fringilla consectetur id, aliquam et libero. Duis ultrices, mauris et posuere convallis, lorem risus imperdiet diam, vel ullamcorper quam ipsum sed tellus. Pellentesque quam nulla, suscipit non convallis quis, mollis vitae nisl. Donec elementum turpis non nibh convallis laoreet. Duis ornare sollicitudin blandit. Nunc sodales massa ex, porta euismod nisi molestie sit amet. Integer augue diam, consequat quis libero sed, dapibus dignissim augue. Etiam egestas est et luctus volutpat. In velit neque, bibendum ac finibus eget, tristique sit amet neque. Ut risus sem, lacinia quis hendrerit ut, luctus in neque. Suspendisse cursus mauris id lorem bibendum, a rutrum quam ullamcorper.

Aliquam non ipsum vitae purus congue pulvinar. Donec sodales sit amet elit et ullamcorper. Morbi at felis dignissim odio malesuada varius et vitae dolor. Ut scelerisque nisi eros, et fermentum nisl bibendum eget. Pellentesque leo ipsum, bibendum sit amet lectus in, imperdiet volutpat justo. Nunc a magna id magna ultricies gravida sit amet laoreet metus. Vestibulum in laoreet nisi. Fusce eget egestas dui. Aenean eget laoreet lorem. Nunc in tristique nisi, eget tempus leo. Aliquam maximus nunc sed rutrum gravida. Ut lobortis

suscipit vehicula. Aenean a massa id metus elementum suscipit sed at enim. Nullam luctus cursus hendrerit.

Vestibulum sed ante scelerisque, ullamcorper sem ac, pretium arcu. Aliquam erat volutpat. Curabitur at egestas nunc, eu aliquet ligula. Phasellus lorem felis, faucibus in dui a, consectetur volutpat elit. Integer bibendum lorem non erat blandit vehicula. Sed dapibus augue quam, eu sagittis velit euismod at. Duis condimentum auctor quam, in suscipit purus hendrerit at. Donec semper nibh vel iaculis rhoncus.

Nulla facilisi. Aliquam interdum posuere commodo. Donec id mi facilisis, faucibus sem a, venenatis mauris. Phasellus pharetra erat eu metus tempus porta. Sed vel augue finibus, commodo ex id, vulputate ligula. Quisque sed lorem eleifend, tristique lectus et, porttitor purus. Praesent ac dolor sit amet odio scelerisque aliquet sodales nec sapien. Morbi suscipit, lorem ac tristique pharetra, quam augue facilisis turpis, luctus gravida ante neque vitae urna. Nunc sem lorem, tincidunt non odio at, tempor volutpat nisi. Morbi vel placerat turpis. Pellentesque consectetur metus eget lacus sollicitudin condimentum. Class aptent taciti sociosqu ad litora torquent per conubia nostra, per inceptos himenaeos. Nunc varius ac nisl vulputate maximus.

In suscipit odio eu interdum finibus. Integer ut est et erat varius lacinia. Nullam consequat tempor ligula, quis commodo augue varius vel. Maecenas est metus, pellentesque ut sollicitudin et, pellentesque at lectus. Donec tincidunt elit orci, eu vestibulum ex rhoncus at. Nulla facilisi. Ut sit amet lobortis magna. Quisque malesuada mi quis consequat auctor. Mauris ut bibendum ante. Nulla nec eros eros. Donec euismod blandit lobortis. Aenean non lacinia odio. Sed consequat est nec faucibus accumsan. Fusce vel nisi ac massa efficitur euismod at sed turpis. Nunc vehicula posuere pharetra.

Sed ultricies est at malesuada pharetra. Donec varius nisl eu diam suscipit, vel interdum leo ultricies. Vestibulum ante

ipsum primis in faucibus orci luctus et ultrices posuere cubilia curae; Nam sed lectus nulla. Mauris congue dapibus quam. Etiam sit amet lobortis velit. Nunc libero nunc, auctor in convallis a, molestie at leo. Cras lacus elit, dignissim sit amet diam eget, ultrices tristique dolor. Etiam quis viverra lectus. Donec semper, dui ut accumsan congue, nulla sapien maximus massa, nec vulputate massa quam ut sapien. Praesent sagittis accumsan tincidunt. Donec porta ligula fermentum ultricies dignissim. Mauris imperdiet, arcu feugiat eleifend laoreet, sem ipsum interdum ligula, eu cursus turpis arcu eget tortor. Fusce a tristique tortor. Sed vel aliquam lectus. Donec laoreet tellus erat, nec facilisis sapien placerat sed.

Mauris pretium malesuada justo, ut luctus tellus commodo mattis. Nullam ornare suscipit ligula a placerat. Donec cursus tellus ultrices ante aliquet, nec iaculis libero lacinia. Praesent quis dolor eget nulla consectetur luctus tristique fermentum ex. Sed accumsan sollicitudin metus at elementum. Phasellus dictum, libero sit amet placerat maximus, nisi ipsum gravida turpis, sed tempor neque nunc sed massa. Nunc blandit posuere augue. Nunc efficitur mollis justo, et aliquam urna faucibus eu. Ut ultricies nunc et enim auctor interdum. Donec luctus massa eu justo fermentum, a tincidunt neque tincidunt. Orci varius natoque penatibus et magnis dis parturient montes, nascetur ridiculus mus. Quisque et ornare lorem. Integer vulputate, risus a porta euismod, mi tortor ultrices mi, eu tincidunt enim odio quis tellus. Aliquam eleifend, est eget maximus facilisis, augue nibh auctor lorem, sed mattis arcu odio luctus est. Proin tellus turpis, mollis quis sodales ut, semper vitae mauris.

Class aptent taciti sociosqu ad litora torquent per conubia nostra, per inceptos himenaeos. Donec vitae finibus sem. Pellentesque ultrices in ex ac scelerisque. Morbi imperdiet hendrerit odio quis laoreet. Cras aliquet est eu nulla porta accumsan. Quisque pulvinar et libero at porta. Quisque

vehicula ipsum mi, vitae pretium lectus ultricies et. In hac habitasse platea dictumst. Praesent rutrum, nisi in tincidunt aliquet, leo dolor fermentum elit, at vulputate quam odio nec felis. Aliquam non orci tincidunt, ultricies purus at, posuere felis.

Sed dapibus nisi sed tortor consectetur fermentum. Sed ex purus, faucibus laoreet diam nec, auctor malesuada risus. Quisque quis sagittis elit. Etiam dapibus diam orci, in sollicitudin massa tincidunt pellentesque. Nullam mattis posuere dignissim. Maecenas feugiat, nisi vel feugiat ornare, neque augue suscipit libero, quis malesuada enim metus a metus. Pellentesque iaculis turpis et odio dictum, ut elementum felis egestas. Fusce ut quam at tortor aliquam lacinia. Class aptent taciti sociosqu ad litora torquent per conubia nostra, per inceptos himenaeos. Ut quis mattis libero. Fusce quis ultricies sem.

Curabitur et magna tempus, faucibus tortor sed, aliquet velit. Fusce sed urna nulla. Mauris in nibh quam. Aliquam sed odio ultricies libero accumsan aliquet et quis justo. Praesent rutrum velit turpis, at consequat risus ullamcorper vel. Nam imperdiet ac magna a faucibus. Aliquam placerat fermentum dapibus. Nam ultricies euismod facilisis. Quisque consequat tincidunt enim eget fringilla. Fusce purus odio, lacinia et laoreet sit amet, ornare in magna. Vivamus a consectetur magna. Phasellus ornare sem luctus, maximus nisi quis, condimentum risus. Etiam ullamcorper sed massa sit amet mollis. Maecenas quis lacus fringilla ex volutpat ornare. Suspendisse lobortis fermentum fringilla. Vestibulum sit amet maximus leo, ac cursus nibh.

Donec iaculis maximus dui quis egestas. Ut gravida, tellus vitae mollis tincidunt, leo mauris ultrices turpis, sed finibus urna quam non tellus. Mauris sollicitudin venenatis neque vel ultricies. Lorem ipsum dolor sit amet, consectetur adipiscing elit. Nunc vestibulum sapien id lacus ullamcorper euismod. Aliquam id rhoncus purus, ac sagittis est. Fusce

finibus sagittis diam, non elementum est. Nulla rutrum eros eget risus mattis, in condimentum erat eleifend. Sed arcu odio, cursus ac tincidunt ac, aliquet sit amet nibh. Fusce aliquam dictum orci. Donec aliquet ultrices nisi.

Donec volutpat tortor nec elementum tincidunt. Cras tempor ultrices mauris vel semper. Phasellus vitae odio dapibus, lobortis massa ac, malesuada ex. Nulla tincidunt at lacus sit amet tincidunt. Maecenas orci nisi, ullamcorper nec condimentum faucibus, consequat non metus. Maecenas ac porttitor elit. Fusce fermentum lorem eget turpis pellentesque pellentesque. Pellentesque habitant morbi tristique senectus et netus et malesuada fames ac turpis egestas. Curabitur interdum, ligula non bibendum blandit, lectus arcu molestie metus, ut dictum nibh lectus vel dolor. Duis laoreet ipsum ac purus consequat, eu ullamcorper mi aliquet.

Donec id dignissim felis, in placerat mi. Integer ut magna faucibus, maximus nulla euismod, semper urna. Nunc quis dui lacinia, facilisis magna ac, pulvinar turpis. Praesent volutpat nibh eu pharetra fringilla. Integer tristique fermentum fringilla. Aenean eu rutrum neque. Nullam lobortis lectus dolor, non volutpat lectus consequat at.

Ut diam elit, blandit quis tortor ac, ultrices varius diam. Nam consequat rhoncus nisi, eget viverra massa. Proin sollicitudin sem quis sodales lobortis. Aliquam vulputate ac sapien id interdum. Curabitur posuere dapibus magna, et imperdiet sem consectetur vitae. In a ornare purus. Donec nulla risus, dapibus vel aliquet vel, imperdiet sit amet sem. Class aptent taciti sociosqu ad litora torquent per conubia nostra, per inceptos himenaeos. Maecenas varius condimentum dapibus. Nulla fringilla, leo ac dignissim porta, eros risus pharetra elit, vitae feugiat erat lectus non dui.

Proin in leo neque. Aenean imperdiet augue sed ex sollicitudin, sed vehicula sapien tempor. Praesent cursus condimentum dictum. Vestibulum eget sapien nec lectus pulvinar vestibulum. Proin accumsan tincidunt lacus, eu rhoncus ante

tempus ullamcorper. Suspendisse feugiat fringilla sagittis. Sed pulvinar dui et malesuada porttitor. Etiam sit amet justo dui. Nam at sem id enim lacinia porta. Curabitur sem dui, facilisis a molestie nec, aliquet eget elit. Vivamus viverra luctus tortor id condimentum. Curabitur ultricies blandit laoreet. Pellentesque vel risus non lacus feugiat gravida a sit amet mi. Ut ut placerat urna. In scelerisque ultricies odio.

Suspendisse vitae est hendrerit, tempor magna et, molestie turpis. Nam nec quam sapien. Vivamus imperdiet in risus ac posuere. Aenean varius rhoncus elementum. Aenean augue quam, euismod id lacus vitae, gravida aliquet felis. In augue turpis, lobortis sit amet augue vel, elementum aliquam risus. Donec viverra iaculis efficitur. Mauris auctor dui risus, ac fermentum magna auctor at. Vestibulum at bibendum enim. Proin venenatis, ex sed tempor consectetur, lectus metus suscipit augue, in rutrum erat est in augue. Praesent pulvinar eu nisl sit amet molestie. Sed at egestas velit. Fusce et molestie eros. Donec sit amet nisl sit amet felis aliquam fermentum eu in ligula. Pellentesque tincidunt, eros non aliquam pharetra, metus erat volutpat metus, a tincidunt dolor mi eget est.

Sed venenatis nunc sed dolor fringilla congue quis a ligula. Aliquam erat volutpat. Proin egestas est ut porttitor vulputate. Phasellus commodo metus vel sem auctor lacinia. Suspendisse tempus lorem justo, id ullamcorper dolor iaculis a. Phasellus quis auctor neque. Phasellus dapibus ut tortor a varius. Integer sit amet iaculis metus. Etiam diam metus, molestie mollis sodales euismod, fringilla vitae ligula. Suspendisse pellentesque ante sem, commodo mattis tortor semper ultrices. Vestibulum nec posuere ex.

Sed vitae velit lacus. Integer eleifend pulvinar dolor. Integer a libero quis sapien ullamcorper scelerisque quis quis eros. Maecenas id ligula ac nisi gravida varius nec in enim. Pellentesque rhoncus porta nunc, iaculis scelerisque metus rhoncus in. Nullam posuere purus id leo gravida, ut

J. KENNER

consectetur nisl pulvinar. Cras ultrices hendrerit est nec
accumsan. Mauris molestie sapien ut rhoncus malesuada.
Mauris pulvinar suscipit luctus.

Quisque nec bibendum orci, at mattis sapien. Sed ut elit
condimentum, consectetur quam id, tincidunt turpis.
Phasellus nec tortor ex. Pellentesque habitant morbi tristique
senectus et netus et malesuada fames ac turpis egestas. Nam
maximus purus velit, at volutpat lorem tempus sit amet.
Donec iaculis ultricies nulla ut bibendum. Vestibulum ante
ipsum primis in faucibus.

CHAPTER 13

*L*orem ipsum dolor sit amet, consectetur adipiscing elit. Vivamus bibendum mi vitae lacus accumsan dignissim. Phasellus condimentum, sapien ut feugiat ullamcorper, neque dui convallis orci, a pulvinar ante dolor a felis. Nunc varius sapien sit amet porttitor rutrum. Vivamus eget semper nibh. Vivamus euismod neque a convallis vehicula. In sagittis porta elit, in dictum massa scelerisque a. Maecenas sit amet pharetra est, in rhoncus ex. Morbi placerat nulla at nisi lobortis sagittis. Suspendisse ligula lorem, pulvinar et tellus ut, iaculis pellentesque orci. Integer tincidunt, elit cursus dignissim tempus, ex diam auctor magna, vitae fringilla massa sapien quis est. Sed sit amet laoreet elit, id hendrerit turpis. Suspendisse suscipit fringilla placerat. Nunc diam erat, posuere sit amet leo id, porta pharetra orci.

Donec bibendum gravida massa id venenatis. In tincidunt lacinia elit bibendum luctus. Duis finibus enim ut enim ultricies, commodo efficitur diam venenatis. Vestibulum pellentesque justo eget purus hendrerit, ac lobortis augue consectetur. Etiam vitae consectetur velit, eget rutrum ipsum. Ut eget ante eu dolor ultricies pulvinar. Etiam

volutpat commodo justo eget dignissim. Donec ac lectus scelerisque, gravida est a, tincidunt sem. Integer volutpat orci quis mi pharetra porta. Etiam at fermentum nisl. Praesent et magna nunc. Mauris justo turpis, bibendum at lectus vitae, ultrices dictum nisi.

Quisque nunc massa, congue sed iaculis a, blandit ac enim. Suspendisse tristique tellus at sollicitudin venenatis. Vivamus vitae ornare tellus. Vestibulum mollis molestie tortor, et aliquam nisi iaculis luctus. Vivamus risus nisl, mattis vel tincidunt ac, posuere tempus tellus. Quisque in turpis neque. Ut iaculis eleifend urna, nec consequat elit egestas vitae. Nunc a massa fringilla, convallis velit at, molestie justo. Donec blandit iaculis tellus. Nam scelerisque vehicula pulvinar. Donec condimentum neque ut quam bibendum placerat.

Nullam viverra sem imperdiet eros pulvinar molestie. Morbi est lectus, vestibulum sed quam eu, scelerisque ultricies augue. Curabitur nisl libero, porttitor ut ipsum sit amet, gravida dignissim lorem. Aliquam vel molestie diam. Aliquam urna ligula, maximus eget purus nec, porttitor malesuada magna. Aenean orci nisi, sagittis sit amet odio et, euismod interdum ligula. Etiam venenatis risus sit amet consequat vehicula. Sed et aliquet ante. Mauris convallis eget ligula id hendrerit. Pellentesque vitae fringilla nibh. Integer interdum, libero non rhoncus consequat, arcu nisi commodo diam, eget facilisis erat sapien et justo. Morbi efficitur sapien nisl, sit amet fringilla neque pretium vel. Ut ex nisl, mattis a tempor a, aliquet eu leo.

Sed fermentum malesuada purus lacinia sollicitudin. Aliquam luctus pharetra molestie. Nunc luctus vehicula justo, quis finibus nunc feugiat vitae. Orci varius natoque penatibus et magnis dis parturient montes, nascetur ridiculus mus. Curabitur et enim vitae neque ornare condimentum. Nullam semper venenatis mauris, ut malesuada justo eleifend non. Duis eleifend pharetra erat, nec pretium nisl placerat sit

amet. Fusce malesuada vestibulum ligula eget iaculis. Mauris maximus porta nisi eget sollicitudin. Donec ultrices tincidunt risus, cursus volutpat quam tincidunt sit amet. Etiam commodo diam id urna imperdiet, vitae luctus dolor condimentum. Proin commodo justo vel orci tempus mollis. Morbi gravida mauris id lorem venenatis, ut tincidunt diam feugiat. Vivamus pretium faucibus urna id laoreet. Etiam et egestas arcu.

Aliquam in enim eu elit dapibus aliquam. Praesent in elit id nibh vulputate interdum. Class aptent taciti sociosqu ad litora torquent per conubia nostra, per inceptos himenaeos. Aliquam id euismod quam. Mauris tellus ligula, congue a quam vitae, scelerisque consequat sapien. Lorem ipsum dolor sit amet, consectetur adipiscing elit. Fusce sed quam rutrum, commodo tellus eu, aliquet justo.

Etiam mattis tristique libero, a aliquam sapien. Maecenas tortor urna, ultrices id elit sed, feugiat volutpat quam. Sed auctor, ligula at ornare maximus, quam mi malesuada urna, a aliquet enim nisl at erat. Ut scelerisque lacus id ipsum mollis, eu sollicitudin libero vehicula. Curabitur condimentum tortor quis sapien scelerisque ornare. Sed porta metus vel eros consectetur mollis. Cras imperdiet, ipsum quis sollicitudin venenatis, ligula urna molestie tellus, ullamcorper suscipit nibh quam vitae arcu. Etiam at ligula eget mauris blandit lobortis hendrerit at nunc. Quisque vestibulum eleifend porta. Ut at semper nunc. Quisque non accumsan ante. Sed quis placerat sem, ac pharetra erat. Integer posuere orci nisl, quis auctor nisi volutpat non. Donec vulputate, purus ac suscipit congue, lorem neque fringilla justo, id congue leo risus id lacus.

In hac habitasse platea dictumst. Nullam a nisl at urna rutrum blandit in nec ligula. Vestibulum quis massa ut dolor ultrices pulvinar a sit amet dui. Vivamus volutpat dolor a sodales efficitur. Cras laoreet placerat tincidunt. Donec vulputate turpis a ipsum ultrices sollicitudin. Cras sed turpis

et sapien tristique luctus. Nullam in fermentum nisi, eu consequat justo. Morbi enim purus, imperdiet sit amet ipsum in, cursus eleifend mi. Donec porta lectus mi, pellentesque luctus urna pretium sed. Sed aliquam erat nec rhoncus lacinia. Vestibulum viverra pretium sapien nec ultrices. Maecenas finibus luctus erat, in accumsan purus gravida ut. Curabitur venenatis est fringilla rutrum sollicitudin. Nulla efficitur eleifend sem, non egestas elit sodales quis. Fusce ornare sem dolor, eu rutrum magna pretium ac.

Vivamus posuere massa et posuere semper. Pellentesque turpis tortor, bibendum nec porta tristique, venenatis quis ligula. Maecenas bibendum porta turpis, consectetur fringilla sem varius at. Suspendisse potenti. Morbi odio diam, fermentum ac libero sed, porta scelerisque arcu. Sed porttitor sapien turpis, eget pharetra magna scelerisque ut. Phasellus ornare leo in turpis viverra interdum.

Nulla id venenatis enim. Donec placerat dignissim sapien, in rutrum libero iaculis vel. Cras et placerat metus, ut pulvinar leo. Etiam ut cursus ante, nec pellentesque libero. Curabitur vitae lacinia diam. Nunc malesuada tortor sapien, sed aliquet est facilisis sit amet. Nunc scelerisque malesuada accumsan. Nunc nec maximus nisi. Mauris vitae vulputate neque. Mauris ac urna leo. Vestibulum placerat pulvinar sem sed dapibus. Sed nulla augue, elementum eget convallis id, egestas cursus leo. Pellentesque mi lacus, accumsan id mauris nec, malesuada lacinia sapien. Donec tincidunt odio sit amet ligula venenatis, vitae euismod erat rhoncus. Maecenas semper et ligula id ultricies. Nulla fringilla libero felis, sit amet cursus orci accumsan quis.

Sed non purus odio. Duis aliquet justo ligula, placerat maximus odio iaculis vitae. Integer dignissim at ligula vitae porttitor. Sed blandit mauris sed faucibus malesuada. Donec a porta quam. Cras ut tempus mi, auctor maximus neque. Proin at metus mauris. Maecenas fermentum ultrices porttitor. Aliquam eget augue a diam mollis consequat ultrices

condimentum nulla. Vivamus vel felis ullamcorper, tincidunt quam ut, malesuada ligula. Nulla vel lectus lacus. Etiam ut dictum dolor. Duis tempus maximus volutpat. Fusce maximus tincidunt dui, vitae rutrum elit imperdiet et. Sed eget urna mi. Aenean nec metus nisi.

Cras pellentesque justo enim, ac pulvinar nulla ultrices vitae. Vestibulum suscipit consectetur tempor. Pellentesque sed congue libero, in semper sapien. Interdum et malesuada fames ac ante ipsum primis in faucibus. Maecenas vehicula sit amet diam eu congue. Cras pretium, sapien sed posuere laoreet, tortor tortor mollis risus, quis dictum quam risus in metus. Quisque a ligula nisl. Morbi consectetur nisi id libero luctus dictum. Cras at arcu risus. Praesent venenatis dapibus dictum. Praesent molestie quis sem sit amet tincidunt. Vivamus suscipit mauris sed scelerisque pharetra. Aliquam feugiat urna fringilla nunc ornare, sed laoreet quam vehicula. Nullam ac justo sit amet augue consectetur facilisis. Nunc imperdiet dolor dolor.

Sed vitae lacus lacus. Mauris in enim posuere felis sollicitudin maximus. Sed et ante ac quam tincidunt efficitur. Fusce nisl sem, auctor eget nisl accumsan, tincidunt gravida nulla. Integer scelerisque in eros fermentum semper. Donec sollicitudin a sem eget volutpat. Suspendisse justo neque, aliquam bibendum velit at, malesuada egestas sem. Nulla ac est convallis urna tincidunt pulvinar fermentum non libero. Proin vestibulum, lorem vel euismod vulputate, lacus nisl varius tellus, ut ultrices dolor orci eu turpis. Duis efficitur ut tellus sit amet luctus. Aliquam erat volutpat. Nulla consequat viverra mauris sit amet consectetur. Phasellus laoreet tempus mauris sed varius.

Aliquam a sem dui. Suspendisse potenti. Morbi nec enim non diam vehicula fermentum. Sed porttitor elit non ante molestie, eu aliquet nulla pharetra. Phasellus eros magna, dapibus nec quam id, egestas mattis quam. Vestibulum sed mi ac justo elementum efficitur quis quis enim. Vestibulum

leo leo, condimentum vitae dolor eget, dignissim placerat eros. Maecenas elementum porttitor sollicitudin. Proin convallis posuere scelerisque. Vestibulum lacinia vulputate porta. Pellentesque habitant morbi tristique senectus et netus et malesuada fames ac turpis egestas.

Fusce aliquet metus massa, at elementum justo elementum id. Mauris aliquam justo sed elit dignissim, nec egestas augue condimentum. Proin consequat arcu ut ligula sollicitudin, at elementum est rutrum. Aliquam tristique, odio at vehicula volutpat, nunc sem porttitor lectus, ut fringilla dolor eros in eros. Morbi quis bibendum felis, in porta ligula. Aenean dignissim feugiat purus vitae sagittis. Duis finibus massa felis, at finibus odio sollicitudin eu. Morbi at finibus ligula.

Morbi ante purus, laoreet dignissim enim in, ullamcorper iaculis purus. Nunc malesuada nisl justo. Sed consequat enim id pulvinar convallis. Fusce blandit, sem varius cursus commodo, nisi purus imperdiet odio, eget mollis orci ante a magna. Praesent molestie nunc vel quam mollis porttitor. Integer mi est, pellentesque ut orci eget, ultricies porttitor velit. Integer feugiat, est vel ullamcorper sodales, libero felis sodales ante, nec tincidunt lectus nibh vitae sapien.

Sed arcu tortor, ultrices vitae tortor vel, ornare fermentum mi. Sed finibus nulla quis blandit egestas. Phasellus eu nulla mauris. Pellentesque ultricies libero metus, eu finibus justo mollis quis. Aliquam pharetra lacus ut facil-isis vestibulum. Nunc imperdiet a tellus vitae rhoncus. Nulla non ornare felis, eu consectetur risus. Pellentesque a congue ante. In hac habitasse platea dictumst. Phasellus in pellen-tesque ex. Praesent iaculis orci id velit suscipit, ac laoreet augue venenatis. Proin felis turpis, molestie vitae commodo quis, suscipit nec nunc. Vestibulum in magna orci. Sed at consequat erat, quis lacinia ex.

Suspendisse faucibus, lorem vitae fermentum fermentum, odio purus efficitur enim, eu sollicitudin sapien lectus nec

erat. Vestibulum ante ipsum primis in faucibus orci luctus et ultrices posuere cubilia curae; Lorem ipsum dolor sit amet, consectetur adipiscing elit. Integer aliquam tempor ipsum, in rutrum enim consectetur in. Fusce vel imperdiet purus. Suspendisse quis euismod eros. Ut et ex pellentesque diam posuere faucibus iaculis dignissim orci. Nunc sed nibh mi. Nunc vitae dignissim quam. Morbi dictum est a magna cursus, nec rhoncus sem pellentesque.

Sed dignissim cursus ex. Donec lacinia nisi in neque semper ullamcorper. Praesent non nibh at ante eleifend ultrices non vel magna. Donec congue viverra dolor sed consequat. Donec fermentum nunc ut congue malesuada. In nec nisi felis. Etiam lectus dolor, tincidunt a pharetra eget, placerat vulputate mauris.

Nulla sodales, arcu ullamcorper placerat dignissim, dolor turpis congue nisl, quis fringilla ex massa lacinia enim. In vulputate aliquam augue. Mauris eget imperdiet lectus. Pellentesque habitant morbi tristique senectus et netus et malesuada fames ac turpis egestas. Quisque at augue purus. Donec sit amet tincidunt augue. Nunc ac metus nec urna maximus accumsan.

Quisque bibendum nisl tincidunt nulla tincidunt tempor. Nulla viverra laoreet ex id imperdiet. Proin feugiat, magna interdum dapibus mattis, libero dui fermentum felis, eget luctus ante risus in justo. Aliquam luctus imperdiet nisl, vel porta erat egestas quis. Nulla ullamcorper auctor neque a ullamcorper. Nam aliquet justo a dui aliquam, eu mattis sapien pulvinar. Vivamus neque felis, pellentesque sed lorem non, elementum faucibus eros.

Nunc nulla tellus, sollicitudin sed turpis sit amet, rhoncus feugiat dui. Vivamus id feugiat mauris. Cras consectetur dapibus risus sed suscipit. Aenean porttitor, lorem quis gravida sollicitudin, velit libero elementum erat, quis porttitor tortor neque id dui. Vestibulum sed tempus quam. Maecenas laoreet sapien sed lacus commodo hendrerit. Cras

aliquet, odio id rutrum viverra, enim eros laoreet orci, nec hendrerit nibh nisl quis neque. Donec consequat, ligula a facilisis fringilla, urna odio iaculis nunc, eu convallis felis dolor ut purus. Sed ultricies placerat ante, blandit pharetra orci tincidunt sit amet. Nullam cursus, leo eget porta aliquet, nisl est sagittis nibh, ut placerat elit tellus nec risus. Vivamus cursus nec neque at sollicitudin. Morbi sit amet lacus erat. Duis tempor ipsum sem, in varius sem molestie eget. Phasellus aliquam nibh sed diam viverra, sit amet ornare ex fringilla. Donec ut ipsum laoreet, gravida justo vel, convallis ante. Nullam consequat tortor eu sapien iaculis, nec mattis justo ultricies.

Suspendisse semper massa porttitor molestie laoreet. Proin elementum dui neque, et feugiat libero porta a. In vel condimentum lectus, sit amet bibendum odio. Nunc nec lectus consequat, faucibus leo non, volutpat tortor. Mauris malesuada imperdiet lacus, eget placerat ipsum tempor non. Nunc sit amet purus finibus, consequat lectus et, venenatis magna. Curabitur iaculis vehicula augue. Duis ultrices efficitur metus ac maximus. Suspendisse vehicula ipsum justo. Suspendisse enim velit, facilisis id leo vel, ultricies ultrices lacus.

Donec finibus sodales diam ac sodales. Morbi sollicitudin iaculis neque, vitae fermentum quam. Donec ac urna nunc. Aenean urna orci, suscipit et quam mattis, tristique lobortis augue. Fusce ut sapien convallis, dapibus sem vitae, mattis quam. Etiam risus purus, porttitor eget lobortis sit amet, dictum et velit. Curabitur eget luctus sapien. Class aptent taciti sociosqu ad litora torquent per conubia nostra, per inceptos himenaeos. Nullam efficitur, ante malesuada efficitur aliquet, lorem tellus ornare urna, nec fermentum nunc eros nec purus.

Morbi nec pellentesque quam. Suspendisse quis ex nunc. Etiam in aliquam leo. Etiam volutpat euismod gravida. Aenean ultricies nisl nulla, quis condimentum tellus convallis

eget. Etiam malesuada egestas nisl sed vulputate. Mauris lacinia accumsan ornare. Donec bibendum ex ac gravida pretium. Nunc vitae pellentesque nisi.

Nam egestas imperdiet euismod. Ut id augue condimentum, varius nisl at, gravida nisi. Aliquam convallis velit gravida, dictum quam a, luctus nibh. In justo orci, venenatis eget orci quis, fringilla volutpat arcu. Nulla nec est sed erat ornare vehicula sit amet quis eros. Vestibulum nec magna orci. Donec ut semper massa.

Suspendisse id ex imperdiet, dapibus purus vel, euismod ex. In id nibh quis erat dapibus sollicitudin. Aliquam sit amet elit id purus fringilla tempus et vel diam. Mauris vel nulla volutpat, vehicula tellus et, mattis lorem. Fusce tempus consectetur vulputate. Proin lorem sem, lobortis fringilla consectetur id, aliquam et libero. Duis ultrices, mauris et posuere convallis, lorem risus imperdiet diam, vel ullamcorper quam ipsum sed tellus. Pellentesque quam nulla, suscipit non convallis quis, mollis vitae nisl. Donec elementum turpis non nibh convallis laoreet. Duis ornare sollicitudin blandit. Nunc sodales massa ex, porta euismod nisi molestie sit amet. Integer augue diam, consequat quis libero sed, dapibus dignissim augue. Etiam egestas est et luctus volutpat. In velit neque, bibendum ac finibus eget, tristique sit amet neque. Ut risus sem, lacinia quis hendrerit ut, luctus in neque. Suspendisse cursus mauris id lorem bibendum, a rutrum quam ullamcorper.

Aliquam non ipsum vitae purus congue pulvinar. Donec sodales sit amet elit et ullamcorper. Morbi at felis dignissim odio malesuada varius et vitae dolor. Ut scelerisque nisi eros, et fermentum nisl bibendum eget. Pellentesque leo ipsum, bibendum sit amet lectus in, imperdiet volutpat justo. Nunc a magna id magna ultricies gravida sit amet laoreet metus. Vestibulum in laoreet nisi. Fusce eget egestas dui. Aenean eget laoreet lorem. Nunc in tristique nisi, eget tempus leo. Aliquam maximus nunc sed rutrum gravida. Ut lobortis

suscipit vehicula. Aenean a massa id metus elementum suscipit sed at enim. Nullam luctus cursus hendrerit.

Vestibulum sed ante scelerisque, ullamcorper sem ac, pretium arcu. Aliquam erat volutpat. Curabitur at egestas nunc, eu aliquet ligula. Phasellus lorem felis, faucibus in dui a, consectetur volutpat elit. Integer bibendum lorem non erat blandit vehicula. Sed dapibus augue quam, eu sagittis velit euismod at. Duis condimentum auctor quam, in suscipit purus hendrerit at. Donec semper nibh vel iaculis rhoncus.

Nulla facilisi. Aliquam interdum posuere commodo. Donec id mi facilisis, faucibus sem a, venenatis mauris. Phasellus pharetra erat eu metus tempus porta. Sed vel augue finibus, commodo ex id, vulputate ligula. Quisque sed lorem eleifend, tristique lectus et, porttitor purus. Praesent ac dolor sit amet odio scelerisque aliquet sodales nec sapien. Morbi suscipit, lorem ac tristique pharetra, quam augue facilisis turpis, luctus gravida ante neque vitae urna. Nunc sem lorem, tincidunt non odio at, tempor volutpat nisi. Morbi vel placerat turpis. Pellentesque consectetur metus eget lacus sollicitudin condimentum. Class aptent taciti sociosqu ad litora torquent per conubia nostra, per inceptos himenaeos. Nunc varius ac nisl vulputate maximus.

In suscipit odio eu interdum finibus. Integer ut est et erat varius lacinia. Nullam consequat tempor ligula, quis commodo augue varius vel. Maecenas est metus, pellentesque ut sollicitudin et, pellentesque at lectus. Donec tincidunt elit orci, eu vestibulum ex rhoncus at. Nulla facilisi. Ut sit amet lobortis magna. Quisque malesuada mi quis consequat auctor. Mauris ut bibendum ante. Nulla nec eros eros. Donec euismod blandit lobortis. Aenean non lacinia odio. Sed consequat est nec faucibus accumsan. Fusce vel nisi ac massa efficitur euismod at sed turpis. Nunc vehicula posuere pharetra.

Sed ultricies est at malesuada pharetra. Donec varius nisl eu diam suscipit, vel interdum leo ultricies. Vestibulum ante

ipsum primis in faucibus orci luctus et ultrices posuere cubilia curae; Nam sed lectus nulla. Mauris congue dapibus quam. Etiam sit amet lobortis velit. Nunc libero nunc, auctor in convallis a, molestie at leo. Cras lacus elit, dignissim sit amet diam eget, ultrices tristique dolor. Etiam quis viverra lectus. Donec semper, dui ut accumsan congue, nulla sapien maximus massa, nec vulputate massa quam ut sapien. Praesent sagittis accumsan tincidunt. Donec porta ligula fermentum ultricies dignissim. Mauris imperdiet, arcu feugiat eleifend laoreet, sem ipsum interdum ligula, eu cursus turpis arcu eget tortor. Fusce a tristique tortor. Sed vel aliquam lectus. Donec laoreet tellus erat, nec facilisis sapien placerat sed.

Mauris pretium malesuada justo, ut luctus tellus commodo mattis. Nullam ornare suscipit ligula a placerat. Donec cursus tellus ultrices ante aliquet, nec iaculis libero lacinia. Praesent quis dolor eget nulla consectetur luctus tristique fermentum ex. Sed accumsan sollicitudin metus at elementum. Phasellus dictum, libero sit amet placerat maximus, nisi ipsum gravida turpis, sed tempor neque nunc sed massa. Nunc blandit posuere augue. Nunc efficitur mollis justo, et aliquam urna faucibus eu. Ut ultricies nunc et enim auctor interdum. Donec luctus massa eu justo fermentum, a tincidunt neque tincidunt. Orci varius natoque penatibus et magnis dis parturient montes, nascetur ridiculus mus. Quisque et ornare lorem. Integer vulputate, risus a porta euismod, mi tortor ultrices mi, eu tincidunt enim odio quis tellus. Aliquam eleifend, est eget maximus facilisis, augue nibh auctor lorem, sed mattis arcu odio luctus est. Proin tellus turpis, mollis quis sodales ut, semper vitae mauris.

Class aptent taciti sociosqu ad litora torquent per conubia nostra, per inceptos himenaeos. Donec vitae finibus sem. Pellentesque ultrices in ex ac scelerisque. Morbi imperdiet hendrerit odio quis laoreet. Cras aliquet est eu nulla porta accumsan. Quisque pulvinar et libero at porta. Quisque

vehicula ipsum mi, vitae pretium lectus ultricies et. In hac habitasse platea dictumst. Praesent rutrum, nisi in tincidunt aliquet, leo dolor fermentum elit, at vulputate quam odio nec felis. Aliquam non orci tincidunt, ultricies purus at, posuere felis.

Sed dapibus nisi sed tortor consectetur fermentum. Sed ex purus, faucibus laoreet diam nec, auctor malesuada risus. Quisque quis sagittis elit. Etiam dapibus diam orci, in sollicitudin massa tincidunt pellentesque. Nullam mattis posuere dignissim. Maecenas feugiat, nisi vel feugiat ornare, neque augue suscipit libero, quis malesuada enim metus a metus. Pellentesque iaculis turpis et odio dictum, ut elementum felis egestas. Fusce ut quam at tortor aliquam lacinia. Class aptent taciti sociosqu ad litora torquent per conubia nostra, per inceptos himenaeos. Ut quis mattis libero. Fusce quis ultricies sem.

Curabitur et magna tempus, faucibus tortor sed, aliquet velit. Fusce sed urna nulla. Mauris in nibh quam. Aliquam sed odio ultricies libero accumsan aliquet et quis justo. Praesent rutrum velit turpis, at consequat risus ullamcorper vel. Nam imperdiet ac magna a faucibus. Aliquam placerat fermentum dapibus. Nam ultricies euismod facilisis. Quisque consequat tincidunt enim eget fringilla. Fusce purus odio, lacinia et laoreet sit amet, ornare in magna. Vivamus a consectetur magna. Phasellus ornare sem luctus, maximus nisi quis, condimentum risus. Etiam ullamcorper sed massa sit amet mollis. Maecenas quis lacus fringilla ex volutpat ornare. Suspendisse lobortis fermentum fringilla. Vestibulum sit amet maximus leo, ac cursus nibh.

Donec iaculis maximus dui quis egestas. Ut gravida, tellus vitae mollis tincidunt, leo mauris ultrices turpis, sed finibus urna quam non tellus. Mauris sollicitudin venenatis neque vel ultricies. Lorem ipsum dolor sit amet, consectetur adipiscing elit. Nunc vestibulum sapien id lacus ullamcorper euismod. Aliquam id rhoncus purus, ac sagittis est. Fusce

finibus sagittis diam, non elementum est. Nulla rutrum eros eget risus mattis, in condimentum erat eleifend. Sed arcu odio, cursus ac tincidunt ac, aliquet sit amet nibh. Fusce aliquam dictum orci. Donec aliquet ultrices nisi.

Donec volutpat tortor nec elementum tincidunt. Cras tempor ultrices mauris vel semper. Phasellus vitae odio dapibus, lobortis massa ac, malesuada ex. Nulla tincidunt at lacus sit amet tincidunt. Maecenas orci nisi, ullamcorper nec condimentum faucibus, consequat non metus. Maecenas ac porttitor elit. Fusce fermentum lorem eget turpis pellentesque pellentesque. Pellentesque habitant morbi tristique senectus et netus et malesuada fames ac turpis egestas. Curabitur interdum, ligula non bibendum blandit, lectus arcu molestie metus, ut dictum nibh lectus vel dolor. Duis laoreet ipsum ac purus consequat, eu ullamcorper mi aliquet.

Donec id dignissim felis, in placerat mi. Integer ut magna faucibus, maximus nulla euismod, semper urna. Nunc quis dui lacinia, facilisis magna ac, pulvinar turpis. Praesent volutpat nibh eu pharetra fringilla. Integer tristique fermentum fringilla. Aenean eu rutrum neque. Nullam lobortis lectus dolor, non volutpat lectus consequat at.

Ut diam elit, blandit quis tortor ac, ultrices varius diam. Nam consequat rhoncus nisi, eget viverra massa. Proin sollicitudin sem quis sodales lobortis. Aliquam vulputate ac sapien id interdum. Curabitur posuere dapibus magna, et imperdiet sem consectetur vitae. In a ornare purus. Donec nulla risus, dapibus vel aliquet vel, imperdiet sit amet sem. Class aptent taciti sociosqu ad litora torquent per conubia nostra, per inceptos himenaeos. Maecenas varius condimentum dapibus. Nulla fringilla, leo ac dignissim porta, eros risus pharetra elit, vitae feugiat erat lectus non dui.

Proin in leo neque. Aenean imperdiet augue sed ex sollicitudin, sed vehicula sapien tempor. Praesent cursus condimentum dictum. Vestibulum eget sapien nec lectus pulvinar vestibulum. Proin accumsan tincidunt lacus, eu rhoncus ante

tempus ullamcorper. Suspendisse feugiat fringilla sagittis. Sed pulvinar dui et malesuada porttitor. Etiam sit amet justo dui. Nam at sem id enim lacinia porta. Curabitur sem dui, facilisis a molestie nec, aliquet eget elit. Vivamus viverra luctus tortor id condimentum. Curabitur ultricies blandit laoreet. Pellentesque vel risus non lacus feugiat gravida a sit amet mi. Ut ut placerat urna. In scelerisque ultricies odio.

Suspendisse vitae est hendrerit, tempor magna et, molestie turpis. Nam nec quam sapien. Vivamus imperdiet in risus ac posuere. Aenean varius rhoncus elementum. Aenean augue quam, euismod id lacus vitae, gravida aliquet felis. In augue turpis, lobortis sit amet augue vel, elementum aliquam risus. Donec viverra iaculis efficitur. Mauris auctor dui risus, ac fermentum magna auctor at. Vestibulum at bibendum enim. Proin venenatis, ex sed tempor consectetur, lectus metus suscipit augue, in rutrum erat est in augue. Praesent pulvinar eu nisl sit amet molestie. Sed at egestas velit. Fusce et molestie eros. Donec sit amet nisl sit amet felis aliquam fermentum eu in ligula. Pellentesque tincidunt, eros non aliquam pharetra, metus erat volutpat metus, a tincidunt dolor mi eget est.

Sed venenatis nunc sed dolor fringilla congue quis a ligula. Aliquam erat volutpat. Proin egestas est ut porttitor vulputate. Phasellus commodo metus vel sem auctor lacinia. Suspendisse tempus lorem justo, id ullamcorper dolor iaculis a. Phasellus quis auctor neque. Phasellus dapibus ut tortor a varius. Integer sit amet iaculis metus. Etiam diam metus, molestie mollis sodales euismod, fringilla vitae ligula. Suspendisse pellentesque ante sem, commodo mattis tortor semper ultrices. Vestibulum nec posuere ex.

Sed vitae velit lacus. Integer eleifend pulvinar dolor. Integer a libero quis sapien ullamcorper scelerisque quis quis eros. Maecenas id ligula ac nisi gravida varius nec in enim. Pellentesque rhoncus porta nunc, iaculis scelerisque metus rhoncus in. Nullam posuere purus id leo gravida, ut

consectetur nisl pulvinar. Cras ultrices hendrerit est nec accumsan. Mauris molestie sapien ut rhoncus malesuada. Mauris pulvinar suscipit luctus.

Quisque nec bibendum orci, at mattis sapien. Sed ut elit condimentum, consectetur quam id, tincidunt turpis. Phasellus nec tortor ex. Pellentesque habitant morbi tristique senectus et netus et malesuada fames ac turpis egestas. Nam maximus purus velit, at volutpat lorem tempus sit amet. Donec iaculis ultricies nulla ut bibendum. Vestibulum ante ipsum primis in faucibus.

CHAPTER 14

*L*orem ipsum dolor sit amet, consectetur adipiscing elit. Vivamus bibendum mi vitae lacus accumsan dignissim. Phasellus condimentum, sapien ut feugiat ullamcorper, neque dui convallis orci, a pulvinar ante dolor a felis. Nunc varius sapien sit amet porttitor rutrum. Vivamus eget semper nibh. Vivamus euismod neque a convallis vehicula. In sagittis porta elit, in dictum massa scelerisque a. Maecenas sit amet pharetra est, in rhoncus ex. Morbi placerat nulla at nisi lobortis sagittis. Suspendisse ligula lorem, pulvinar et tellus ut, iaculis pellentesque orci. Integer tincidunt, elit cursus dignissim tempus, ex diam auctor magna, vitae fringilla massa sapien quis est. Sed sit amet laoreet elit, id hendrerit turpis. Suspendisse suscipit fringilla placerat. Nunc diam erat, posuere sit amet leo id, porta pharetra orci.

Donec bibendum gravida massa id venenatis. In tincidunt lacinia elit bibendum luctus. Duis finibus enim ut enim ultricies, commodo efficitur diam venenatis. Vestibulum pellentesque justo eget purus hendrerit, ac lobortis augue consectetur. Etiam vitae consectetur velit, eget rutrum ipsum. Ut eget ante eu dolor ultricies pulvinar. Etiam

volutpat commodo justo eget dignissim. Donec ac lectus scelerisque, gravida est a, tincidunt sem. Integer volutpat orci quis mi pharetra porta. Etiam at fermentum nisl. Praesent et magna nunc. Mauris justo turpis, bibendum at lectus vitae, ultrices dictum nisi.

Quisque nunc massa, congue sed iaculis a, blandit ac enim. Suspendisse tristique tellus at sollicitudin venenatis. Vivamus vitae ornare tellus. Vestibulum mollis molestie tortor, et aliquam nisi iaculis luctus. Vivamus risus nisl, mattis vel tincidunt ac, posuere tempus tellus. Quisque in turpis neque. Ut iaculis eleifend urna, nec consequat elit egestas vitae. Nunc a massa fringilla, convallis velit at, molestie justo. Donec blandit iaculis tellus. Nam scelerisque vehicula pulvinar. Donec condimentum neque ut quam bibendum placerat.

Nullam viverra sem imperdiet eros pulvinar molestie. Morbi est lectus, vestibulum sed quam eu, scelerisque ultricies augue. Curabitur nisl libero, porttitor ut ipsum sit amet, gravida dignissim lorem. Aliquam vel molestie diam. Aliquam urna ligula, maximus eget purus nec, porttitor malesuada magna. Aenean orci nisi, sagittis sit amet odio et, euismod interdum ligula. Etiam venenatis risus sit amet consequat vehicula. Sed et aliquet ante. Mauris convallis eget ligula id hendrerit. Pellentesque vitae fringilla nibh. Integer interdum, libero non rhoncus consequat, arcu nisi commodo diam, eget facilisis erat sapien et justo. Morbi efficitur sapien nisl, sit amet fringilla neque pretium vel. Ut ex nisl, mattis a tempor a, aliquet eu leo.

Sed fermentum malesuada purus lacinia sollicitudin. Aliquam luctus pharetra molestie. Nunc luctus vehicula justo, quis finibus nunc feugiat vitae. Orci varius natoque penatibus et magnis dis parturient montes, nascetur ridiculus mus. Curabitur et enim vitae neque ornare condimentum. Nullam semper venenatis mauris, ut malesuada justo eleifend non. Duis eleifend pharetra erat, nec pretium nisl placerat sit

amet. Fusce malesuada vestibulum ligula eget iaculis. Mauris maximus porta nisi eget sollicitudin. Donec ultrices tincidunt risus, cursus volutpat quam tincidunt sit amet. Etiam commodo diam id urna imperdiet, vitae luctus dolor condimentum. Proin commodo justo vel orci tempus mollis. Morbi gravida mauris id lorem venenatis, ut tincidunt diam feugiat. Vivamus pretium faucibus urna id laoreet. Etiam et egestas arcu.

Aliquam in enim eu elit dapibus aliquam. Praesent in elit id nibh vulputate interdum. Class aptent taciti sociosqu ad litora torquent per conubia nostra, per inceptos himenaeos. Aliquam id euismod quam. Mauris tellus ligula, congue a quam vitae, scelerisque consequat sapien. Lorem ipsum dolor sit amet, consectetur adipiscing elit. Fusce sed quam rutrum, commodo tellus eu, aliquet justo.

Etiam mattis tristique libero, a aliquam sapien. Maecenas tortor urna, ultrices id elit sed, feugiat volutpat quam. Sed auctor, ligula at ornare maximus, quam mi malesuada urna, a aliquet enim nisl at erat. Ut scelerisque lacus id ipsum mollis, eu sollicitudin libero vehicula. Curabitur condimentum tortor quis sapien scelerisque ornare. Sed porta metus vel eros consectetur mollis. Cras imperdiet, ipsum quis sollicitudin venenatis, ligula urna molestie tellus, ullamcorper suscipit nibh quam vitae arcu. Etiam at ligula eget mauris blandit lobortis hendrerit at nunc. Quisque vestibulum eleifend porta. Ut at semper nunc. Quisque non accumsan ante. Sed quis placerat sem, ac pharetra erat. Integer posuere orci nisl, quis auctor nisi volutpat non. Donec vulputate, purus ac suscipit congue, lorem neque fringilla justo, id congue leo risus id lacus.

In hac habitasse platea dictumst. Nullam a nisl at urna rutrum blandit in nec ligula. Vestibulum quis massa ut dolor ultrices pulvinar a sit amet dui. Vivamus volutpat dolor a sodales efficitur. Cras laoreet placerat tincidunt. Donec vulputate turpis a ipsum ultrices sollicitudin. Cras sed turpis

et sapien tristique luctus. Nullam in fermentum nisi, eu consequat justo. Morbi enim purus, imperdiet sit amet ipsum in, cursus eleifend mi. Donec porta lectus mi, pellentesque luctus urna pretium sed. Sed aliquam erat nec rhoncus lacinia. Vestibulum viverra pretium sapien nec ultrices. Maecenas finibus luctus erat, in accumsan purus gravida ut. Curabitur venenatis est fringilla rutrum sollicitudin. Nulla efficitur eleifend sem, non egestas elit sodales quis. Fusce ornare sem dolor, eu rutrum magna pretium ac.

Vivamus posuere massa et posuere semper. Pellentesque turpis tortor, bibendum nec porta tristique, venenatis quis ligula. Maecenas bibendum porta turpis, consectetur fringilla sem varius at. Suspendisse potenti. Morbi odio diam, fermentum ac libero sed, porta scelerisque arcu. Sed porttitor sapien turpis, eget pharetra magna scelerisque ut. Phasellus ornare leo in turpis viverra interdum.

Nulla id venenatis enim. Donec placerat dignissim sapien, in rutrum libero iaculis vel. Cras et placerat metus, ut pulvinar leo. Etiam ut cursus ante, nec pellentesque libero. Curabitur vitae lacinia diam. Nunc malesuada tortor sapien, sed aliquet est facilisis sit amet. Nunc scelerisque malesuada accumsan. Nunc nec maximus nisi. Mauris vitae vulputate neque. Mauris ac urna leo. Vestibulum placerat pulvinar sem sed dapibus. Sed nulla augue, elementum eget convallis id, egestas cursus leo. Pellentesque mi lacus, accumsan id mauris nec, malesuada lacinia sapien. Donec tincidunt odio sit amet ligula venenatis, vitae euismod erat rhoncus. Maecenas semper et ligula id ultricies. Nulla fringilla libero felis, sit amet cursus orci accumsan quis.

Sed non purus odio. Duis aliquet justo ligula, placerat maximus odio iaculis vitae. Integer dignissim at ligula vitae porttitor. Sed blandit mauris sed faucibus malesuada. Donec a porta quam. Cras ut tempus mi, auctor maximus neque. Proin at metus mauris. Maecenas fermentum ultrices porttitor. Aliquam eget augue a diam mollis consequat ultrices

condimentum nulla. Vivamus vel felis ullamcorper, tincidunt quam ut, malesuada ligula. Nulla vel lectus lacus. Etiam ut dictum dolor. Duis tempus maximus volutpat. Fusce maximus tincidunt dui, vitae rutrum elit imperdiet et. Sed eget urna mi. Aenean nec metus nisi.

Cras pellentesque justo enim, ac pulvinar nulla ultrices vitae. Vestibulum suscipit consectetur tempor. Pellentesque sed congue libero, in semper sapien. Interdum et malesuada fames ac ante ipsum primis in faucibus. Maecenas vehicula sit amet diam eu congue. Cras pretium, sapien sed posuere laoreet, tortor tortor mollis risus, quis dictum quam risus in metus. Quisque a ligula nisl. Morbi consectetur nisi id libero luctus dictum. Cras at arcu risus. Praesent venenatis dapibus dictum. Praesent molestie quis sem sit amet tincidunt. Vivamus suscipit mauris sed scelerisque pharetra. Aliquam feugiat urna fringilla nunc ornare, sed laoreet quam vehicula. Nullam ac justo sit amet augue consectetur facilisis. Nunc imperdiet dolor dolor.

Sed vitae lacus lacus. Mauris in enim posuere felis sollicitudin maximus. Sed et ante ac quam tincidunt efficitur. Fusce nisl sem, auctor eget nisl accumsan, tincidunt gravida nulla. Integer scelerisque in eros fermentum semper. Donec sollicitudin a sem eget volutpat. Suspendisse justo neque, aliquam bibendum velit at, malesuada egestas sem. Nulla ac est convallis urna tincidunt pulvinar fermentum non libero. Proin vestibulum, lorem vel euismod vulputate, lacus nisl varius tellus, ut ultrices dolor orci eu turpis. Duis efficitur ut tellus sit amet luctus. Aliquam erat volutpat. Nulla consequat viverra mauris sit amet consectetur. Phasellus laoreet tempus mauris sed varius.

Aliquam a sem dui. Suspendisse potenti. Morbi nec enim non diam vehicula fermentum. Sed porttitor elit non ante molestie, eu aliquet nulla pharetra. Phasellus eros magna, dapibus nec quam id, egestas mattis quam. Vestibulum sed mi ac justo elementum efficitur quis quis enim. Vestibulum

leo leo, condimentum vitae dolor eget, dignissim placerat eros. Maecenas elementum porttitor sollicitudin. Proin convallis posuere scelerisque. Vestibulum lacinia vulputate porta. Pellentesque habitant morbi tristique senectus et netus et malesuada fames ac turpis egestas.

Fusce aliquet metus massa, at elementum justo elementum id. Mauris aliquam justo sed elit dignissim, nec egestas augue condimentum. Proin consequat arcu ut ligula sollicitudin, at elementum est rutrum. Aliquam tristique, odio at vehicula volutpat, nunc sem porttitor lectus, ut fringilla dolor eros in eros. Morbi quis bibendum felis, in porta ligula. Aenean dignissim feugiat purus vitae sagittis. Duis finibus massa felis, at finibus odio sollicitudin eu. Morbi at finibus ligula.

Morbi ante purus, laoreet dignissim enim in, ullamcorper iaculis purus. Nunc malesuada nisl justo. Sed consequat enim id pulvinar convallis. Fusce blandit, sem varius cursus commodo, nisi purus imperdiet odio, eget mollis orci ante a magna. Praesent molestie nunc vel quam mollis porttitor. Integer mi est, pellentesque ut orci eget, ultricies porttitor velit. Integer feugiat, est vel ullamcorper sodales, libero felis sodales ante, nec tincidunt lectus nibh vitae sapien.

Sed arcu tortor, ultrices vitae tortor vel, ornare fermentum mi. Sed finibus nulla quis blandit egestas. Phasellus eu nulla mauris. Pellentesque ultricies libero metus, eu finibus justo mollis quis. Aliquam pharetra lacus ut facilisis vestibulum. Nunc imperdiet a tellus vitae rhoncus. Nulla non ornare felis, eu consectetur risus. Pellentesque a congue ante. In hac habitasse platea dictumst. Phasellus in pellentesque ex. Praesent iaculis orci id velit suscipit, ac laoreet augue venenatis. Proin felis turpis, molestie vitae commodo quis, suscipit nec nunc. Vestibulum in magna orci. Sed at consequat erat, quis lacinia ex.

Suspendisse faucibus, lorem vitae fermentum fermentum, odio purus efficitur enim, eu sollicitudin sapien lectus nec

erat. Vestibulum ante ipsum primis in faucibus orci luctus et ultrices posuere cubilia curae; Lorem ipsum dolor sit amet, consectetur adipiscing elit. Integer aliquam tempor ipsum, in rutrum enim consectetur in. Fusce vel imperdiet purus. Suspendisse quis euismod eros. Ut et ex pellentesque diam posuere faucibus iaculis dignissim orci. Nunc sed nibh mi. Nunc vitae dignissim quam. Morbi dictum est a magna cursus, nec rhoncus sem pellentesque.

Sed dignissim cursus ex. Donec lacinia nisi in neque semper ullamcorper. Praesent non nibh at ante eleifend ultrices non vel magna. Donec congue viverra dolor sed consequat. Donec fermentum nunc ut congue malesuada. In nec nisi felis. Etiam lectus dolor, tincidunt a pharetra eget, placerat vulputate mauris.

Nulla sodales, arcu ullamcorper placerat dignissim, dolor turpis congue nisl, quis fringilla ex massa lacinia enim. In vulputate aliquam augue. Mauris eget imperdiet lectus. Pellentesque habitant morbi tristique senectus et netus et malesuada fames ac turpis egestas. Quisque at augue purus. Donec sit amet tincidunt augue. Nunc ac metus nec urna maximus accumsan.

Quisque bibendum nisl tincidunt nulla tincidunt tempor. Nulla viverra laoreet ex id imperdiet. Proin feugiat, magna interdum dapibus mattis, libero dui fermentum felis, eget luctus ante risus in justo. Aliquam luctus imperdiet nisl, vel porta erat egestas quis. Nulla ullamcorper auctor neque a ullamcorper. Nam aliquet justo a dui aliquam, eu mattis sapien pulvinar. Vivamus neque felis, pellentesque sed lorem non, elementum faucibus eros.

Nunc nulla tellus, sollicitudin sed turpis sit amet, rhoncus feugiat dui. Vivamus id feugiat mauris. Cras consectetur dapibus risus sed suscipit. Aenean porttitor, lorem quis gravida sollicitudin, velit libero elementum erat, quis porttitor tortor neque id dui. Vestibulum sed tempus quam. Maecenas laoreet sapien sed lacus commodo hendrerit. Cras

aliquet, odio id rutrum viverra, enim eros laoreet orci, nec hendrerit nibh nisl quis neque. Donec consequat, ligula a facilisis fringilla, urna odio iaculis nunc, eu convallis felis dolor ut purus. Sed ultricies placerat ante, blandit pharetra orci tincidunt sit amet. Nullam cursus, leo eget porta aliquet, nisl est sagittis nibh, ut placerat elit tellus nec risus. Vivamus cursus nec neque at sollicitudin. Morbi sit amet lacus erat. Duis tempor ipsum sem, in varius sem molestie eget. Phasellus aliquam nibh sed diam viverra, sit amet ornare ex fringilla. Donec ut ipsum laoreet, gravida justo vel, convallis ante. Nullam consequat tortor eu sapien iaculis, nec mattis justo ultricies.

Suspendisse semper massa porttitor molestie laoreet. Proin elementum dui neque, et feugiat libero porta a. In vel condimentum lectus, sit amet bibendum odio. Nunc nec lectus consequat, faucibus leo non, volutpat tortor. Mauris malesuada imperdiet lacus, eget placerat ipsum tempor non. Nunc sit amet purus finibus, consequat lectus et, venenatis magna. Curabitur iaculis vehicula augue. Duis ultrices efficitur metus ac maximus. Suspendisse vehicula ipsum justo. Suspendisse enim velit, facilisis id leo vel, ultricies ultrices lacus.

Donec finibus sodales diam ac sodales. Morbi sollicitudin iaculis neque, vitae fermentum quam. Donec ac urna nunc. Aenean urna orci, suscipit et quam mattis, tristique lobortis augue. Fusce ut sapien convallis, dapibus sem vitae, mattis quam. Etiam risus purus, porttitor eget lobortis sit amet, dictum et velit. Curabitur eget luctus sapien. Class aptent taciti sociosqu ad litora torquent per conubia nostra, per inceptos himenaeos. Nullam efficitur, ante malesuada efficitur aliquet, lorem tellus ornare urna, nec fermentum nunc eros nec purus.

Morbi nec pellentesque quam. Suspendisse quis ex nunc. Etiam in aliquam leo. Etiam volutpat euismod gravida. Aenean ultricies nisl nulla, quis condimentum tellus convallis

eget. Etiam malesuada egestas nisl sed vulputate. Mauris lacinia accumsan ornare. Donec bibendum ex ac gravida pretium. Nunc vitae pellentesque nisi.

Nam egestas imperdiet euismod. Ut id augue condimentum, varius nisl at, gravida nisi. Aliquam convallis velit gravida, dictum quam a, luctus nibh. In justo orci, venenatis eget orci quis, fringilla volutpat arcu. Nulla nec est sed erat ornare vehicula sit amet quis eros. Vestibulum nec magna orci. Donec ut semper massa.

Suspendisse id ex imperdiet, dapibus purus vel, euismod ex. In id nibh quis erat dapibus sollicitudin. Aliquam sit amet elit id purus fringilla tempus et vel diam. Mauris vel nulla volutpat, vehicula tellus et, mattis lorem. Fusce tempus consectetur vulputate. Proin lorem sem, lobortis fringilla consectetur id, aliquam et libero. Duis ultrices, mauris et posuere convallis, lorem risus imperdiet diam, vel ullamcorper quam ipsum sed tellus. Pellentesque quam nulla, suscipit non convallis quis, mollis vitae nisl. Donec elementum turpis non nibh convallis laoreet. Duis ornare sollicitudin blandit. Nunc sodales massa ex, porta euismod nisi molestie sit amet. Integer augue diam, consequat quis libero sed, dapibus dignissim augue. Etiam egestas est et luctus volutpat. In velit neque, bibendum ac finibus eget, tristique sit amet neque. Ut risus sem, lacinia quis hendrerit ut, luctus in neque. Suspendisse cursus mauris id lorem bibendum, a rutrum quam ullamcorper.

Aliquam non ipsum vitae purus congue pulvinar. Donec sodales sit amet elit et ullamcorper. Morbi at felis dignissim odio malesuada varius et vitae dolor. Ut scelerisque nisi eros, et fermentum nisl bibendum eget. Pellentesque leo ipsum, bibendum sit amet lectus in, imperdiet volutpat justo. Nunc a magna id magna ultricies gravida sit amet laoreet metus. Vestibulum in laoreet nisi. Fusce eget egestas dui. Aenean eget laoreet lorem. Nunc in tristique nisi, eget tempus leo. Aliquam maximus nunc sed rutrum gravida. Ut lobortis

suscipit vehicula. Aenean a massa id metus elementum suscipit sed at enim. Nullam luctus cursus hendrerit.

Vestibulum sed ante scelerisque, ullamcorper sem ac, pretium arcu. Aliquam erat volutpat. Curabitur at egestas nunc, eu aliquet ligula. Phasellus lorem felis, faucibus in dui a, consectetur volutpat elit. Integer bibendum lorem non erat blandit vehicula. Sed dapibus augue quam, eu sagittis velit euismod at. Duis condimentum auctor quam, in suscipit purus hendrerit at. Donec semper nibh vel iaculis rhoncus.

Nulla facilisi. Aliquam interdum posuere commodo. Donec id mi facilisis, faucibus sem a, venenatis mauris. Phasellus pharetra erat eu metus tempus porta. Sed vel augue finibus, commodo ex id, vulputate ligula. Quisque sed lorem eleifend, tristique lectus et, porttitor purus. Praesent ac dolor sit amet odio scelerisque aliquet sodales nec sapien. Morbi suscipit, lorem ac tristique pharetra, quam augue facilisis turpis, luctus gravida ante neque vitae urna. Nunc sem lorem, tincidunt non odio at, tempor volutpat nisi. Morbi vel placerat turpis. Pellentesque consectetur metus eget lacus sollicitudin condimentum. Class aptent taciti sociosqu ad litora torquent per conubia nostra, per inceptos himenaeos. Nunc varius ac nisl vulputate maximus.

In suscipit odio eu interdum finibus. Integer ut est et erat varius lacinia. Nullam consequat tempor ligula, quis commodo augue varius vel. Maecenas est metus, pellentesque ut sollicitudin et, pellentesque at lectus. Donec tincidunt elit orci, eu vestibulum ex rhoncus at. Nulla facilisi. Ut sit amet lobortis magna. Quisque malesuada mi quis consequat auctor. Mauris ut bibendum ante. Nulla nec eros eros. Donec euismod blandit lobortis. Aenean non lacinia odio. Sed consequat est nec faucibus accumsan. Fusce vel nisi ac massa efficitur euismod at sed turpis. Nunc vehicula posuere pharetra.

Sed ultricies est at malesuada pharetra. Donec varius nisl eu diam suscipit, vel interdum leo ultricies. Vestibulum ante

ipsum primis in faucibus orci luctus et ultrices posuere cubilia curae; Nam sed lectus nulla. Mauris congue dapibus quam. Etiam sit amet lobortis velit. Nunc libero nunc, auctor in convallis a, molestie at leo. Cras lacus elit, dignissim sit amet diam eget, ultrices tristique dolor. Etiam quis viverra lectus. Donec semper, dui ut accumsan congue, nulla sapien maximus massa, nec vulputate massa quam ut sapien. Praesent sagittis accumsan tincidunt. Donec porta ligula fermentum ultricies dignissim. Mauris imperdiet, arcu feugiat eleifend laoreet, sem ipsum interdum ligula, eu cursus turpis arcu eget tortor. Fusce a tristique tortor. Sed vel aliquam lectus. Donec laoreet tellus erat, nec facilisis sapien placerat sed.

Mauris pretium malesuada justo, ut luctus tellus commodo mattis. Nullam ornare suscipit ligula a placerat. Donec cursus tellus ultrices ante aliquet, nec iaculis libero lacinia. Praesent quis dolor eget nulla consectetur luctus tristique fermentum ex. Sed accumsan sollicitudin metus at elementum. Phasellus dictum, libero sit amet placerat maximus, nisi ipsum gravida turpis, sed tempor neque nunc sed massa. Nunc blandit posuere augue. Nunc efficitur mollis justo, et aliquam urna faucibus eu. Ut ultricies nunc et enim auctor interdum. Donec luctus massa eu justo fermentum, a tincidunt neque tincidunt. Orci varius natoque penatibus et magnis dis parturient montes, nascetur ridiculus mus. Quisque et ornare lorem. Integer vulputate, risus a porta euismod, mi tortor ultrices mi, eu tincidunt enim odio quis tellus. Aliquam eleifend, est eget maximus facilisis, augue nibh auctor lorem, sed mattis arcu odio luctus est. Proin tellus turpis, mollis quis sodales ut, semper vitae mauris.

Class aptent taciti sociosqu ad litora torquent per conubia nostra, per inceptos himenaeos. Donec vitae finibus sem. Pellentesque ultrices in ex ac scelerisque. Morbi imperdiet hendrerit odio quis laoreet. Cras aliquet est eu nulla porta accumsan. Quisque pulvinar et libero at porta. Quisque

vehicula ipsum mi, vitae pretium lectus ultricies et. In hac habitasse platea dictumst. Praesent rutrum, nisi in tincidunt aliquet, leo dolor fermentum elit, at vulputate quam odio nec felis. Aliquam non orci tincidunt, ultricies purus at, posuere felis.

Sed dapibus nisi sed tortor consectetur fermentum. Sed ex purus, faucibus laoreet diam nec, auctor malesuada risus. Quisque quis sagittis elit. Etiam dapibus diam orci, in sollicitudin massa tincidunt pellentesque. Nullam mattis posuere dignissim. Maecenas feugiat, nisi vel feugiat ornare, neque augue suscipit libero, quis malesuada enim metus a metus. Pellentesque iaculis turpis et odio dictum, ut elementum felis egestas. Fusce ut quam at tortor aliquam lacinia. Class aptent taciti sociosqu ad litora torquent per conubia nostra, per inceptos himenaeos. Ut quis mattis libero. Fusce quis ultricies sem.

Curabitur et magna tempus, faucibus tortor sed, aliquet velit. Fusce sed urna nulla. Mauris in nibh quam. Aliquam sed odio ultricies libero accumsan aliquet et quis justo. Praesent rutrum velit turpis, at consequat risus ullamcorper vel. Nam imperdiet ac magna a faucibus. Aliquam placerat fermentum dapibus. Nam ultricies euismod facilisis. Quisque consequat tincidunt enim eget fringilla. Fusce purus odio, lacinia et laoreet sit amet, ornare in magna. Vivamus a consectetur magna. Phasellus ornare sem luctus, maximus nisi quis, condimentum risus. Etiam ullamcorper sed massa sit amet mollis. Maecenas quis lacus fringilla ex volutpat ornare. Suspendisse lobortis fermentum fringilla. Vestibulum sit amet maximus leo, ac cursus nibh.

Donec iaculis maximus dui quis egestas. Ut gravida, tellus vitae mollis tincidunt, leo mauris ultrices turpis, sed finibus urna quam non tellus. Mauris sollicitudin venenatis neque vel ultricies. Lorem ipsum dolor sit amet, consectetur adipiscing elit. Nunc vestibulum sapien id lacus ullamcorper euismod. Aliquam id rhoncus purus, ac sagittis est. Fusce

finibus sagittis diam, non elementum est. Nulla rutrum eros eget risus mattis, in condimentum erat eleifend. Sed arcu odio, cursus ac tincidunt ac, aliquet sit amet nibh. Fusce aliquam dictum orci. Donec aliquet ultrices nisi.

Donec volutpat tortor nec elementum tincidunt. Cras tempor ultrices mauris vel semper. Phasellus vitae odio dapibus, lobortis massa ac, malesuada ex. Nulla tincidunt at lacus sit amet tincidunt. Maecenas orci nisi, ullamcorper nec condimentum faucibus, consequat non metus. Maecenas ac porttitor elit. Fusce fermentum lorem eget turpis pellentesque pellentesque. Pellentesque habitant morbi tristique senectus et netus et malesuada fames ac turpis egestas. Curabitur interdum, ligula non bibendum blandit, lectus arcu molestie metus, ut dictum nibh lectus vel dolor. Duis laoreet ipsum ac purus consequat, eu ullamcorper mi aliquet.

Donec id dignissim felis, in placerat mi. Integer ut magna faucibus, maximus nulla euismod, semper urna. Nunc quis dui lacinia, facilisis magna ac, pulvinar turpis. Praesent volutpat nibh eu pharetra fringilla. Integer tristique fermentum fringilla. Aenean eu rutrum neque. Nullam lobortis lectus dolor, non volutpat lectus consequat at.

Ut diam elit, blandit quis tortor ac, ultrices varius diam. Nam consequat rhoncus nisi, eget viverra massa. Proin sollicitudin sem quis sodales lobortis. Aliquam vulputate ac sapien id interdum. Curabitur posuere dapibus magna, et imperdiet sem consectetur vitae. In a ornare purus. Donec nulla risus, dapibus vel aliquet vel, imperdiet sit amet sem. Class aptent taciti sociosqu ad litora torquent per conubia nostra, per inceptos himenaeos. Maecenas varius condimentum dapibus. Nulla fringilla, leo ac dignissim porta, eros risus pharetra elit, vitae feugiat erat lectus non dui.

Proin in leo neque. Aenean imperdiet augue sed ex sollicitudin, sed vehicula sapien tempor. Praesent cursus condimentum dictum. Vestibulum eget sapien nec lectus pulvinar vestibulum. Proin accumsan tincidunt lacus, eu rhoncus ante

tempus ullamcorper. Suspendisse feugiat fringilla sagittis. Sed pulvinar dui et malesuada porttitor. Etiam sit amet justo dui. Nam at sem id enim lacinia porta. Curabitur sem dui, facilisis a molestie nec, aliquet eget elit. Vivamus viverra luctus tortor id condimentum. Curabitur ultricies blandit laoreet. Pellentesque vel risus non lacus feugiat gravida a sit amet mi. Ut ut placerat urna. In scelerisque ultricies odio.

Suspendisse vitae est hendrerit, tempor magna et, molestie turpis. Nam nec quam sapien. Vivamus imperdiet in risus ac posuere. Aenean varius rhoncus elementum. Aenean augue quam, euismod id lacus vitae, gravida aliquet felis. In augue turpis, lobortis sit amet augue vel, elementum aliquam risus. Donec viverra iaculis efficitur. Mauris auctor dui risus, ac fermentum magna auctor at. Vestibulum at bibendum enim. Proin venenatis, ex sed tempor consectetur, lectus metus suscipit augue, in rutrum erat est in augue. Praesent pulvinar eu nisl sit amet molestie. Sed at egestas velit. Fusce et molestie eros. Donec sit amet nisl sit amet felis aliquam fermentum eu in ligula. Pellentesque tincidunt, eros non aliquam pharetra, metus erat volutpat metus, a tincidunt dolor mi eget est.

Sed venenatis nunc sed dolor fringilla congue quis a ligula. Aliquam erat volutpat. Proin egestas est ut porttitor vulputate. Phasellus commodo metus vel sem auctor lacinia. Suspendisse tempus lorem justo, id ullamcorper dolor iaculis a. Phasellus quis auctor neque. Phasellus dapibus ut tortor a varius. Integer sit amet iaculis metus. Etiam diam metus, molestie mollis sodales euismod, fringilla vitae ligula. Suspendisse pellentesque ante sem, commodo mattis tortor semper ultrices. Vestibulum nec posuere ex.

Sed vitae velit lacus. Integer eleifend pulvinar dolor. Integer a libero quis sapien ullamcorper scelerisque quis quis eros. Maecenas id ligula ac nisi gravida varius nec in enim. Pellentesque rhoncus porta nunc, iaculis scelerisque metus rhoncus in. Nullam posuere purus id leo gravida, ut

consectetur nisl pulvinar. Cras ultrices hendrerit est nec accumsan. Mauris molestie sapien ut rhoncus malesuada. Mauris pulvinar suscipit luctus.

Quisque nec bibendum orci, at mattis sapien. Sed ut elit condimentum, consectetur quam id, tincidunt turpis. Phasellus nec tortor ex. Pellentesque habitant morbi tristique senectus et netus et malesuada fames ac turpis egestas. Nam maximus purus velit, at volutpat lorem tempus sit amet. Donec iaculis ultricies nulla ut bibendum. Vestibulum ante ipsum primis in faucibus.

CHAPTER 15

*L*orem ipsum dolor sit amet, consectetur adipiscing elit. Vivamus bibendum mi vitae lacus accumsan dignissim. Phasellus condimentum, sapien ut feugiat ullamcorper, neque dui convallis orci, a pulvinar ante dolor a felis. Nunc varius sapien sit amet porttitor rutrum. Vivamus eget semper nibh. Vivamus euismod neque a convallis vehicula. In sagittis porta elit, in dictum massa scelerisque a. Maecenas sit amet pharetra est, in rhoncus ex. Morbi placerat nulla at nisi lobortis sagittis. Suspendisse ligula lorem, pulvinar et tellus ut, iaculis pellentesque orci. Integer tincidunt, elit cursus dignissim tempus, ex diam auctor magna, vitae fringilla massa sapien quis est. Sed sit amet laoreet elit, id hendrerit turpis. Suspendisse suscipit fringilla placerat. Nunc diam erat, posuere sit amet leo id, porta pharetra orci.

Donec bibendum gravida massa id venenatis. In tincidunt lacinia elit bibendum luctus. Duis finibus enim ut enim ultricies, commodo efficitur diam venenatis. Vestibulum pellentesque justo eget purus hendrerit, ac lobortis augue consectetur. Etiam vitae consectetur velit, eget rutrum ipsum. Ut eget ante eu dolor ultricies pulvinar. Etiam

volutpat commodo justo eget dignissim. Donec ac lectus scelerisque, gravida est a, tincidunt sem. Integer volutpat orci quis mi pharetra porta. Etiam at fermentum nisl. Praesent et magna nunc. Mauris justo turpis, bibendum at lectus vitae, ultrices dictum nisi.

Quisque nunc massa, congue sed iaculis a, blandit ac enim. Suspendisse tristique tellus at sollicitudin venenatis. Vivamus vitae ornare tellus. Vestibulum mollis molestie tortor, et aliquam nisi iaculis luctus. Vivamus risus nisl, mattis vel tincidunt ac, posuere tempus tellus. Quisque in turpis neque. Ut iaculis eleifend urna, nec consequat elit egestas vitae. Nunc a massa fringilla, convallis velit at, molestie justo. Donec blandit iaculis tellus. Nam scelerisque vehicula pulvinar. Donec condimentum neque ut quam bibendum placerat.

Nullam viverra sem imperdiet eros pulvinar molestie. Morbi est lectus, vestibulum sed quam eu, scelerisque ultricies augue. Curabitur nisl libero, porttitor ut ipsum sit amet, gravida dignissim lorem. Aliquam vel molestie diam. Aliquam urna ligula, maximus eget purus nec, porttitor malesuada magna. Aenean orci nisi, sagittis sit amet odio et, euismod interdum ligula. Etiam venenatis risus sit amet consequat vehicula. Sed et aliquet ante. Mauris convallis eget ligula id hendrerit. Pellentesque vitae fringilla nibh. Integer interdum, libero non rhoncus consequat, arcu nisi commodo diam, eget facilisis erat sapien et justo. Morbi efficitur sapien nisl, sit amet fringilla neque pretium vel. Ut ex nisl, mattis a tempor a, aliquet eu leo.

Sed fermentum malesuada purus lacinia sollicitudin. Aliquam luctus pharetra molestie. Nunc luctus vehicula justo, quis finibus nunc feugiat vitae. Orci varius natoque penatibus et magnis dis parturient montes, nascetur ridiculus mus. Curabitur et enim vitae neque ornare condimentum. Nullam semper venenatis mauris, ut malesuada justo eleifend non. Duis eleifend pharetra erat, nec pretium nisl placerat sit

amet. Fusce malesuada vestibulum ligula eget iaculis. Mauris maximus porta nisi eget sollicitudin. Donec ultrices tincidunt risus, cursus volutpat quam tincidunt sit amet. Etiam commodo diam id urna imperdiet, vitae luctus dolor condimentum. Proin commodo justo vel orci tempus mollis. Morbi gravida mauris id lorem venenatis, ut tincidunt diam feugiat. Vivamus pretium faucibus urna id laoreet. Etiam et egestas arcu.

Aliquam in enim eu elit dapibus aliquam. Praesent in elit id nibh vulputate interdum. Class aptent taciti sociosqu ad litora torquent per conubia nostra, per inceptos himenaeos. Aliquam id euismod quam. Mauris tellus ligula, congue a quam vitae, scelerisque consequat sapien. Lorem ipsum dolor sit amet, consectetur adipiscing elit. Fusce sed quam rutrum, commodo tellus eu, aliquet justo.

Etiam mattis tristique libero, a aliquam sapien. Maecenas tortor urna, ultrices id elit sed, feugiat volutpat quam. Sed auctor, ligula at ornare maximus, quam mi malesuada urna, a aliquet enim nisl at erat. Ut scelerisque lacus id ipsum mollis, eu sollicitudin libero vehicula. Curabitur condimentum tortor quis sapien scelerisque ornare. Sed porta metus vel eros consectetur mollis. Cras imperdiet, ipsum quis sollicitudin venenatis, ligula urna molestie tellus, ullamcorper suscipit nibh quam vitae arcu. Etiam at ligula eget mauris blandit lobortis hendrerit at nunc. Quisque vestibulum eleifend porta. Ut at semper nunc. Quisque non accumsan ante. Sed quis placerat sem, ac pharetra erat. Integer posuere orci nisl, quis auctor nisi volutpat non. Donec vulputate, purus ac suscipit congue, lorem neque fringilla justo, id congue leo risus id lacus.

In hac habitasse platea dictumst. Nullam a nisl at urna rutrum blandit in nec ligula. Vestibulum quis massa ut dolor ultrices pulvinar a sit amet dui. Vivamus volutpat dolor a sodales efficitur. Cras laoreet placerat tincidunt. Donec vulputate turpis a ipsum ultrices sollicitudin. Cras sed turpis

et sapien tristique luctus. Nullam in fermentum nisi, eu consequat justo. Morbi enim purus, imperdiet sit amet ipsum in, cursus eleifend mi. Donec porta lectus mi, pellentesque luctus urna pretium sed. Sed aliquam erat nec rhoncus lacinia. Vestibulum viverra pretium sapien nec ultrices. Maecenas finibus luctus erat, in accumsan purus gravida ut. Curabitur venenatis est fringilla rutrum sollicitudin. Nulla efficitur eleifend sem, non egestas elit sodales quis. Fusce ornare sem dolor, eu rutrum magna pretium ac.

Vivamus posuere massa et posuere semper. Pellentesque turpis tortor, bibendum nec porta tristique, venenatis quis ligula. Maecenas bibendum porta turpis, consectetur fringilla sem varius at. Suspendisse potenti. Morbi odio diam, fermentum ac libero sed, porta scelerisque arcu. Sed porttitor sapien turpis, eget pharetra magna scelerisque ut. Phasellus ornare leo in turpis viverra interdum.

Nulla id venenatis enim. Donec placerat dignissim sapien, in rutrum libero iaculis vel. Cras et placerat metus, ut pulvinar leo. Etiam ut cursus ante, nec pellentesque libero. Curabitur vitae lacinia diam. Nunc malesuada tortor sapien, sed aliquet est facilisis sit amet. Nunc scelerisque malesuada accumsan. Nunc nec maximus nisi. Mauris vitae vulputate neque. Mauris ac urna leo. Vestibulum placerat pulvinar sem sed dapibus. Sed nulla augue, elementum eget convallis id, egestas cursus leo. Pellentesque mi lacus, accumsan id mauris nec, malesuada lacinia sapien. Donec tincidunt odio sit amet ligula venenatis, vitae euismod erat rhoncus. Maecenas semper et ligula id ultricies. Nulla fringilla libero felis, sit amet cursus orci accumsan quis.

Sed non purus odio. Duis aliquet justo ligula, placerat maximus odio iaculis vitae. Integer dignissim at ligula vitae porttitor. Sed blandit mauris sed faucibus malesuada. Donec a porta quam. Cras ut tempus mi, auctor maximus neque. Proin at metus mauris. Maecenas fermentum ultrices porttitor. Aliquam eget augue a diam mollis consequat ultrices

condimentum nulla. Vivamus vel felis ullamcorper, tincidunt quam ut, malesuada ligula. Nulla vel lectus lacus. Etiam ut dictum dolor. Duis tempus maximus volutpat. Fusce maximus tincidunt dui, vitae rutrum elit imperdiet et. Sed eget urna mi. Aenean nec metus nisi.

Cras pellentesque justo enim, ac pulvinar nulla ultrices vitae. Vestibulum suscipit consectetur tempor. Pellentesque sed congue libero, in semper sapien. Interdum et malesuada fames ac ante ipsum primis in faucibus. Maecenas vehicula sit amet diam eu congue. Cras pretium, sapien sed posuere laoreet, tortor tortor mollis risus, quis dictum quam risus in metus. Quisque a ligula nisl. Morbi consectetur nisi id libero luctus dictum. Cras at arcu risus. Praesent venenatis dapibus dictum. Praesent molestie quis sem sit amet tincidunt. Vivamus suscipit mauris sed scelerisque pharetra. Aliquam feugiat urna fringilla nunc ornare, sed laoreet quam vehicula. Nullam ac justo sit amet augue consectetur facilisis. Nunc imperdiet dolor dolor.

Sed vitae lacus lacus. Mauris in enim posuere felis sollicitudin maximus. Sed et ante ac quam tincidunt efficitur. Fusce nisl sem, auctor eget nisl accumsan, tincidunt gravida nulla. Integer scelerisque in eros fermentum semper. Donec sollicitudin a sem eget volutpat. Suspendisse justo neque, aliquam bibendum velit at, malesuada egestas sem. Nulla ac est convallis urna tincidunt pulvinar fermentum non libero. Proin vestibulum, lorem vel euismod vulputate, lacus nisl varius tellus, ut ultrices dolor orci eu turpis. Duis efficitur ut tellus sit amet luctus. Aliquam erat volutpat. Nulla consequat viverra mauris sit amet consectetur. Phasellus laoreet tempus mauris sed varius.

Aliquam a sem dui. Suspendisse potenti. Morbi nec enim non diam vehicula fermentum. Sed porttitor elit non ante molestie, eu aliquet nulla pharetra. Phasellus eros magna, dapibus nec quam id, egestas mattis quam. Vestibulum sed mi ac justo elementum efficitur quis quis enim. Vestibulum

leo leo, condimentum vitae dolor eget, dignissim placerat eros. Maecenas elementum porttitor sollicitudin. Proin convallis posuere scelerisque. Vestibulum lacinia vulputate porta. Pellentesque habitant morbi tristique senectus et netus et malesuada fames ac turpis egestas.

Fusce aliquet metus massa, at elementum justo elementum id. Mauris aliquam justo sed elit dignissim, nec egestas augue condimentum. Proin consequat arcu ut ligula sollicitudin, at elementum est rutrum. Aliquam tristique, odio at vehicula volutpat, nunc sem porttitor lectus, ut fringilla dolor eros in eros. Morbi quis bibendum felis, in porta ligula. Aenean dignissim feugiat purus vitae sagittis. Duis finibus massa felis, at finibus odio sollicitudin eu. Morbi at finibus ligula.

Morbi ante purus, laoreet dignissim enim in, ullamcorper iaculis purus. Nunc malesuada nisl justo. Sed consequat enim id pulvinar convallis. Fusce blandit, sem varius cursus commodo, nisi purus imperdiet odio, eget mollis orci ante a magna. Praesent molestie nunc vel quam mollis porttitor. Integer mi est, pellentesque ut orci eget, ultricies porttitor velit. Integer feugiat, est vel ullamcorper sodales, libero felis sodales ante, nec tincidunt lectus nibh vitae sapien.

Sed arcu tortor, ultrices vitae tortor vel, ornare fermentum mi. Sed finibus nulla quis blandit egestas. Phasellus eu nulla mauris. Pellentesque ultricies libero metus, eu finibus justo mollis quis. Aliquam pharetra lacus ut facilisis vestibulum. Nunc imperdiet a tellus vitae rhoncus. Nulla non ornare felis, eu consectetur risus. Pellentesque a congue ante. In hac habitasse platea dictumst. Phasellus in pellentesque ex. Praesent iaculis orci id velit suscipit, ac laoreet augue venenatis. Proin felis turpis, molestie vitae commodo quis, suscipit nec nunc. Vestibulum in magna orci. Sed at consequat erat, quis lacinia ex.

Suspendisse faucibus, lorem vitae fermentum fermentum, odio purus efficitur enim, eu sollicitudin sapien lectus nec

erat. Vestibulum ante ipsum primis in faucibus orci luctus et ultrices posuere cubilia curae; Lorem ipsum dolor sit amet, consectetur adipiscing elit. Integer aliquam tempor ipsum, in rutrum enim consectetur in. Fusce vel imperdiet purus. Suspendisse quis euismod eros. Ut et ex pellentesque diam posuere faucibus iaculis dignissim orci. Nunc sed nibh mi. Nunc vitae dignissim quam. Morbi dictum est a magna cursus, nec rhoncus sem pellentesque.

Sed dignissim cursus ex. Donec lacinia nisi in neque semper ullamcorper. Praesent non nibh at ante eleifend ultrices non vel magna. Donec congue viverra dolor sed consequat. Donec fermentum nunc ut congue malesuada. In nec nisi felis. Etiam lectus dolor, tincidunt a pharetra eget, placerat vulputate mauris.

Nulla sodales, arcu ullamcorper placerat dignissim, dolor turpis congue nisl, quis fringilla ex massa lacinia enim. In vulputate aliquam augue. Mauris eget imperdiet lectus. Pellentesque habitant morbi tristique senectus et netus et malesuada fames ac turpis egestas. Quisque at augue purus. Donec sit amet tincidunt augue. Nunc ac metus nec urna maximus accumsan.

Quisque bibendum nisl tincidunt nulla tincidunt tempor. Nulla viverra laoreet ex id imperdiet. Proin feugiat, magna interdum dapibus mattis, libero dui fermentum felis, eget luctus ante risus in justo. Aliquam luctus imperdiet nisl, vel porta erat egestas quis. Nulla ullamcorper auctor neque a ullamcorper. Nam aliquet justo a dui aliquam, eu mattis sapien pulvinar. Vivamus neque felis, pellentesque sed lorem non, elementum faucibus eros.

Nunc nulla tellus, sollicitudin sed turpis sit amet, rhoncus feugiat dui. Vivamus id feugiat mauris. Cras consectetur dapibus risus sed suscipit. Aenean porttitor, lorem quis gravida sollicitudin, velit libero elementum erat, quis porttitor tortor neque id dui. Vestibulum sed tempus quam. Maecenas laoreet sapien sed lacus commodo hendrerit. Cras

aliquet, odio id rutrum viverra, enim eros laoreet orci, nec hendrerit nibh nisl quis neque. Donec consequat, ligula a facilisis fringilla, urna odio iaculis nunc, eu convallis felis dolor ut purus. Sed ultricies placerat ante, blandit pharetra orci tincidunt sit amet. Nullam cursus, leo eget porta aliquet, nisl est sagittis nibh, ut placerat elit tellus nec risus. Vivamus cursus nec neque at sollicitudin. Morbi sit amet lacus erat. Duis tempor ipsum sem, in varius sem molestie eget. Phasellus aliquam nibh sed diam viverra, sit amet ornare ex fringilla. Donec ut ipsum laoreet, gravida justo vel, convallis ante. Nullam consequat tortor eu sapien iaculis, nec mattis justo ultricies.

Suspendisse semper massa porttitor molestie laoreet. Proin elementum dui neque, et feugiat libero porta a. In vel condimentum lectus, sit amet bibendum odio. Nunc nec lectus consequat, faucibus leo non, volutpat tortor. Mauris malesuada imperdiet lacus, eget placerat ipsum tempor non. Nunc sit amet purus finibus, consequat lectus et, venenatis magna. Curabitur iaculis vehicula augue. Duis ultrices efficitur metus ac maximus. Suspendisse vehicula ipsum justo. Suspendisse enim velit, facilisis id leo vel, ultricies ultrices lacus.

Donec finibus sodales diam ac sodales. Morbi sollicitudin iaculis neque, vitae fermentum quam. Donec ac urna nunc. Aenean urna orci, suscipit et quam mattis, tristique lobortis augue. Fusce ut sapien convallis, dapibus sem vitae, mattis quam. Etiam risus purus, porttitor eget lobortis sit amet, dictum et velit. Curabitur eget luctus sapien. Class aptent taciti sociosqu ad litora torquent per conubia nostra, per inceptos himenaeos. Nullam efficitur, ante malesuada efficitur aliquet, lorem tellus ornare urna, nec fermentum nunc eros nec purus.

Morbi nec pellentesque quam. Suspendisse quis ex nunc. Etiam in aliquam leo. Etiam volutpat euismod gravida. Aenean ultricies nisl nulla, quis condimentum tellus convallis

eget. Etiam malesuada egestas nisl sed vulputate. Mauris lacinia accumsan ornare. Donec bibendum ex ac gravida pretium. Nunc vitae pellentesque nisi.

Nam egestas imperdiet euismod. Ut id augue condimentum, varius nisl at, gravida nisi. Aliquam convallis velit gravida, dictum quam a, luctus nibh. In justo orci, venenatis eget orci quis, fringilla volutpat arcu. Nulla nec est sed erat ornare vehicula sit amet quis eros. Vestibulum nec magna orci. Donec ut semper massa.

Suspendisse id ex imperdiet, dapibus purus vel, euismod ex. In id nibh quis erat dapibus sollicitudin. Aliquam sit amet elit id purus fringilla tempus et vel diam. Mauris vel nulla volutpat, vehicula tellus et, mattis lorem. Fusce tempus consectetur vulputate. Proin lorem sem, lobortis fringilla consectetur id, aliquam et libero. Duis ultrices, mauris et posuere convallis, lorem risus imperdiet diam, vel ullamcorper quam ipsum sed tellus. Pellentesque quam nulla, suscipit non convallis quis, mollis vitae nisl. Donec elementum turpis non nibh convallis laoreet. Duis ornare sollicitudin blandit. Nunc sodales massa ex, porta euismod nisi molestie sit amet. Integer augue diam, consequat quis libero sed, dapibus dignissim augue. Etiam egestas est et luctus volutpat. In velit neque, bibendum ac finibus eget, tristique sit amet neque. Ut risus sem, lacinia quis hendrerit ut, luctus in neque. Suspendisse cursus mauris id lorem bibendum, a rutrum quam ullamcorper.

Aliquam non ipsum vitae purus congue pulvinar. Donec sodales sit amet elit et ullamcorper. Morbi at felis dignissim odio malesuada varius et vitae dolor. Ut scelerisque nisi eros, et fermentum nisl bibendum eget. Pellentesque leo ipsum, bibendum sit amet lectus in, imperdiet volutpat justo. Nunc a magna id magna ultricies gravida sit amet laoreet metus. Vestibulum in laoreet nisi. Fusce eget egestas dui. Aenean eget laoreet lorem. Nunc in tristique nisi, eget tempus leo. Aliquam maximus nunc sed rutrum gravida. Ut lobortis

suscipit vehicula. Aenean a massa id metus elementum suscipit sed at enim. Nullam luctus cursus hendrerit.

Vestibulum sed ante scelerisque, ullamcorper sem ac, pretium arcu. Aliquam erat volutpat. Curabitur at egestas nunc, eu aliquet ligula. Phasellus lorem felis, faucibus in dui a, consectetur volutpat elit. Integer bibendum lorem non erat blandit vehicula. Sed dapibus augue quam, eu sagittis velit euismod at. Duis condimentum auctor quam, in suscipit purus hendrerit at. Donec semper nibh vel iaculis rhoncus.

Nulla facilisi. Aliquam interdum posuere commodo. Donec id mi facilisis, faucibus sem a, venenatis mauris. Phasellus pharetra erat eu metus tempus porta. Sed vel augue finibus, commodo ex id, vulputate ligula. Quisque sed lorem eleifend, tristique lectus et, porttitor purus. Praesent ac dolor sit amet odio scelerisque aliquet sodales nec sapien. Morbi suscipit, lorem ac tristique pharetra, quam augue facilisis turpis, luctus gravida ante neque vitae urna. Nunc sem lorem, tincidunt non odio at, tempor volutpat nisi. Morbi vel placerat turpis. Pellentesque consectetur metus eget lacus sollicitudin condimentum. Class aptent taciti sociosqu ad litora torquent per conubia nostra, per inceptos himenaeos. Nunc varius ac nisl vulputate maximus.

In suscipit odio eu interdum finibus. Integer ut est et erat varius lacinia. Nullam consequat tempor ligula, quis commodo augue varius vel. Maecenas est metus, pellentesque ut sollicitudin et, pellentesque at lectus. Donec tincidunt elit orci, eu vestibulum ex rhoncus at. Nulla facilisi. Ut sit amet lobortis magna. Quisque malesuada mi quis consequat auctor. Mauris ut bibendum ante. Nulla nec eros eros. Donec euismod blandit lobortis. Aenean non lacinia odio. Sed consequat est nec faucibus accumsan. Fusce vel nisi ac massa efficitur euismod at sed turpis. Nunc vehicula posuere pharetra.

Sed ultricies est at malesuada pharetra. Donec varius nisl eu diam suscipit, vel interdum leo ultricies. Vestibulum ante

ipsum primis in faucibus orci luctus et ultrices posuere cubilia curae; Nam sed lectus nulla. Mauris congue dapibus quam. Etiam sit amet lobortis velit. Nunc libero nunc, auctor in convallis a, molestie at leo. Cras lacus elit, dignissim sit amet diam eget, ultrices tristique dolor. Etiam quis viverra lectus. Donec semper, dui ut accumsan congue, nulla sapien maximus massa, nec vulputate massa quam ut sapien. Praesent sagittis accumsan tincidunt. Donec porta ligula fermentum ultricies dignissim. Mauris imperdiet, arcu feugiat eleifend laoreet, sem ipsum interdum ligula, eu cursus turpis arcu eget tortor. Fusce a tristique tortor. Sed vel aliquam lectus. Donec laoreet tellus erat, nec facilisis sapien placerat sed.

Mauris pretium malesuada justo, ut luctus tellus commodo mattis. Nullam ornare suscipit ligula a placerat. Donec cursus tellus ultrices ante aliquet, nec iaculis libero lacinia. Praesent quis dolor eget nulla consectetur luctus tristique fermentum ex. Sed accumsan sollicitudin metus at elementum. Phasellus dictum, libero sit amet placerat maximus, nisi ipsum gravida turpis, sed tempor neque nunc sed massa. Nunc blandit posuere augue. Nunc efficitur mollis justo, et aliquam urna faucibus eu. Ut ultricies nunc et enim auctor interdum. Donec luctus massa eu justo fermentum, a tincidunt neque tincidunt. Orci varius natoque penatibus et magnis dis parturient montes, nascetur ridiculus mus. Quisque et ornare lorem. Integer vulputate, risus a porta euismod, mi tortor ultrices mi, eu tincidunt enim odio quis tellus. Aliquam eleifend, est eget maximus facilisis, augue nibh auctor lorem, sed mattis arcu odio luctus est. Proin tellus turpis, mollis quis sodales ut, semper vitae mauris.

Class aptent taciti sociosqu ad litora torquent per conubia nostra, per inceptos himenaeos. Donec vitae finibus sem. Pellentesque ultrices in ex ac scelerisque. Morbi imperdiet hendrerit odio quis laoreet. Cras aliquet est eu nulla porta accumsan. Quisque pulvinar et libero at porta. Quisque

vehicula ipsum mi, vitae pretium lectus ultricies et. In hac habitasse platea dictumst. Praesent rutrum, nisi in tincidunt aliquet, leo dolor fermentum elit, at vulputate quam odio nec felis. Aliquam non orci tincidunt, ultricies purus at, posuere felis.

Sed dapibus nisi sed tortor consectetur fermentum. Sed ex purus, faucibus laoreet diam nec, auctor malesuada risus. Quisque quis sagittis elit. Etiam dapibus diam orci, in sollicitudin massa tincidunt pellentesque. Nullam mattis posuere dignissim. Maecenas feugiat, nisi vel feugiat ornare, neque augue suscipit libero, quis malesuada enim metus a metus. Pellentesque iaculis turpis et odio dictum, ut elementum felis egestas. Fusce ut quam at tortor aliquam lacinia. Class aptent taciti sociosqu ad litora torquent per conubia nostra, per inceptos himenaeos. Ut quis mattis libero. Fusce quis ultricies sem.

Curabitur et magna tempus, faucibus tortor sed, aliquet velit. Fusce sed urna nulla. Mauris in nibh quam. Aliquam sed odio ultricies libero accumsan aliquet et quis justo. Praesent rutrum velit turpis, at consequat risus ullamcorper vel. Nam imperdiet ac magna a faucibus. Aliquam placerat fermentum dapibus. Nam ultricies euismod facilisis. Quisque consequat tincidunt enim eget fringilla. Fusce purus odio, lacinia et laoreet sit amet, ornare in magna. Vivamus a consectetur magna. Phasellus ornare sem luctus, maximus nisi quis, condimentum risus. Etiam ullamcorper sed massa sit amet mollis. Maecenas quis lacus fringilla ex volutpat ornare. Suspendisse lobortis fermentum fringilla. Vestibulum sit amet maximus leo, ac cursus nibh.

Donec iaculis maximus dui quis egestas. Ut gravida, tellus vitae mollis tincidunt, leo mauris ultrices turpis, sed finibus urna quam non tellus. Mauris sollicitudin venenatis neque vel ultricies. Lorem ipsum dolor sit amet, consectetur adipiscing elit. Nunc vestibulum sapien id lacus ullamcorper euismod. Aliquam id rhoncus purus, ac sagittis est. Fusce

finibus sagittis diam, non elementum est. Nulla rutrum eros eget risus mattis, in condimentum erat eleifend. Sed arcu odio, cursus ac tincidunt ac, aliquet sit amet nibh. Fusce aliquam dictum orci. Donec aliquet ultrices nisi.

Donec volutpat tortor nec elementum tincidunt. Cras tempor ultrices mauris vel semper. Phasellus vitae odio dapibus, lobortis massa ac, malesuada ex. Nulla tincidunt at lacus sit amet tincidunt. Maecenas orci nisi, ullamcorper nec condimentum faucibus, consequat non metus. Maecenas ac porttitor elit. Fusce fermentum lorem eget turpis pellentesque pellentesque. Pellentesque habitant morbi tristique senectus et netus et malesuada fames ac turpis egestas. Curabitur interdum, ligula non bibendum blandit, lectus arcu molestie metus, ut dictum nibh lectus vel dolor. Duis laoreet ipsum ac purus consequat, eu ullamcorper mi aliquet.

Donec id dignissim felis, in placerat mi. Integer ut magna faucibus, maximus nulla euismod, semper urna. Nunc quis dui lacinia, facilisis magna ac, pulvinar turpis. Praesent volutpat nibh eu pharetra fringilla. Integer tristique fermentum fringilla. Aenean eu rutrum neque. Nullam lobortis lectus dolor, non volutpat lectus consequat at.

Ut diam elit, blandit quis tortor ac, ultrices varius diam. Nam consequat rhoncus nisi, eget viverra massa. Proin sollicitudin sem quis sodales lobortis. Aliquam vulputate ac sapien id interdum. Curabitur posuere dapibus magna, et imperdiet sem consectetur vitae. In a ornare purus. Donec nulla risus, dapibus vel aliquet vel, imperdiet sit amet sem. Class aptent taciti sociosqu ad litora torquent per conubia nostra, per inceptos himenaeos. Maecenas varius condimentum dapibus. Nulla fringilla, leo ac dignissim porta, eros risus pharetra elit, vitae feugiat erat lectus non dui.

Proin in leo neque. Aenean imperdiet augue sed ex sollicitudin, sed vehicula sapien tempor. Praesent cursus condimentum dictum. Vestibulum eget sapien nec lectus pulvinar vestibulum. Proin accumsan tincidunt lacus, eu rhoncus ante

tempus ullamcorper. Suspendisse feugiat fringilla sagittis. Sed pulvinar dui et malesuada porttitor. Etiam sit amet justo dui. Nam at sem id enim lacinia porta. Curabitur sem dui, facilisis a molestie nec, aliquet eget elit. Vivamus viverra luctus tortor id condimentum. Curabitur ultricies blandit laoreet. Pellentesque vel risus non lacus feugiat gravida a sit amet mi. Ut ut placerat urna. In scelerisque ultricies odio.

Suspendisse vitae est hendrerit, tempor magna et, molestie turpis. Nam nec quam sapien. Vivamus imperdiet in risus ac posuere. Aenean varius rhoncus elementum. Aenean augue quam, euismod id lacus vitae, gravida aliquet felis. In augue turpis, lobortis sit amet augue vel, elementum aliquam risus. Donec viverra iaculis efficitur. Mauris auctor dui risus, ac fermentum magna auctor at. Vestibulum at bibendum enim. Proin venenatis, ex sed tempor consectetur, lectus metus suscipit augue, in rutrum erat est in augue. Praesent pulvinar eu nisl sit amet molestie. Sed at egestas velit. Fusce et molestie eros. Donec sit amet nisl sit amet felis aliquam fermentum eu in ligula. Pellentesque tincidunt, eros non aliquam pharetra, metus erat volutpat metus, a tincidunt dolor mi eget est.

Sed venenatis nunc sed dolor fringilla congue quis a ligula. Aliquam erat volutpat. Proin egestas est ut porttitor vulputate. Phasellus commodo metus vel sem auctor lacinia. Suspendisse tempus lorem justo, id ullamcorper dolor iaculis a. Phasellus quis auctor neque. Phasellus dapibus ut tortor a varius. Integer sit amet iaculis metus. Etiam diam metus, molestie mollis sodales euismod, fringilla vitae ligula. Suspendisse pellentesque ante sem, commodo mattis tortor semper ultrices. Vestibulum nec posuere ex.

Sed vitae velit lacus. Integer eleifend pulvinar dolor. Integer a libero quis sapien ullamcorper scelerisque quis quis eros. Maecenas id ligula ac nisi gravida varius nec in enim. Pellentesque rhoncus porta nunc, iaculis scelerisque metus rhoncus in. Nullam posuere purus id leo gravida, ut

consectetur nisl pulvinar. Cras ultrices hendrerit est nec accumsan. Mauris molestie sapien ut rhoncus malesuada. Mauris pulvinar suscipit luctus.

Quisque nec bibendum orci, at mattis sapien. Sed ut elit condimentum, consectetur quam id, tincidunt turpis. Phasellus nec tortor ex. Pellentesque habitant morbi tristique senectus et netus et malesuada fames ac turpis egestas. Nam maximus purus velit, at volutpat lorem tempus sit amet. Donec iaculis ultricies nulla ut bibendum. Vestibulum ante ipsum primis in faucibus.

CHAPTER 16

*L*orem ipsum dolor sit amet, consectetur adipiscing elit. Vivamus bibendum mi vitae lacus accumsan dignissim. Phasellus condimentum, sapien ut feugiat ullamcorper, neque dui convallis orci, a pulvinar ante dolor a felis. Nunc varius sapien sit amet porttitor rutrum. Vivamus eget semper nibh. Vivamus euismod neque a convallis vehicula. In sagittis porta elit, in dictum massa scelerisque a. Maecenas sit amet pharetra est, in rhoncus ex. Morbi placerat nulla at nisi lobortis sagittis. Suspendisse ligula lorem, pulvinar et tellus ut, iaculis pellentesque orci. Integer tincidunt, elit cursus dignissim tempus, ex diam auctor magna, vitae fringilla massa sapien quis est. Sed sit amet laoreet elit, id hendrerit turpis. Suspendisse suscipit fringilla placerat. Nunc diam erat, posuere sit amet leo id, porta pharetra orci.

Donec bibendum gravida massa id venenatis. In tincidunt lacinia elit bibendum luctus. Duis finibus enim ut enim ultricies, commodo efficitur diam venenatis. Vestibulum pellentesque justo eget purus hendrerit, ac lobortis augue consectetur. Etiam vitae consectetur velit, eget rutrum ipsum. Ut eget ante eu dolor ultricies pulvinar. Etiam

volutpat commodo justo eget dignissim. Donec ac lectus scelerisque, gravida est a, tincidunt sem. Integer volutpat orci quis mi pharetra porta. Etiam at fermentum nisl. Praesent et magna nunc. Mauris justo turpis, bibendum at lectus vitae, ultrices dictum nisi.

Quisque nunc massa, congue sed iaculis a, blandit ac enim. Suspendisse tristique tellus at sollicitudin venenatis. Vivamus vitae ornare tellus. Vestibulum mollis molestie tortor, et aliquam nisi iaculis luctus. Vivamus risus nisl, mattis vel tincidunt ac, posuere tempus tellus. Quisque in turpis neque. Ut iaculis eleifend urna, nec consequat elit egestas vitae. Nunc a massa fringilla, convallis velit at, molestie justo. Donec blandit iaculis tellus. Nam scelerisque vehicula pulvinar. Donec condimentum neque ut quam bibendum placerat.

Nullam viverra sem imperdiet eros pulvinar molestie. Morbi est lectus, vestibulum sed quam eu, scelerisque ultricies augue. Curabitur nisl libero, porttitor ut ipsum sit amet, gravida dignissim lorem. Aliquam vel molestie diam. Aliquam urna ligula, maximus eget purus nec, porttitor malesuada magna. Aenean orci nisi, sagittis sit amet odio et, euismod interdum ligula. Etiam venenatis risus sit amet consequat vehicula. Sed et aliquet ante. Mauris convallis eget ligula id hendrerit. Pellentesque vitae fringilla nibh. Integer interdum, libero non rhoncus consequat, arcu nisi commodo diam, eget facilisis erat sapien et justo. Morbi efficitur sapien nisl, sit amet fringilla neque pretium vel. Ut ex nisl, mattis a tempor a, aliquet eu leo.

Sed fermentum malesuada purus lacinia sollicitudin. Aliquam luctus pharetra molestie. Nunc luctus vehicula justo, quis finibus nunc feugiat vitae. Orci varius natoque penatibus et magnis dis parturient montes, nascetur ridiculus mus. Curabitur et enim vitae neque ornare condimentum. Nullam semper venenatis mauris, ut malesuada justo eleifend non. Duis eleifend pharetra erat, nec pretium nisl placerat sit

amet. Fusce malesuada vestibulum ligula eget iaculis. Mauris maximus porta nisi eget sollicitudin. Donec ultrices tincidunt risus, cursus volutpat quam tincidunt sit amet. Etiam commodo diam id urna imperdiet, vitae luctus dolor condimentum. Proin commodo justo vel orci tempus mollis. Morbi gravida mauris id lorem venenatis, ut tincidunt diam feugiat. Vivamus pretium faucibus urna id laoreet. Etiam et egestas arcu.

Aliquam in enim eu elit dapibus aliquam. Praesent in elit id nibh vulputate interdum. Class aptent taciti sociosqu ad litora torquent per conubia nostra, per inceptos himenaeos. Aliquam id euismod quam. Mauris tellus ligula, congue a quam vitae, scelerisque consequat sapien. Lorem ipsum dolor sit amet, consectetur adipiscing elit. Fusce sed quam rutrum, commodo tellus eu, aliquet justo.

Etiam mattis tristique libero, a aliquam sapien. Maecenas tortor urna, ultrices id elit sed, feugiat volutpat quam. Sed auctor, ligula at ornare maximus, quam mi malesuada urna, a aliquet enim nisl at erat. Ut scelerisque lacus id ipsum mollis, eu sollicitudin libero vehicula. Curabitur condimentum tortor quis sapien scelerisque ornare. Sed porta metus vel eros consectetur mollis. Cras imperdiet, ipsum quis sollici-tudin venenatis, ligula urna molestie tellus, ullamcorper suscipit nibh quam vitae arcu. Etiam at ligula eget mauris blandit lobortis hendrerit at nunc. Quisque vestibulum eleifend porta. Ut at semper nunc. Quisque non accumsan ante. Sed quis placerat sem, ac pharetra erat. Integer posuere orci nisl, quis auctor nisi volutpat non. Donec vulputate, purus ac suscipit congue, lorem neque fringilla justo, id congue leo risus id lacus.

In hac habitasse platea dictumst. Nullam a nisl at urna rutrum blandit in nec ligula. Vestibulum quis massa ut dolor ultrices pulvinar a sit amet dui. Vivamus volutpat dolor a sodales efficitur. Cras laoreet placerat tincidunt. Donec vulputate turpis a ipsum ultrices sollicitudin. Cras sed turpis

et sapien tristique luctus. Nullam in fermentum nisi, eu consequat justo. Morbi enim purus, imperdiet sit amet ipsum in, cursus eleifend mi. Donec porta lectus mi, pellentesque luctus urna pretium sed. Sed aliquam erat nec rhoncus lacinia. Vestibulum viverra pretium sapien nec ultrices. Maecenas finibus luctus erat, in accumsan purus gravida ut. Curabitur venenatis est fringilla rutrum sollicitudin. Nulla efficitur eleifend sem, non egestas elit sodales quis. Fusce ornare sem dolor, eu rutrum magna pretium ac.

Vivamus posuere massa et posuere semper. Pellentesque turpis tortor, bibendum nec porta tristique, venenatis quis ligula. Maecenas bibendum porta turpis, consectetur fringilla sem varius at. Suspendisse potenti. Morbi odio diam, fermentum ac libero sed, porta scelerisque arcu. Sed porttitor sapien turpis, eget pharetra magna scelerisque ut. Phasellus ornare leo in turpis viverra interdum.

Nulla id venenatis enim. Donec placerat dignissim sapien, in rutrum libero iaculis vel. Cras et placerat metus, ut pulvinar leo. Etiam ut cursus ante, nec pellentesque libero. Curabitur vitae lacinia diam. Nunc malesuada tortor sapien, sed aliquet est facilisis sit amet. Nunc scelerisque malesuada accumsan. Nunc nec maximus nisi. Mauris vitae vulputate neque. Mauris ac urna leo. Vestibulum placerat pulvinar sem sed dapibus. Sed nulla augue, elementum eget convallis id, egestas cursus leo. Pellentesque mi lacus, accumsan id mauris nec, malesuada lacinia sapien. Donec tincidunt odio sit amet ligula venenatis, vitae euismod erat rhoncus. Maecenas semper et ligula id ultricies. Nulla fringilla libero felis, sit amet cursus orci accumsan quis.

Sed non purus odio. Duis aliquet justo ligula, placerat maximus odio iaculis vitae. Integer dignissim at ligula vitae porttitor. Sed blandit mauris sed faucibus malesuada. Donec a porta quam. Cras ut tempus mi, auctor maximus neque. Proin at metus mauris. Maecenas fermentum ultrices porttitor. Aliquam eget augue a diam mollis consequat ultrices

condimentum nulla. Vivamus vel felis ullamcorper, tincidunt quam ut, malesuada ligula. Nulla vel lectus lacus. Etiam ut dictum dolor. Duis tempus maximus volutpat. Fusce maximus tincidunt dui, vitae rutrum elit imperdiet et. Sed eget urna mi. Aenean nec metus nisi.

Cras pellentesque justo enim, ac pulvinar nulla ultrices vitae. Vestibulum suscipit consectetur tempor. Pellentesque sed congue libero, in semper sapien. Interdum et malesuada fames ac ante ipsum primis in faucibus. Maecenas vehicula sit amet diam eu congue. Cras pretium, sapien sed posuere laoreet, tortor tortor mollis risus, quis dictum quam risus in metus. Quisque a ligula nisl. Morbi consectetur nisi id libero luctus dictum. Cras at arcu risus. Praesent venenatis dapibus dictum. Praesent molestie quis sem sit amet tincidunt. Vivamus suscipit mauris sed scelerisque pharetra. Aliquam feugiat urna fringilla nunc ornare, sed laoreet quam vehicula. Nullam ac justo sit amet augue consectetur facilisis. Nunc imperdiet dolor dolor.

Sed vitae lacus lacus. Mauris in enim posuere felis sollici-tudin maximus. Sed et ante ac quam tincidunt efficitur. Fusce nisl sem, auctor eget nisl accumsan, tincidunt gravida nulla. Integer scelerisque in eros fermentum semper. Donec sollicitudin a sem eget volutpat. Suspendisse justo neque, aliquam bibendum velit at, malesuada egestas sem. Nulla ac est convallis urna tincidunt pulvinar fermentum non libero. Proin vestibulum, lorem vel euismod vulputate, lacus nisl varius tellus, ut ultrices dolor orci eu turpis. Duis efficitur ut tellus sit amet luctus. Aliquam erat volutpat. Nulla consequat viverra mauris sit amet consectetur. Phasellus laoreet tempus mauris sed varius.

Aliquam a sem dui. Suspendisse potenti. Morbi nec enim non diam vehicula fermentum. Sed porttitor elit non ante molestie, eu aliquet nulla pharetra. Phasellus eros magna, dapibus nec quam id, egestas mattis quam. Vestibulum sed mi ac justo elementum efficitur quis quis enim. Vestibulum

leo leo, condimentum vitae dolor eget, dignissim placerat eros. Maecenas elementum porttitor sollicitudin. Proin convallis posuere scelerisque. Vestibulum lacinia vulputate porta. Pellentesque habitant morbi tristique senectus et netus et malesuada fames ac turpis egestas.

Fusce aliquet metus massa, at elementum justo elementum id. Mauris aliquam justo sed elit dignissim, nec egestas augue condimentum. Proin consequat arcu ut ligula sollicitudin, at elementum est rutrum. Aliquam tristique, odio at vehicula volutpat, nunc sem porttitor lectus, ut fringilla dolor eros in eros. Morbi quis bibendum felis, in porta ligula. Aenean dignissim feugiat purus vitae sagittis. Duis finibus massa felis, at finibus odio sollicitudin eu. Morbi at finibus ligula.

Morbi ante purus, laoreet dignissim enim in, ullamcorper iaculis purus. Nunc malesuada nisl justo. Sed consequat enim id pulvinar convallis. Fusce blandit, sem varius cursus commodo, nisi purus imperdiet odio, eget mollis orci ante a magna. Praesent molestie nunc vel quam mollis porttitor. Integer mi est, pellentesque ut orci eget, ultricies porttitor velit. Integer feugiat, est vel ullamcorper sodales, libero felis sodales ante, nec tincidunt lectus nibh vitae sapien.

Sed arcu tortor, ultrices vitae tortor vel, ornare fermentum mi. Sed finibus nulla quis blandit egestas. Phasellus eu nulla mauris. Pellentesque ultricies libero metus, eu finibus justo mollis quis. Aliquam pharetra lacus ut facilisis vestibulum. Nunc imperdiet a tellus vitae rhoncus. Nulla non ornare felis, eu consectetur risus. Pellentesque a congue ante. In hac habitasse platea dictumst. Phasellus in pellentesque ex. Praesent iaculis orci id velit suscipit, ac laoreet augue venenatis. Proin felis turpis, molestie vitae commodo quis, suscipit nec nunc. Vestibulum in magna orci. Sed at consequat erat, quis lacinia ex.

Suspendisse faucibus, lorem vitae fermentum fermentum, odio purus efficitur enim, eu sollicitudin sapien lectus nec

erat. Vestibulum ante ipsum primis in faucibus orci luctus et ultrices posuere cubilia curae; Lorem ipsum dolor sit amet, consectetur adipiscing elit. Integer aliquam tempor ipsum, in rutrum enim consectetur in. Fusce vel imperdiet purus. Suspendisse quis euismod eros. Ut et ex pellentesque diam posuere faucibus iaculis dignissim orci. Nunc sed nibh mi. Nunc vitae dignissim quam. Morbi dictum est a magna cursus, nec rhoncus sem pellentesque.

Sed dignissim cursus ex. Donec lacinia nisi in neque semper ullamcorper. Praesent non nibh at ante eleifend ultrices non vel magna. Donec congue viverra dolor sed consequat. Donec fermentum nunc ut congue malesuada. In nec nisi felis. Etiam lectus dolor, tincidunt a pharetra eget, placerat vulputate mauris.

Nulla sodales, arcu ullamcorper placerat dignissim, dolor turpis congue nisl, quis fringilla ex massa lacinia enim. In vulputate aliquam augue. Mauris eget imperdiet lectus. Pellentesque habitant morbi tristique senectus et netus et malesuada fames ac turpis egestas. Quisque at augue purus. Donec sit amet tincidunt augue. Nunc ac metus nec urna maximus accumsan.

Quisque bibendum nisl tincidunt nulla tincidunt tempor. Nulla viverra laoreet ex id imperdiet. Proin feugiat, magna interdum dapibus mattis, libero dui fermentum felis, eget luctus ante risus in justo. Aliquam luctus imperdiet nisl, vel porta erat egestas quis. Nulla ullamcorper auctor neque a ullamcorper. Nam aliquet justo a dui aliquam, eu mattis sapien pulvinar. Vivamus neque felis, pellentesque sed lorem non, elementum faucibus eros.

Nunc nulla tellus, sollicitudin sed turpis sit amet, rhoncus feugiat dui. Vivamus id feugiat mauris. Cras consectetur dapibus risus sed suscipit. Aenean porttitor, lorem quis gravida sollicitudin, velit libero elementum erat, quis port-titor tortor neque id dui. Vestibulum sed tempus quam. Maecenas laoreet sapien sed lacus commodo hendrerit. Cras

aliquet, odio id rutrum viverra, enim eros laoreet orci, nec hendrerit nibh nisl quis neque. Donec consequat, ligula a facilisis fringilla, urna odio iaculis nunc, eu convallis felis dolor ut purus. Sed ultricies placerat ante, blandit pharetra orci tincidunt sit amet. Nullam cursus, leo eget porta aliquet, nisl est sagittis nibh, ut placerat elit tellus nec risus. Vivamus cursus nec neque at sollicitudin. Morbi sit amet lacus erat. Duis tempor ipsum sem, in varius sem molestie eget. Phasellus aliquam nibh sed diam viverra, sit amet ornare ex fringilla. Donec ut ipsum laoreet, gravida justo vel, convallis ante. Nullam consequat tortor eu sapien iaculis, nec mattis justo ultricies.

Suspendisse semper massa porttitor molestie laoreet. Proin elementum dui neque, et feugiat libero porta a. In vel condimentum lectus, sit amet bibendum odio. Nunc nec lectus consequat, faucibus leo non, volutpat tortor. Mauris malesuada imperdiet lacus, eget placerat ipsum tempor non. Nunc sit amet purus finibus, consequat lectus et, venenatis magna. Curabitur iaculis vehicula augue. Duis ultrices efficitur metus ac maximus. Suspendisse vehicula ipsum justo. Suspendisse enim velit, facilisis id leo vel, ultricies ultrices lacus.

Donec finibus sodales diam ac sodales. Morbi sollicitudin iaculis neque, vitae fermentum quam. Donec ac urna nunc. Aenean urna orci, suscipit et quam mattis, tristique lobortis augue. Fusce ut sapien convallis, dapibus sem vitae, mattis quam. Etiam risus purus, porttitor eget lobortis sit amet, dictum et velit. Curabitur eget luctus sapien. Class aptent taciti sociosqu ad litora torquent per conubia nostra, per inceptos himenaeos. Nullam efficitur, ante malesuada efficitur aliquet, lorem tellus ornare urna, nec fermentum nunc eros nec purus.

Morbi nec pellentesque quam. Suspendisse quis ex nunc. Etiam in aliquam leo. Etiam volutpat euismod gravida. Aenean ultricies nisl nulla, quis condimentum tellus convallis

eget. Etiam malesuada egestas nisl sed vulputate. Mauris lacinia accumsan ornare. Donec bibendum ex ac gravida pretium. Nunc vitae pellentesque nisi.

Nam egestas imperdiet euismod. Ut id augue condimentum, varius nisl at, gravida nisi. Aliquam convallis velit gravida, dictum quam a, luctus nibh. In justo orci, venenatis eget orci quis, fringilla volutpat arcu. Nulla nec est sed erat ornare vehicula sit amet quis eros. Vestibulum nec magna orci. Donec ut semper massa.

Suspendisse id ex imperdiet, dapibus purus vel, euismod ex. In id nibh quis erat dapibus sollicitudin. Aliquam sit amet elit id purus fringilla tempus et vel diam. Mauris vel nulla volutpat, vehicula tellus et, mattis lorem. Fusce tempus consectetur vulputate. Proin lorem sem, lobortis fringilla consectetur id, aliquam et libero. Duis ultrices, mauris et posuere convallis, lorem risus imperdiet diam, vel ullamcorper quam ipsum sed tellus. Pellentesque quam nulla, suscipit non convallis quis, mollis vitae nisl. Donec elementum turpis non nibh convallis laoreet. Duis ornare sollicitudin blandit. Nunc sodales massa ex, porta euismod nisi molestie sit amet. Integer augue diam, consequat quis libero sed, dapibus dignissim augue. Etiam egestas est et luctus volutpat. In velit neque, bibendum ac finibus eget, tristique sit amet neque. Ut risus sem, lacinia quis hendrerit ut, luctus in neque. Suspendisse cursus mauris id lorem bibendum, a rutrum quam ullamcorper.

Aliquam non ipsum vitae purus congue pulvinar. Donec sodales sit amet elit et ullamcorper. Morbi at felis dignissim odio malesuada varius et vitae dolor. Ut scelerisque nisi eros, et fermentum nisl bibendum eget. Pellentesque leo ipsum, bibendum sit amet lectus in, imperdiet volutpat justo. Nunc a magna id magna ultricies gravida sit amet laoreet metus. Vestibulum in laoreet nisi. Fusce eget egestas dui. Aenean eget laoreet lorem. Nunc in tristique nisi, eget tempus leo. Aliquam maximus nunc sed rutrum gravida. Ut lobortis

suscipit vehicula. Aenean a massa id metus elementum suscipit sed at enim. Nullam luctus cursus hendrerit.

Vestibulum sed ante scelerisque, ullamcorper sem ac, pretium arcu. Aliquam erat volutpat. Curabitur at egestas nunc, eu aliquet ligula. Phasellus lorem felis, faucibus in dui a, consectetur volutpat elit. Integer bibendum lorem non erat blandit vehicula. Sed dapibus augue quam, eu sagittis velit euismod at. Duis condimentum auctor quam, in suscipit purus hendrerit at. Donec semper nibh vel iaculis rhoncus.

Nulla facilisi. Aliquam interdum posuere commodo. Donec id mi facilisis, faucibus sem a, venenatis mauris. Phasellus pharetra erat eu metus tempus porta. Sed vel augue finibus, commodo ex id, vulputate ligula. Quisque sed lorem eleifend, tristique lectus et, porttitor purus. Praesent ac dolor sit amet odio scelerisque aliquet sodales nec sapien. Morbi suscipit, lorem ac tristique pharetra, quam augue facilisis turpis, luctus gravida ante neque vitae urna. Nunc sem lorem, tincidunt non odio at, tempor volutpat nisi. Morbi vel placerat turpis. Pellentesque consectetur metus eget lacus sollicitudin condimentum. Class aptent taciti sociosqu ad litora torquent per conubia nostra, per inceptos himenaeos. Nunc varius ac nisl vulputate maximus.

In suscipit odio eu interdum finibus. Integer ut est et erat varius lacinia. Nullam consequat tempor ligula, quis commodo augue varius vel. Maecenas est metus, pellentesque ut sollicitudin et, pellentesque at lectus. Donec tincidunt elit orci, eu vestibulum ex rhoncus at. Nulla facilisi. Ut sit amet lobortis magna. Quisque malesuada mi quis consequat auctor. Mauris ut bibendum ante. Nulla nec eros eros. Donec euismod blandit lobortis. Aenean non lacinia odio. Sed consequat est nec faucibus accumsan. Fusce vel nisi ac massa efficitur euismod at sed turpis. Nunc vehicula posuere pharetra.

Sed ultricies est at malesuada pharetra. Donec varius nisl eu diam suscipit, vel interdum leo ultricies. Vestibulum ante

ipsum primis in faucibus orci luctus et ultrices posuere cubilia curae; Nam sed lectus nulla. Mauris congue dapibus quam. Etiam sit amet lobortis velit. Nunc libero nunc, auctor in convallis a, molestie at leo. Cras lacus elit, dignissim sit amet diam eget, ultrices tristique dolor. Etiam quis viverra lectus. Donec semper, dui ut accumsan congue, nulla sapien maximus massa, nec vulputate massa quam ut sapien. Praesent sagittis accumsan tincidunt. Donec porta ligula fermentum ultricies dignissim. Mauris imperdiet, arcu feugiat eleifend laoreet, sem ipsum interdum ligula, eu cursus turpis arcu eget tortor. Fusce a tristique tortor. Sed vel aliquam lectus. Donec laoreet tellus erat, nec facilisis sapien placerat sed.

Mauris pretium malesuada justo, ut luctus tellus commodo mattis. Nullam ornare suscipit ligula a placerat. Donec cursus tellus ultrices ante aliquet, nec iaculis libero lacinia. Praesent quis dolor eget nulla consectetur luctus tristique fermentum ex. Sed accumsan sollicitudin metus at elementum. Phasellus dictum, libero sit amet placerat maximus, nisi ipsum gravida turpis, sed tempor neque nunc sed massa. Nunc blandit posuere augue. Nunc efficitur mollis justo, et aliquam urna faucibus eu. Ut ultricies nunc et enim auctor interdum. Donec luctus massa eu justo fermentum, a tincidunt neque tincidunt. Orci varius natoque penatibus et magnis dis parturient montes, nascetur ridiculus mus. Quisque et ornare lorem. Integer vulputate, risus a porta euismod, mi tortor ultrices mi, eu tincidunt enim odio quis tellus. Aliquam eleifend, est eget maximus facilisis, augue nibh auctor lorem, sed mattis arcu odio luctus est. Proin tellus turpis, mollis quis sodales ut, semper vitae mauris.

Class aptent taciti sociosqu ad litora torquent per conubia nostra, per inceptos himenaeos. Donec vitae finibus sem. Pellentesque ultrices in ex ac scelerisque. Morbi imperdiet hendrerit odio quis laoreet. Cras aliquet est eu nulla porta accumsan. Quisque pulvinar et libero at porta. Quisque

vehicula ipsum mi, vitae pretium lectus ultricies et. In hac habitasse platea dictumst. Praesent rutrum, nisi in tincidunt aliquet, leo dolor fermentum elit, at vulputate quam odio nec felis. Aliquam non orci tincidunt, ultricies purus at, posuere felis.

Sed dapibus nisi sed tortor consectetur fermentum. Sed ex purus, faucibus laoreet diam nec, auctor malesuada risus. Quisque quis sagittis elit. Etiam dapibus diam orci, in sollicitudin massa tincidunt pellentesque. Nullam mattis posuere dignissim. Maecenas feugiat, nisi vel feugiat ornare, neque augue suscipit libero, quis malesuada enim metus a metus. Pellentesque iaculis turpis et odio dictum, ut elementum felis egestas. Fusce ut quam at tortor aliquam lacinia. Class aptent taciti sociosqu ad litora torquent per conubia nostra, per inceptos himenaeos. Ut quis mattis libero. Fusce quis ultricies sem.

Curabitur et magna tempus, faucibus tortor sed, aliquet velit. Fusce sed urna nulla. Mauris in nibh quam. Aliquam sed odio ultricies libero accumsan aliquet et quis justo. Praesent rutrum velit turpis, at consequat risus ullamcorper vel. Nam imperdiet ac magna a faucibus. Aliquam placerat fermentum dapibus. Nam ultricies euismod facilisis. Quisque consequat tincidunt enim eget fringilla. Fusce purus odio, lacinia et laoreet sit amet, ornare in magna. Vivamus a consectetur magna. Phasellus ornare sem luctus, maximus nisi quis, condimentum risus. Etiam ullamcorper sed massa sit amet mollis. Maecenas quis lacus fringilla ex volutpat ornare. Suspendisse lobortis fermentum fringilla. Vestibulum sit amet maximus leo, ac cursus nibh.

Donec iaculis maximus dui quis egestas. Ut gravida, tellus vitae mollis tincidunt, leo mauris ultrices turpis, sed finibus urna quam non tellus. Mauris sollicitudin venenatis neque vel ultricies. Lorem ipsum dolor sit amet, consectetur adipiscing elit. Nunc vestibulum sapien id lacus ullamcorper euismod. Aliquam id rhoncus purus, ac sagittis est. Fusce

finibus sagittis diam, non elementum est. Nulla rutrum eros eget risus mattis, in condimentum erat eleifend. Sed arcu odio, cursus ac tincidunt ac, aliquet sit amet nibh. Fusce aliquam dictum orci. Donec aliquet ultrices nisi.

Donec volutpat tortor nec elementum tincidunt. Cras tempor ultrices mauris vel semper. Phasellus vitae odio dapibus, lobortis massa ac, malesuada ex. Nulla tincidunt at lacus sit amet tincidunt. Maecenas orci nisi, ullamcorper nec condimentum faucibus, consequat non metus. Maecenas ac porttitor elit. Fusce fermentum lorem eget turpis pellentesque pellentesque. Pellentesque habitant morbi tristique senectus et netus et malesuada fames ac turpis egestas. Curabitur interdum, ligula non bibendum blandit, lectus arcu molestie metus, ut dictum nibh lectus vel dolor. Duis laoreet ipsum ac purus consequat, eu ullamcorper mi aliquet.

Donec id dignissim felis, in placerat mi. Integer ut magna faucibus, maximus nulla euismod, semper urna. Nunc quis dui lacinia, facilisis magna ac, pulvinar turpis. Praesent volutpat nibh eu pharetra fringilla. Integer tristique fermentum fringilla. Aenean eu rutrum neque. Nullam lobortis lectus dolor, non volutpat lectus consequat at.

Ut diam elit, blandit quis tortor ac, ultrices varius diam. Nam consequat rhoncus nisi, eget viverra massa. Proin sollicitudin sem quis sodales lobortis. Aliquam vulputate ac sapien id interdum. Curabitur posuere dapibus magna, et imperdiet sem consectetur vitae. In a ornare purus. Donec nulla risus, dapibus vel aliquet vel, imperdiet sit amet sem. Class aptent taciti sociosqu ad litora torquent per conubia nostra, per inceptos himenaeos. Maecenas varius condimentum dapibus. Nulla fringilla, leo ac dignissim porta, eros risus pharetra elit, vitae feugiat erat lectus non dui.

Proin in leo neque. Aenean imperdiet augue sed ex sollicitudin, sed vehicula sapien tempor. Praesent cursus condimentum dictum. Vestibulum eget sapien nec lectus pulvinar vestibulum. Proin accumsan tincidunt lacus, eu rhoncus ante

tempus ullamcorper. Suspendisse feugiat fringilla sagittis. Sed pulvinar dui et malesuada porttitor. Etiam sit amet justo dui. Nam at sem id enim lacinia porta. Curabitur sem dui, facilisis a molestie nec, aliquet eget elit. Vivamus viverra luctus tortor id condimentum. Curabitur ultricies blandit laoreet. Pellentesque vel risus non lacus feugiat gravida a sit amet mi. Ut ut placerat urna. In scelerisque ultricies odio.

Suspendisse vitae est hendrerit, tempor magna et, molestie turpis. Nam nec quam sapien. Vivamus imperdiet in risus ac posuere. Aenean varius rhoncus elementum. Aenean augue quam, euismod id lacus vitae, gravida aliquet felis. In augue turpis, lobortis sit amet augue vel, elementum aliquam risus. Donec viverra iaculis efficitur. Mauris auctor dui risus, ac fermentum magna auctor at. Vestibulum at bibendum enim. Proin venenatis, ex sed tempor consectetur, lectus metus suscipit augue, in rutrum erat est in augue. Praesent pulvinar eu nisl sit amet molestie. Sed at egestas velit. Fusce et molestie eros. Donec sit amet nisl sit amet felis aliquam fermentum eu in ligula. Pellentesque tincidunt, eros non aliquam pharetra, metus erat volutpat metus, a tincidunt dolor mi eget est.

Sed venenatis nunc sed dolor fringilla congue quis a ligula. Aliquam erat volutpat. Proin egestas est ut porttitor vulputate. Phasellus commodo metus vel sem auctor lacinia. Suspendisse tempus lorem justo, id ullamcorper dolor iaculis a. Phasellus quis auctor neque. Phasellus dapibus ut tortor a varius. Integer sit amet iaculis metus. Etiam diam metus, molestie mollis sodales euismod, fringilla vitae ligula. Suspendisse pellentesque ante sem, commodo mattis tortor semper ultrices. Vestibulum nec posuere ex.

Sed vitae velit lacus. Integer eleifend pulvinar dolor. Integer a libero quis sapien ullamcorper scelerisque quis quis eros. Maecenas id ligula ac nisi gravida varius nec in enim. Pellentesque rhoncus porta nunc, iaculis scelerisque metus rhoncus in. Nullam posuere purus id leo gravida, ut

consectetur nisl pulvinar. Cras ultrices hendrerit est nec accumsan. Mauris molestie sapien ut rhoncus malesuada. Mauris pulvinar suscipit luctus.

Quisque nec bibendum orci, at mattis sapien. Sed ut elit condimentum, consectetur quam id, tincidunt turpis. Phasellus nec tortor ex. Pellentesque habitant morbi tristique senectus et netus et malesuada fames ac turpis egestas. Nam maximus purus velit, at volutpat lorem tempus sit amet. Donec iaculis ultricies nulla ut bibendum. Vestibulum ante ipsum primis in faucibus.

CHAPTER 17

*L*orem ipsum dolor sit amet, consectetur adipiscing elit. Vivamus bibendum mi vitae lacus accumsan dignissim. Phasellus condimentum, sapien ut feugiat ullamcorper, neque dui convallis orci, a pulvinar ante dolor a felis. Nunc varius sapien sit amet porttitor rutrum. Vivamus eget semper nibh. Vivamus euismod neque a convallis vehicula. In sagittis porta elit, in dictum massa scelerisque a. Maecenas sit amet pharetra est, in rhoncus ex. Morbi placerat nulla at nisi lobortis sagittis. Suspendisse ligula lorem, pulvinar et tellus ut, iaculis pellentesque orci. Integer tincidunt, elit cursus dignissim tempus, ex diam auctor magna, vitae fringilla massa sapien quis est. Sed sit amet laoreet elit, id hendrerit turpis. Suspendisse suscipit fringilla placerat. Nunc diam erat, posuere sit amet leo id, porta pharetra orci.

Donec bibendum gravida massa id venenatis. In tincidunt lacinia elit bibendum luctus. Duis finibus enim ut enim ultricies, commodo efficitur diam venenatis. Vestibulum pellentesque justo eget purus hendrerit, ac lobortis augue consectetur. Etiam vitae consectetur velit, eget rutrum ipsum. Ut eget ante eu dolor ultricies pulvinar. Etiam

volutpat commodo justo eget dignissim. Donec ac lectus scelerisque, gravida est a, tincidunt sem. Integer volutpat orci quis mi pharetra porta. Etiam at fermentum nisl. Praesent et magna nunc. Mauris justo turpis, bibendum at lectus vitae, ultrices dictum nisi.

Quisque nunc massa, congue sed iaculis a, blandit ac enim. Suspendisse tristique tellus at sollicitudin venenatis. Vivamus vitae ornare tellus. Vestibulum mollis molestie tortor, et aliquam nisi iaculis luctus. Vivamus risus nisl, mattis vel tincidunt ac, posuere tempus tellus. Quisque in turpis neque. Ut iaculis eleifend urna, nec consequat elit egestas vitae. Nunc a massa fringilla, convallis velit at, molestie justo. Donec blandit iaculis tellus. Nam scelerisque vehicula pulvinar. Donec condimentum neque ut quam bibendum placerat.

Nullam viverra sem imperdiet eros pulvinar molestie. Morbi est lectus, vestibulum sed quam eu, scelerisque ultricies augue. Curabitur nisl libero, porttitor ut ipsum sit amet, gravida dignissim lorem. Aliquam vel molestie diam. Aliquam urna ligula, maximus eget purus nec, porttitor malesuada magna. Aenean orci nisi, sagittis sit amet odio et, euismod interdum ligula. Etiam venenatis risus sit amet consequat vehicula. Sed et aliquet ante. Mauris convallis eget ligula id hendrerit. Pellentesque vitae fringilla nibh. Integer interdum, libero non rhoncus consequat, arcu nisi commodo diam, eget facilisis erat sapien et justo. Morbi efficitur sapien nisl, sit amet fringilla neque pretium vel. Ut ex nisl, mattis a tempor a, aliquet eu leo.

Sed fermentum malesuada purus lacinia sollicitudin. Aliquam luctus pharetra molestie. Nunc luctus vehicula justo, quis finibus nunc feugiat vitae. Orci varius natoque penatibus et magnis dis parturient montes, nascetur ridiculus mus. Curabitur et enim vitae neque ornare condimentum. Nullam semper venenatis mauris, ut malesuada justo eleifend non. Duis eleifend pharetra erat, nec pretium nisl placerat sit

amet. Fusce malesuada vestibulum ligula eget iaculis. Mauris maximus porta nisi eget sollicitudin. Donec ultrices tincidunt risus, cursus volutpat quam tincidunt sit amet. Etiam commodo diam id urna imperdiet, vitae luctus dolor condimentum. Proin commodo justo vel orci tempus mollis. Morbi gravida mauris id lorem venenatis, ut tincidunt diam feugiat. Vivamus pretium faucibus urna id laoreet. Etiam et egestas arcu.

Aliquam in enim eu elit dapibus aliquam. Praesent in elit id nibh vulputate interdum. Class aptent taciti sociosqu ad litora torquent per conubia nostra, per inceptos himenaeos. Aliquam id euismod quam. Mauris tellus ligula, congue a quam vitae, scelerisque consequat sapien. Lorem ipsum dolor sit amet, consectetur adipiscing elit. Fusce sed quam rutrum, commodo tellus eu, aliquet justo.

Etiam mattis tristique libero, a aliquam sapien. Maecenas tortor urna, ultrices id elit sed, feugiat volutpat quam. Sed auctor, ligula at ornare maximus, quam mi malesuada urna, a aliquet enim nisl at erat. Ut scelerisque lacus id ipsum mollis, eu sollicitudin libero vehicula. Curabitur condimentum tortor quis sapien scelerisque ornare. Sed porta metus vel eros consectetur mollis. Cras imperdiet, ipsum quis sollicitudin venenatis, ligula urna molestie tellus, ullamcorper suscipit nibh quam vitae arcu. Etiam at ligula eget mauris blandit lobortis hendrerit at nunc. Quisque vestibulum eleifend porta. Ut at semper nunc. Quisque non accumsan ante. Sed quis placerat sem, ac pharetra erat. Integer posuere orci nisl, quis auctor nisi volutpat non. Donec vulputate, purus ac suscipit congue, lorem neque fringilla justo, id congue leo risus id lacus.

In hac habitasse platea dictumst. Nullam a nisl at urna rutrum blandit in nec ligula. Vestibulum quis massa ut dolor ultrices pulvinar a sit amet dui. Vivamus volutpat dolor a sodales efficitur. Cras laoreet placerat tincidunt. Donec vulputate turpis a ipsum ultrices sollicitudin. Cras sed turpis

et sapien tristique luctus. Nullam in fermentum nisi, eu consequat justo. Morbi enim purus, imperdiet sit amet ipsum in, cursus eleifend mi. Donec porta lectus mi, pellentesque luctus urna pretium sed. Sed aliquam erat nec rhoncus lacinia. Vestibulum viverra pretium sapien nec ultrices. Maecenas finibus luctus erat, in accumsan purus gravida ut. Curabitur venenatis est fringilla rutrum sollicitudin. Nulla efficitur eleifend sem, non egestas elit sodales quis. Fusce ornare sem dolor, eu rutrum magna pretium ac.

Vivamus posuere massa et posuere semper. Pellentesque turpis tortor, bibendum nec porta tristique, venenatis quis ligula. Maecenas bibendum porta turpis, consectetur fringilla sem varius at. Suspendisse potenti. Morbi odio diam, fermentum ac libero sed, porta scelerisque arcu. Sed porttitor sapien turpis, eget pharetra magna scelerisque ut. Phasellus ornare leo in turpis viverra interdum.

Nulla id venenatis enim. Donec placerat dignissim sapien, in rutrum libero iaculis vel. Cras et placerat metus, ut pulvinar leo. Etiam ut cursus ante, nec pellentesque libero. Curabitur vitae lacinia diam. Nunc malesuada tortor sapien, sed aliquet est facilisis sit amet. Nunc scelerisque malesuada accumsan. Nunc nec maximus nisi. Mauris vitae vulputate neque. Mauris ac urna leo. Vestibulum placerat pulvinar sem sed dapibus. Sed nulla augue, elementum eget convallis id, egestas cursus leo. Pellentesque mi lacus, accumsan id mauris nec, malesuada lacinia sapien. Donec tincidunt odio sit amet ligula venenatis, vitae euismod erat rhoncus. Maecenas semper et ligula id ultricies. Nulla fringilla libero felis, sit amet cursus orci accumsan quis.

Sed non purus odio. Duis aliquet justo ligula, placerat maximus odio iaculis vitae. Integer dignissim at ligula vitae porttitor. Sed blandit mauris sed faucibus malesuada. Donec a porta quam. Cras ut tempus mi, auctor maximus neque. Proin at metus mauris. Maecenas fermentum ultrices porttitor. Aliquam eget augue a diam mollis consequat ultrices

condimentum nulla. Vivamus vel felis ullamcorper, tincidunt quam ut, malesuada ligula. Nulla vel lectus lacus. Etiam ut dictum dolor. Duis tempus maximus volutpat. Fusce maximus tincidunt dui, vitae rutrum elit imperdiet et. Sed eget urna mi. Aenean nec metus nisi.

Cras pellentesque justo enim, ac pulvinar nulla ultrices vitae. Vestibulum suscipit consectetur tempor. Pellentesque sed congue libero, in semper sapien. Interdum et malesuada fames ac ante ipsum primis in faucibus. Maecenas vehicula sit amet diam eu congue. Cras pretium, sapien sed posuere laoreet, tortor tortor mollis risus, quis dictum quam risus in metus. Quisque a ligula nisl. Morbi consectetur nisi id libero luctus dictum. Cras at arcu risus. Praesent venenatis dapibus dictum. Praesent molestie quis sem sit amet tincidunt. Vivamus suscipit mauris sed scelerisque pharetra. Aliquam feugiat urna fringilla nunc ornare, sed laoreet quam vehicula. Nullam ac justo sit amet augue consectetur facilisis. Nunc imperdiet dolor dolor.

Sed vitae lacus lacus. Mauris in enim posuere felis sollici-tudin maximus. Sed et ante ac quam tincidunt efficitur. Fusce nisl sem, auctor eget nisl accumsan, tincidunt gravida nulla. Integer scelerisque in eros fermentum semper. Donec sollicitudin a sem eget volutpat. Suspendisse justo neque, aliquam bibendum velit at, malesuada egestas sem. Nulla ac est convallis urna tincidunt pulvinar fermentum non libero. Proin vestibulum, lorem vel euismod vulputate, lacus nisl varius tellus, ut ultrices dolor orci eu turpis. Duis efficitur ut tellus sit amet luctus. Aliquam erat volutpat. Nulla consequat viverra mauris sit amet consectetur. Phasellus laoreet tempus mauris sed varius.

Aliquam a sem dui. Suspendisse potenti. Morbi nec enim non diam vehicula fermentum. Sed porttitor elit non ante molestie, eu aliquet nulla pharetra. Phasellus eros magna, dapibus nec quam id, egestas mattis quam. Vestibulum sed mi ac justo elementum efficitur quis quis enim. Vestibulum

leo leo, condimentum vitae dolor eget, dignissim placerat eros. Maecenas elementum porttitor sollicitudin. Proin convallis posuere scelerisque. Vestibulum lacinia vulputate porta. Pellentesque habitant morbi tristique senectus et netus et malesuada fames ac turpis egestas.

Fusce aliquet metus massa, at elementum justo elementum id. Mauris aliquam justo sed elit dignissim, nec egestas augue condimentum. Proin consequat arcu ut ligula sollicitudin, at elementum est rutrum. Aliquam tristique, odio at vehicula volutpat, nunc sem porttitor lectus, ut fringilla dolor eros in eros. Morbi quis bibendum felis, in porta ligula. Aenean dignissim feugiat purus vitae sagittis. Duis finibus massa felis, at finibus odio sollicitudin eu. Morbi at finibus ligula.

Morbi ante purus, laoreet dignissim enim in, ullamcorper iaculis purus. Nunc malesuada nisl justo. Sed consequat enim id pulvinar convallis. Fusce blandit, sem varius cursus commodo, nisi purus imperdiet odio, eget mollis orci ante a magna. Praesent molestie nunc vel quam mollis porttitor. Integer mi est, pellentesque ut orci eget, ultricies porttitor velit. Integer feugiat, est vel ullamcorper sodales, libero felis sodales ante, nec tincidunt lectus nibh vitae sapien.

Sed arcu tortor, ultrices vitae tortor vel, ornare fermentum mi. Sed finibus nulla quis blandit egestas. Phasellus eu nulla mauris. Pellentesque ultricies libero metus, eu finibus justo mollis quis. Aliquam pharetra lacus ut facil-isis vestibulum. Nunc imperdiet a tellus vitae rhoncus. Nulla non ornare felis, eu consectetur risus. Pellentesque a congue ante. In hac habitasse platea dictumst. Phasellus in pellen-tesque ex. Praesent iaculis orci id velit suscipit, ac laoreet augue venenatis. Proin felis turpis, molestie vitae commodo quis, suscipit nec nunc. Vestibulum in magna orci. Sed at consequat erat, quis lacinia ex.

Suspendisse faucibus, lorem vitae fermentum fermentum, odio purus efficitur enim, eu sollicitudin sapien lectus nec

erat. Vestibulum ante ipsum primis in faucibus orci luctus et ultrices posuere cubilia curae; Lorem ipsum dolor sit amet, consectetur adipiscing elit. Integer aliquam tempor ipsum, in rutrum enim consectetur in. Fusce vel imperdiet purus. Suspendisse quis euismod eros. Ut et ex pellentesque diam posuere faucibus iaculis dignissim orci. Nunc sed nibh mi. Nunc vitae dignissim quam. Morbi dictum est a magna cursus, nec rhoncus sem pellentesque.

Sed dignissim cursus ex. Donec lacinia nisi in neque semper ullamcorper. Praesent non nibh at ante eleifend ultrices non vel magna. Donec congue viverra dolor sed consequat. Donec fermentum nunc ut congue malesuada. In nec nisi felis. Etiam lectus dolor, tincidunt a pharetra eget, placerat vulputate mauris.

Nulla sodales, arcu ullamcorper placerat dignissim, dolor turpis congue nisl, quis fringilla ex massa lacinia enim. In vulputate aliquam augue. Mauris eget imperdiet lectus. Pellentesque habitant morbi tristique senectus et netus et malesuada fames ac turpis egestas. Quisque at augue purus. Donec sit amet tincidunt augue. Nunc ac metus nec urna maximus accumsan.

Quisque bibendum nisl tincidunt nulla tincidunt tempor. Nulla viverra laoreet ex id imperdiet. Proin feugiat, magna interdum dapibus mattis, libero dui fermentum felis, eget luctus ante risus in justo. Aliquam luctus imperdiet nisl, vel porta erat egestas quis. Nulla ullamcorper auctor neque a ullamcorper. Nam aliquet justo a dui aliquam, eu mattis sapien pulvinar. Vivamus neque felis, pellentesque sed lorem non, elementum faucibus eros.

Nunc nulla tellus, sollicitudin sed turpis sit amet, rhoncus feugiat dui. Vivamus id feugiat mauris. Cras consectetur dapibus risus sed suscipit. Aenean porttitor, lorem quis gravida sollicitudin, velit libero elementum erat, quis port-titor tortor neque id dui. Vestibulum sed tempus quam. Maecenas laoreet sapien sed lacus commodo hendrerit. Cras

aliquet, odio id rutrum viverra, enim eros laoreet orci, nec hendrerit nibh nisl quis neque. Donec consequat, ligula a facilisis fringilla, urna odio iaculis nunc, eu convallis felis dolor ut purus. Sed ultricies placerat ante, blandit pharetra orci tincidunt sit amet. Nullam cursus, leo eget porta aliquet, nisl est sagittis nibh, ut placerat elit tellus nec risus. Vivamus cursus nec neque at sollicitudin. Morbi sit amet lacus erat. Duis tempor ipsum sem, in varius sem molestie eget. Phasellus aliquam nibh sed diam viverra, sit amet ornare ex fringilla. Donec ut ipsum laoreet, gravida justo vel, convallis ante. Nullam consequat tortor eu sapien iaculis, nec mattis justo ultricies.

Suspendisse semper massa porttitor molestie laoreet. Proin elementum dui neque, et feugiat libero porta a. In vel condimentum lectus, sit amet bibendum odio. Nunc nec lectus consequat, faucibus leo non, volutpat tortor. Mauris malesuada imperdiet lacus, eget placerat ipsum tempor non. Nunc sit amet purus finibus, consequat lectus et, venenatis magna. Curabitur iaculis vehicula augue. Duis ultrices efficitur metus ac maximus. Suspendisse vehicula ipsum justo. Suspendisse enim velit, facilisis id leo vel, ultricies ultrices lacus.

Donec finibus sodales diam ac sodales. Morbi sollicitudin iaculis neque, vitae fermentum quam. Donec ac urna nunc. Aenean urna orci, suscipit et quam mattis, tristique lobortis augue. Fusce ut sapien convallis, dapibus sem vitae, mattis quam. Etiam risus purus, porttitor eget lobortis sit amet, dictum et velit. Curabitur eget luctus sapien. Class aptent taciti sociosqu ad litora torquent per conubia nostra, per inceptos himenaeos. Nullam efficitur, ante malesuada efficitur aliquet, lorem tellus ornare urna, nec fermentum nunc eros nec purus.

Morbi nec pellentesque quam. Suspendisse quis ex nunc. Etiam in aliquam leo. Etiam volutpat euismod gravida. Aenean ultricies nisl nulla, quis condimentum tellus convallis

eget. Etiam malesuada egestas nisl sed vulputate. Mauris lacinia accumsan ornare. Donec bibendum ex ac gravida pretium. Nunc vitae pellentesque nisi.

Nam egestas imperdiet euismod. Ut id augue condimentum, varius nisl at, gravida nisi. Aliquam convallis velit gravida, dictum quam a, luctus nibh. In justo orci, venenatis eget orci quis, fringilla volutpat arcu. Nulla nec est sed erat ornare vehicula sit amet quis eros. Vestibulum nec magna orci. Donec ut semper massa.

Suspendisse id ex imperdiet, dapibus purus vel, euismod ex. In id nibh quis erat dapibus sollicitudin. Aliquam sit amet elit id purus fringilla tempus et vel diam. Mauris vel nulla volutpat, vehicula tellus et, mattis lorem. Fusce tempus consectetur vulputate. Proin lorem sem, lobortis fringilla consectetur id, aliquam et libero. Duis ultrices, mauris et posuere convallis, lorem risus imperdiet diam, vel ullamcorper quam ipsum sed tellus. Pellentesque quam nulla, suscipit non convallis quis, mollis vitae nisl. Donec elementum turpis non nibh convallis laoreet. Duis ornare sollicitudin blandit. Nunc sodales massa ex, porta euismod nisi molestie sit amet. Integer augue diam, consequat quis libero sed, dapibus dignissim augue. Etiam egestas est et luctus volutpat. In velit neque, bibendum ac finibus eget, tristique sit amet neque. Ut risus sem, lacinia quis hendrerit ut, luctus in neque. Suspendisse cursus mauris id lorem bibendum, a rutrum quam ullamcorper.

Aliquam non ipsum vitae purus congue pulvinar. Donec sodales sit amet elit et ullamcorper. Morbi at felis dignissim odio malesuada varius et vitae dolor. Ut scelerisque nisi eros, et fermentum nisl bibendum eget. Pellentesque leo ipsum, bibendum sit amet lectus in, imperdiet volutpat justo. Nunc a magna id magna ultricies gravida sit amet laoreet metus. Vestibulum in laoreet nisi. Fusce eget egestas dui. Aenean eget laoreet lorem. Nunc in tristique nisi, eget tempus leo. Aliquam maximus nunc sed rutrum gravida. Ut lobortis

suscipit vehicula. Aenean a massa id metus elementum suscipit sed at enim. Nullam luctus cursus hendrerit.

Vestibulum sed ante scelerisque, ullamcorper sem ac, pretium arcu. Aliquam erat volutpat. Curabitur at egestas nunc, eu aliquet ligula. Phasellus lorem felis, faucibus in dui a, consectetur volutpat elit. Integer bibendum lorem non erat blandit vehicula. Sed dapibus augue quam, eu sagittis velit euismod at. Duis condimentum auctor quam, in suscipit purus hendrerit at. Donec semper nibh vel iaculis rhoncus.

Nulla facilisi. Aliquam interdum posuere commodo. Donec id mi facilisis, faucibus sem a, venenatis mauris. Phasellus pharetra erat eu metus tempus porta. Sed vel augue finibus, commodo ex id, vulputate ligula. Quisque sed lorem eleifend, tristique lectus et, porttitor purus. Praesent ac dolor sit amet odio scelerisque aliquet sodales nec sapien. Morbi suscipit, lorem ac tristique pharetra, quam augue facilisis turpis, luctus gravida ante neque vitae urna. Nunc sem lorem, tincidunt non odio at, tempor volutpat nisi. Morbi vel placerat turpis. Pellentesque consectetur metus eget lacus sollicitudin condimentum. Class aptent taciti sociosqu ad litora torquent per conubia nostra, per inceptos himenaeos. Nunc varius ac nisl vulputate maximus.

In suscipit odio eu interdum finibus. Integer ut est et erat varius lacinia. Nullam consequat tempor ligula, quis commodo augue varius vel. Maecenas est metus, pellentesque ut sollicitudin et, pellentesque at lectus. Donec tincidunt elit orci, eu vestibulum ex rhoncus at. Nulla facilisi. Ut sit amet lobortis magna. Quisque malesuada mi quis consequat auctor. Mauris ut bibendum ante. Nulla nec eros eros. Donec euismod blandit lobortis. Aenean non lacinia odio. Sed consequat est nec faucibus accumsan. Fusce vel nisi ac massa efficitur euismod at sed turpis. Nunc vehicula posuere pharetra.

Sed ultricies est at malesuada pharetra. Donec varius nisl eu diam suscipit, vel interdum leo ultricies. Vestibulum ante

ipsum primis in faucibus orci luctus et ultrices posuere cubilia curae; Nam sed lectus nulla. Mauris congue dapibus quam. Etiam sit amet lobortis velit. Nunc libero nunc, auctor in convallis a, molestie at leo. Cras lacus elit, dignissim sit amet diam eget, ultrices tristique dolor. Etiam quis viverra lectus. Donec semper, dui ut accumsan congue, nulla sapien maximus massa, nec vulputate massa quam ut sapien. Praesent sagittis accumsan tincidunt. Donec porta ligula fermentum ultricies dignissim. Mauris imperdiet, arcu feugiat eleifend laoreet, sem ipsum interdum ligula, eu cursus turpis arcu eget tortor. Fusce a tristique tortor. Sed vel aliquam lectus. Donec laoreet tellus erat, nec facilisis sapien placerat sed.

Mauris pretium malesuada justo, ut luctus tellus commodo mattis. Nullam ornare suscipit ligula a placerat. Donec cursus tellus ultrices ante aliquet, nec iaculis libero lacinia. Praesent quis dolor eget nulla consectetur luctus tristique fermentum ex. Sed accumsan sollicitudin metus at elementum. Phasellus dictum, libero sit amet placerat maximus, nisi ipsum gravida turpis, sed tempor neque nunc sed massa. Nunc blandit posuere augue. Nunc efficitur mollis justo, et aliquam urna faucibus eu. Ut ultricies nunc et enim auctor interdum. Donec luctus massa eu justo fermentum, a tincidunt neque tincidunt. Orci varius natoque penatibus et magnis dis parturient montes, nascetur ridiculus mus. Quisque et ornare lorem. Integer vulputate, risus a porta euismod, mi tortor ultrices mi, eu tincidunt enim odio quis tellus. Aliquam eleifend, est eget maximus facilisis, augue nibh auctor lorem, sed mattis arcu odio luctus est. Proin tellus turpis, mollis quis sodales ut, semper vitae mauris.

Class aptent taciti sociosqu ad litora torquent per conubia nostra, per inceptos himenaeos. Donec vitae finibus sem. Pellentesque ultrices in ex ac scelerisque. Morbi imperdiet hendrerit odio quis laoreet. Cras aliquet est eu nulla porta accumsan. Quisque pulvinar et libero at porta. Quisque

vehicula ipsum mi, vitae pretium lectus ultricies et. In hac habitasse platea dictumst. Praesent rutrum, nisi in tincidunt aliquet, leo dolor fermentum elit, at vulputate quam odio nec felis. Aliquam non orci tincidunt, ultricies purus at, posuere felis.

Sed dapibus nisi sed tortor consectetur fermentum. Sed ex purus, faucibus laoreet diam nec, auctor malesuada risus. Quisque quis sagittis elit. Etiam dapibus diam orci, in sollicitudin massa tincidunt pellentesque. Nullam mattis posuere dignissim. Maecenas feugiat, nisi vel feugiat ornare, neque augue suscipit libero, quis malesuada enim metus a metus. Pellentesque iaculis turpis et odio dictum, ut elementum felis egestas. Fusce ut quam at tortor aliquam lacinia. Class aptent taciti sociosqu ad litora torquent per conubia nostra, per inceptos himenaeos. Ut quis mattis libero. Fusce quis ultricies sem.

Curabitur et magna tempus, faucibus tortor sed, aliquet velit. Fusce sed urna nulla. Mauris in nibh quam. Aliquam sed odio ultricies libero accumsan aliquet et quis justo. Praesent rutrum velit turpis, at consequat risus ullamcorper vel. Nam imperdiet ac magna a faucibus. Aliquam placerat fermentum dapibus. Nam ultricies euismod facilisis. Quisque consequat tincidunt enim eget fringilla. Fusce purus odio, lacinia et laoreet sit amet, ornare in magna. Vivamus a consectetur magna. Phasellus ornare sem luctus, maximus nisi quis, condimentum risus. Etiam ullamcorper sed massa sit amet mollis. Maecenas quis lacus fringilla ex volutpat ornare. Suspendisse lobortis fermentum fringilla. Vestibulum sit amet maximus leo, ac cursus nibh.

Donec iaculis maximus dui quis egestas. Ut gravida, tellus vitae mollis tincidunt, leo mauris ultrices turpis, sed finibus urna quam non tellus. Mauris sollicitudin venenatis neque vel ultricies. Lorem ipsum dolor sit amet, consectetur adipiscing elit. Nunc vestibulum sapien id lacus ullamcorper euismod. Aliquam id rhoncus purus, ac sagittis est. Fusce

finibus sagittis diam, non elementum est. Nulla rutrum eros eget risus mattis, in condimentum erat eleifend. Sed arcu odio, cursus ac tincidunt ac, aliquet sit amet nibh. Fusce aliquam dictum orci. Donec aliquet ultrices nisi.

Donec volutpat tortor nec elementum tincidunt. Cras tempor ultrices mauris vel semper. Phasellus vitae odio dapibus, lobortis massa ac, malesuada ex. Nulla tincidunt at lacus sit amet tincidunt. Maecenas orci nisi, ullamcorper nec condimentum faucibus, consequat non metus. Maecenas ac porttitor elit. Fusce fermentum lorem eget turpis pellentesque pellentesque. Pellentesque habitant morbi tristique senectus et netus et malesuada fames ac turpis egestas. Curabitur interdum, ligula non bibendum blandit, lectus arcu molestie metus, ut dictum nibh lectus vel dolor. Duis laoreet ipsum ac purus consequat, eu ullamcorper mi aliquet.

Donec id dignissim felis, in placerat mi. Integer ut magna faucibus, maximus nulla euismod, semper urna. Nunc quis dui lacinia, facilisis magna ac, pulvinar turpis. Praesent volutpat nibh eu pharetra fringilla. Integer tristique fermentum fringilla. Aenean eu rutrum neque. Nullam lobortis lectus dolor, non volutpat lectus consequat at.

Ut diam elit, blandit quis tortor ac, ultrices varius diam. Nam consequat rhoncus nisi, eget viverra massa. Proin sollicitudin sem quis sodales lobortis. Aliquam vulputate ac sapien id interdum. Curabitur posuere dapibus magna, et imperdiet sem consectetur vitae. In a ornare purus. Donec nulla risus, dapibus vel aliquet vel, imperdiet sit amet sem. Class aptent taciti sociosqu ad litora torquent per conubia nostra, per inceptos himenaeos. Maecenas varius condimentum dapibus. Nulla fringilla, leo ac dignissim porta, eros risus pharetra elit, vitae feugiat erat lectus non dui.

Proin in leo neque. Aenean imperdiet augue sed ex sollicitudin, sed vehicula sapien tempor. Praesent cursus condimentum dictum. Vestibulum eget sapien nec lectus pulvinar vestibulum. Proin accumsan tincidunt lacus, eu rhoncus ante

tempus ullamcorper. Suspendisse feugiat fringilla sagittis. Sed pulvinar dui et malesuada porttitor. Etiam sit amet justo dui. Nam at sem id enim lacinia porta. Curabitur sem dui, facilisis a molestie nec, aliquet eget elit. Vivamus viverra luctus tortor id condimentum. Curabitur ultricies blandit laoreet. Pellentesque vel risus non lacus feugiat gravida a sit amet mi. Ut ut placerat urna. In scelerisque ultricies odio.

Suspendisse vitae est hendrerit, tempor magna et, molestie turpis. Nam nec quam sapien. Vivamus imperdiet in risus ac posuere. Aenean varius rhoncus elementum. Aenean augue quam, euismod id lacus vitae, gravida aliquet felis. In augue turpis, lobortis sit amet augue vel, elementum aliquam risus. Donec viverra iaculis efficitur. Mauris auctor dui risus, ac fermentum magna auctor at. Vestibulum at bibendum enim. Proin venenatis, ex sed tempor consectetur, lectus metus suscipit augue, in rutrum erat est in augue. Praesent pulvinar eu nisl sit amet molestie. Sed at egestas velit. Fusce et molestie eros. Donec sit amet nisl sit amet felis aliquam fermentum eu in ligula. Pellentesque tincidunt, eros non aliquam pharetra, metus erat volutpat metus, a tincidunt dolor mi eget est.

Sed venenatis nunc sed dolor fringilla congue quis a ligula. Aliquam erat volutpat. Proin egestas est ut porttitor vulputate. Phasellus commodo metus vel sem auctor lacinia. Suspendisse tempus lorem justo, id ullamcorper dolor iaculis a. Phasellus quis auctor neque. Phasellus dapibus ut tortor a varius. Integer sit amet iaculis metus. Etiam diam metus, molestie mollis sodales euismod, fringilla vitae ligula. Suspendisse pellentesque ante sem, commodo mattis tortor semper ultrices. Vestibulum nec posuere ex.

Sed vitae velit lacus. Integer eleifend pulvinar dolor. Integer a libero quis sapien ullamcorper scelerisque quis quis eros. Maecenas id ligula ac nisi gravida varius nec in enim. Pellentesque rhoncus porta nunc, iaculis scelerisque metus rhoncus in. Nullam posuere purus id leo gravida, ut

consectetur nisl pulvinar. Cras ultrices hendrerit est nec accumsan. Mauris molestie sapien ut rhoncus malesuada. Mauris pulvinar suscipit luctus.

Quisque nec bibendum orci, at mattis sapien. Sed ut elit condimentum, consectetur quam id, tincidunt turpis. Phasellus nec tortor ex. Pellentesque habitant morbi tristique senectus et netus et malesuada fames ac turpis egestas. Nam maximus purus velit, at volutpat lorem tempus sit amet. Donec iaculis ultricies nulla ut bibendum. Vestibulum ante ipsum primis in faucibus.

CHAPTER 18

*L*orem ipsum dolor sit amet, consectetur adipiscing elit. Vivamus bibendum mi vitae lacus accumsan dignissim. Phasellus condimentum, sapien ut feugiat ullamcorper, neque dui convallis orci, a pulvinar ante dolor a felis. Nunc varius sapien sit amet porttitor rutrum. Vivamus eget semper nibh. Vivamus euismod neque a convallis vehicula. In sagittis porta elit, in dictum massa scelerisque a. Maecenas sit amet pharetra est, in rhoncus ex. Morbi placerat nulla at nisi lobortis sagittis. Suspendisse ligula lorem, pulvinar et tellus ut, iaculis pellentesque orci. Integer tincidunt, elit cursus dignissim tempus, ex diam auctor magna, vitae fringilla massa sapien quis est. Sed sit amet laoreet elit, id hendrerit turpis. Suspendisse suscipit fringilla placerat. Nunc diam erat, posuere sit amet leo id, porta pharetra orci.

Donec bibendum gravida massa id venenatis. In tincidunt lacinia elit bibendum luctus. Duis finibus enim ut enim ultricies, commodo efficitur diam venenatis. Vestibulum pellentesque justo eget purus hendrerit, ac lobortis augue consectetur. Etiam vitae consectetur velit, eget rutrum ipsum. Ut eget ante eu dolor ultricies pulvinar. Etiam

volutpat commodo justo eget dignissim. Donec ac lectus scelerisque, gravida est a, tincidunt sem. Integer volutpat orci quis mi pharetra porta. Etiam at fermentum nisl. Praesent et magna nunc. Mauris justo turpis, bibendum at lectus vitae, ultrices dictum nisi.

Quisque nunc massa, congue sed iaculis a, blandit ac enim. Suspendisse tristique tellus at sollicitudin venenatis. Vivamus vitae ornare tellus. Vestibulum mollis molestie tortor, et aliquam nisi iaculis luctus. Vivamus risus nisl, mattis vel tincidunt ac, posuere tempus tellus. Quisque in turpis neque. Ut iaculis eleifend urna, nec consequat elit egestas vitae. Nunc a massa fringilla, convallis velit at, molestie justo. Donec blandit iaculis tellus. Nam scelerisque vehicula pulvinar. Donec condimentum neque ut quam bibendum placerat.

Nullam viverra sem imperdiet eros pulvinar molestie. Morbi est lectus, vestibulum sed quam eu, scelerisque ultricies augue. Curabitur nisl libero, porttitor ut ipsum sit amet, gravida dignissim lorem. Aliquam vel molestie diam. Aliquam urna ligula, maximus eget purus nec, porttitor malesuada magna. Aenean orci nisi, sagittis sit amet odio et, euismod interdum ligula. Etiam venenatis risus sit amet consequat vehicula. Sed et aliquet ante. Mauris convallis eget ligula id hendrerit. Pellentesque vitae fringilla nibh. Integer interdum, libero non rhoncus consequat, arcu nisi commodo diam, eget facilisis erat sapien et justo. Morbi efficitur sapien nisl, sit amet fringilla neque pretium vel. Ut ex nisl, mattis a tempor a, aliquet eu leo.

Sed fermentum malesuada purus lacinia sollicitudin. Aliquam luctus pharetra molestie. Nunc luctus vehicula justo, quis finibus nunc feugiat vitae. Orci varius natoque penatibus et magnis dis parturient montes, nascetur ridiculus mus. Curabitur et enim vitae neque ornare condimentum. Nullam semper venenatis mauris, ut malesuada justo eleifend non. Duis eleifend pharetra erat, nec pretium nisl placerat sit

amet. Fusce malesuada vestibulum ligula eget iaculis. Mauris maximus porta nisi eget sollicitudin. Donec ultrices tincidunt risus, cursus volutpat quam tincidunt sit amet. Etiam commodo diam id urna imperdiet, vitae luctus dolor condimentum. Proin commodo justo vel orci tempus mollis. Morbi gravida mauris id lorem venenatis, ut tincidunt diam feugiat. Vivamus pretium faucibus urna id laoreet. Etiam et egestas arcu.

Aliquam in enim eu elit dapibus aliquam. Praesent in elit id nibh vulputate interdum. Class aptent taciti sociosqu ad litora torquent per conubia nostra, per inceptos himenaeos. Aliquam id euismod quam. Mauris tellus ligula, congue a quam vitae, scelerisque consequat sapien. Lorem ipsum dolor sit amet, consectetur adipiscing elit. Fusce sed quam rutrum, commodo tellus eu, aliquet justo.

Etiam mattis tristique libero, a aliquam sapien. Maecenas tortor urna, ultrices id elit sed, feugiat volutpat quam. Sed auctor, ligula at ornare maximus, quam mi malesuada urna, a aliquet enim nisl at erat. Ut scelerisque lacus id ipsum mollis, eu sollicitudin libero vehicula. Curabitur condimentum tortor quis sapien scelerisque ornare. Sed porta metus vel eros consectetur mollis. Cras imperdiet, ipsum quis sollici-tudin venenatis, ligula urna molestie tellus, ullamcorper suscipit nibh quam vitae arcu. Etiam at ligula eget mauris blandit lobortis hendrerit at nunc. Quisque vestibulum eleifend porta. Ut at semper nunc. Quisque non accumsan ante. Sed quis placerat sem, ac pharetra erat. Integer posuere orci nisl, quis auctor nisi volutpat non. Donec vulputate, purus ac suscipit congue, lorem neque fringilla justo, id congue leo risus id lacus.

In hac habitasse platea dictumst. Nullam a nisl at urna rutrum blandit in nec ligula. Vestibulum quis massa ut dolor ultrices pulvinar a sit amet dui. Vivamus volutpat dolor a sodales efficitur. Cras laoreet placerat tincidunt. Donec vulputate turpis a ipsum ultrices sollicitudin. Cras sed turpis

et sapien tristique luctus. Nullam in fermentum nisi, eu consequat justo. Morbi enim purus, imperdiet sit amet ipsum in, cursus eleifend mi. Donec porta lectus mi, pellentesque luctus urna pretium sed. Sed aliquam erat nec rhoncus lacinia. Vestibulum viverra pretium sapien nec ultrices. Maecenas finibus luctus erat, in accumsan purus gravida ut. Curabitur venenatis est fringilla rutrum sollicitudin. Nulla efficitur eleifend sem, non egestas elit sodales quis. Fusce ornare sem dolor, eu rutrum magna pretium ac.

Vivamus posuere massa et posuere semper. Pellentesque turpis tortor, bibendum nec porta tristique, venenatis quis ligula. Maecenas bibendum porta turpis, consectetur fringilla sem varius at. Suspendisse potenti. Morbi odio diam, fermentum ac libero sed, porta scelerisque arcu. Sed porttitor sapien turpis, eget pharetra magna scelerisque ut. Phasellus ornare leo in turpis viverra interdum.

Nulla id venenatis enim. Donec placerat dignissim sapien, in rutrum libero iaculis vel. Cras et placerat metus, ut pulvinar leo. Etiam ut cursus ante, nec pellentesque libero. Curabitur vitae lacinia diam. Nunc malesuada tortor sapien, sed aliquet est facilisis sit amet. Nunc scelerisque malesuada accumsan. Nunc nec maximus nisi. Mauris vitae vulputate neque. Mauris ac urna leo. Vestibulum placerat pulvinar sem sed dapibus. Sed nulla augue, elementum eget convallis id, egestas cursus leo. Pellentesque mi lacus, accumsan id mauris nec, malesuada lacinia sapien. Donec tincidunt odio sit amet ligula venenatis, vitae euismod erat rhoncus. Maecenas semper et ligula id ultricies. Nulla fringilla libero felis, sit amet cursus orci accumsan quis.

Sed non purus odio. Duis aliquet justo ligula, placerat maximus odio iaculis vitae. Integer dignissim at ligula vitae porttitor. Sed blandit mauris sed faucibus malesuada. Donec a porta quam. Cras ut tempus mi, auctor maximus neque. Proin at metus mauris. Maecenas fermentum ultrices porttitor. Aliquam eget augue a diam mollis consequat ultrices

condimentum nulla. Vivamus vel felis ullamcorper, tincidunt quam ut, malesuada ligula. Nulla vel lectus lacus. Etiam ut dictum dolor. Duis tempus maximus volutpat. Fusce maximus tincidunt dui, vitae rutrum elit imperdiet et. Sed eget urna mi. Aenean nec metus nisi.

Cras pellentesque justo enim, ac pulvinar nulla ultrices vitae. Vestibulum suscipit consectetur tempor. Pellentesque sed congue libero, in semper sapien. Interdum et malesuada fames ac ante ipsum primis in faucibus. Maecenas vehicula sit amet diam eu congue. Cras pretium, sapien sed posuere laoreet, tortor tortor mollis risus, quis dictum quam risus in metus. Quisque a ligula nisl. Morbi consectetur nisi id libero luctus dictum. Cras at arcu risus. Praesent venenatis dapibus dictum. Praesent molestie quis sem sit amet tincidunt. Vivamus suscipit mauris sed scelerisque pharetra. Aliquam feugiat urna fringilla nunc ornare, sed laoreet quam vehicula. Nullam ac justo sit amet augue consectetur facilisis. Nunc imperdiet dolor dolor.

Sed vitae lacus lacus. Mauris in enim posuere felis sollicitudin maximus. Sed et ante ac quam tincidunt efficitur. Fusce nisl sem, auctor eget nisl accumsan, tincidunt gravida nulla. Integer scelerisque in eros fermentum semper. Donec sollicitudin a sem eget volutpat. Suspendisse justo neque, aliquam bibendum velit at, malesuada egestas sem. Nulla ac est convallis urna tincidunt pulvinar fermentum non libero. Proin vestibulum, lorem vel euismod vulputate, lacus nisl varius tellus, ut ultrices dolor orci eu turpis. Duis efficitur ut tellus sit amet luctus. Aliquam erat volutpat. Nulla consequat viverra mauris sit amet consectetur. Phasellus laoreet tempus mauris sed varius.

Aliquam a sem dui. Suspendisse potenti. Morbi nec enim non diam vehicula fermentum. Sed porttitor elit non ante molestie, eu aliquet nulla pharetra. Phasellus eros magna, dapibus nec quam id, egestas mattis quam. Vestibulum sed mi ac justo elementum efficitur quis quis enim. Vestibulum

leo leo, condimentum vitae dolor eget, dignissim placerat eros. Maecenas elementum porttitor sollicitudin. Proin convallis posuere scelerisque. Vestibulum lacinia vulputate porta. Pellentesque habitant morbi tristique senectus et netus et malesuada fames ac turpis egestas.

Fusce aliquet metus massa, at elementum justo elementum id. Mauris aliquam justo sed elit dignissim, nec egestas augue condimentum. Proin consequat arcu ut ligula sollicitudin, at elementum est rutrum. Aliquam tristique, odio at vehicula volutpat, nunc sem porttitor lectus, ut fringilla dolor eros in eros. Morbi quis bibendum felis, in porta ligula. Aenean dignissim feugiat purus vitae sagittis. Duis finibus massa felis, at finibus odio sollicitudin eu. Morbi at finibus ligula.

Morbi ante purus, laoreet dignissim enim in, ullamcorper iaculis purus. Nunc malesuada nisl justo. Sed consequat enim id pulvinar convallis. Fusce blandit, sem varius cursus commodo, nisi purus imperdiet odio, eget mollis orci ante a magna. Praesent molestie nunc vel quam mollis porttitor. Integer mi est, pellentesque ut orci eget, ultricies porttitor velit. Integer feugiat, est vel ullamcorper sodales, libero felis sodales ante, nec tincidunt lectus nibh vitae sapien.

Sed arcu tortor, ultrices vitae tortor vel, ornare fermentum mi. Sed finibus nulla quis blandit egestas. Phasellus eu nulla mauris. Pellentesque ultricies libero metus, eu finibus justo mollis quis. Aliquam pharetra lacus ut facilisis vestibulum. Nunc imperdiet a tellus vitae rhoncus. Nulla non ornare felis, eu consectetur risus. Pellentesque a congue ante. In hac habitasse platea dictumst. Phasellus in pellentesque ex. Praesent iaculis orci id velit suscipit, ac laoreet augue venenatis. Proin felis turpis, molestie vitae commodo quis, suscipit nec nunc. Vestibulum in magna orci. Sed at consequat erat, quis lacinia ex.

Suspendisse faucibus, lorem vitae fermentum fermentum, odio purus efficitur enim, eu sollicitudin sapien lectus nec

erat. Vestibulum ante ipsum primis in faucibus orci luctus et ultrices posuere cubilia curae; Lorem ipsum dolor sit amet, consectetur adipiscing elit. Integer aliquam tempor ipsum, in rutrum enim consectetur in. Fusce vel imperdiet purus. Suspendisse quis euismod eros. Ut et ex pellentesque diam posuere faucibus iaculis dignissim orci. Nunc sed nibh mi. Nunc vitae dignissim quam. Morbi dictum est a magna cursus, nec rhoncus sem pellentesque.

Sed dignissim cursus ex. Donec lacinia nisi in neque semper ullamcorper. Praesent non nibh at ante eleifend ultrices non vel magna. Donec congue viverra dolor sed consequat. Donec fermentum nunc ut congue malesuada. In nec nisi felis. Etiam lectus dolor, tincidunt a pharetra eget, placerat vulputate mauris.

Nulla sodales, arcu ullamcorper placerat dignissim, dolor turpis congue nisl, quis fringilla ex massa lacinia enim. In vulputate aliquam augue. Mauris eget imperdiet lectus. Pellentesque habitant morbi tristique senectus et netus et malesuada fames ac turpis egestas. Quisque at augue purus. Donec sit amet tincidunt augue. Nunc ac metus nec urna maximus accumsan.

Quisque bibendum nisl tincidunt nulla tincidunt tempor. Nulla viverra laoreet ex id imperdiet. Proin feugiat, magna interdum dapibus mattis, libero dui fermentum felis, eget luctus ante risus in justo. Aliquam luctus imperdiet nisl, vel porta erat egestas quis. Nulla ullamcorper auctor neque a ullamcorper. Nam aliquet justo a dui aliquam, eu mattis sapien pulvinar. Vivamus neque felis, pellentesque sed lorem non, elementum faucibus eros.

Nunc nulla tellus, sollicitudin sed turpis sit amet, rhoncus feugiat dui. Vivamus id feugiat mauris. Cras consectetur dapibus risus sed suscipit. Aenean porttitor, lorem quis gravida sollicitudin, velit libero elementum erat, quis porttitor tortor neque id dui. Vestibulum sed tempus quam. Maecenas laoreet sapien sed lacus commodo hendrerit. Cras

aliquet, odio id rutrum viverra, enim eros laoreet orci, nec hendrerit nibh nisl quis neque. Donec consequat, ligula a facilisis fringilla, urna odio iaculis nunc, eu convallis felis dolor ut purus. Sed ultricies placerat ante, blandit pharetra orci tincidunt sit amet. Nullam cursus, leo eget porta aliquet, nisl est sagittis nibh, ut placerat elit tellus nec risus. Vivamus cursus nec neque at sollicitudin. Morbi sit amet lacus erat. Duis tempor ipsum sem, in varius sem molestie eget. Phasellus aliquam nibh sed diam viverra, sit amet ornare ex fringilla. Donec ut ipsum laoreet, gravida justo vel, convallis ante. Nullam consequat tortor eu sapien iaculis, nec mattis justo ultricies.

Suspendisse semper massa porttitor molestie laoreet. Proin elementum dui neque, et feugiat libero porta a. In vel condimentum lectus, sit amet bibendum odio. Nunc nec lectus consequat, faucibus leo non, volutpat tortor. Mauris malesuada imperdiet lacus, eget placerat ipsum tempor non. Nunc sit amet purus finibus, consequat lectus et, venenatis magna. Curabitur iaculis vehicula augue. Duis ultrices efficitur metus ac maximus. Suspendisse vehicula ipsum justo. Suspendisse enim velit, facilisis id leo vel, ultricies ultrices lacus.

Donec finibus sodales diam ac sodales. Morbi sollicitudin iaculis neque, vitae fermentum quam. Donec ac urna nunc. Aenean urna orci, suscipit et quam mattis, tristique lobortis augue. Fusce ut sapien convallis, dapibus sem vitae, mattis quam. Etiam risus purus, porttitor eget lobortis sit amet, dictum et velit. Curabitur eget luctus sapien. Class aptent taciti sociosqu ad litora torquent per conubia nostra, per inceptos himenaeos. Nullam efficitur, ante malesuada efficitur aliquet, lorem tellus ornare urna, nec fermentum nunc eros nec purus.

Morbi nec pellentesque quam. Suspendisse quis ex nunc. Etiam in aliquam leo. Etiam volutpat euismod gravida. Aenean ultricies nisl nulla, quis condimentum tellus convallis

eget. Etiam malesuada egestas nisl sed vulputate. Mauris lacinia accumsan ornare. Donec bibendum ex ac gravida pretium. Nunc vitae pellentesque nisi.

Nam egestas imperdiet euismod. Ut id augue condimentum, varius nisl at, gravida nisi. Aliquam convallis velit gravida, dictum quam a, luctus nibh. In justo orci, venenatis eget orci quis, fringilla volutpat arcu. Nulla nec est sed erat ornare vehicula sit amet quis eros. Vestibulum nec magna orci. Donec ut semper massa.

Suspendisse id ex imperdiet, dapibus purus vel, euismod ex. In id nibh quis erat dapibus sollicitudin. Aliquam sit amet elit id purus fringilla tempus et vel diam. Mauris vel nulla volutpat, vehicula tellus et, mattis lorem. Fusce tempus consectetur vulputate. Proin lorem sem, lobortis fringilla consectetur id, aliquam et libero. Duis ultrices, mauris et posuere convallis, lorem risus imperdiet diam, vel ullamcorper quam ipsum sed tellus. Pellentesque quam nulla, suscipit non convallis quis, mollis vitae nisl. Donec elementum turpis non nibh convallis laoreet. Duis ornare sollicitudin blandit. Nunc sodales massa ex, porta euismod nisi molestie sit amet. Integer augue diam, consequat quis libero sed, dapibus dignissim augue. Etiam egestas est et luctus volutpat. In velit neque, bibendum ac finibus eget, tristique sit amet neque. Ut risus sem, lacinia quis hendrerit ut, luctus in neque. Suspendisse cursus mauris id lorem bibendum, a rutrum quam ullamcorper.

Aliquam non ipsum vitae purus congue pulvinar. Donec sodales sit amet elit et ullamcorper. Morbi at felis dignissim odio malesuada varius et vitae dolor. Ut scelerisque nisi eros, et fermentum nisl bibendum eget. Pellentesque leo ipsum, bibendum sit amet lectus in, imperdiet volutpat justo. Nunc a magna id magna ultricies gravida sit amet laoreet metus. Vestibulum in laoreet nisi. Fusce eget egestas dui. Aenean eget laoreet lorem. Nunc in tristique nisi, eget tempus leo. Aliquam maximus nunc sed rutrum gravida. Ut lobortis

suscipit vehicula. Aenean a massa id metus elementum suscipit sed at enim. Nullam luctus cursus hendrerit.

Vestibulum sed ante scelerisque, ullamcorper sem ac, pretium arcu. Aliquam erat volutpat. Curabitur at egestas nunc, eu aliquet ligula. Phasellus lorem felis, faucibus in dui a, consectetur volutpat elit. Integer bibendum lorem non erat blandit vehicula. Sed dapibus augue quam, eu sagittis velit euismod at. Duis condimentum auctor quam, in suscipit purus hendrerit at. Donec semper nibh vel iaculis rhoncus.

Nulla facilisi. Aliquam interdum posuere commodo. Donec id mi facilisis, faucibus sem a, venenatis mauris. Phasellus pharetra erat eu metus tempus porta. Sed vel augue finibus, commodo ex id, vulputate ligula. Quisque sed lorem eleifend, tristique lectus et, porttitor purus. Praesent ac dolor sit amet odio scelerisque aliquet sodales nec sapien. Morbi suscipit, lorem ac tristique pharetra, quam augue facilisis turpis, luctus gravida ante neque vitae urna. Nunc sem lorem, tincidunt non odio at, tempor volutpat nisi. Morbi vel placerat turpis. Pellentesque consectetur metus eget lacus sollicitudin condimentum. Class aptent taciti sociosqu ad litora torquent per conubia nostra, per inceptos himenaeos. Nunc varius ac nisl vulputate maximus.

In suscipit odio eu interdum finibus. Integer ut est et erat varius lacinia. Nullam consequat tempor ligula, quis commodo augue varius vel. Maecenas est metus, pellentesque ut sollicitudin et, pellentesque at lectus. Donec tincidunt elit orci, eu vestibulum ex rhoncus at. Nulla facilisi. Ut sit amet lobortis magna. Quisque malesuada mi quis consequat auctor. Mauris ut bibendum ante. Nulla nec eros eros. Donec euismod blandit lobortis. Aenean non lacinia odio. Sed consequat est nec faucibus accumsan. Fusce vel nisi ac massa efficitur euismod at sed turpis. Nunc vehicula posuere pharetra.

Sed ultricies est at malesuada pharetra. Donec varius nisl eu diam suscipit, vel interdum leo ultricies. Vestibulum ante

ipsum primis in faucibus orci luctus et ultrices posuere cubilia curae; Nam sed lectus nulla. Mauris congue dapibus quam. Etiam sit amet lobortis velit. Nunc libero nunc, auctor in convallis a, molestie at leo. Cras lacus elit, dignissim sit amet diam eget, ultrices tristique dolor. Etiam quis viverra lectus. Donec semper, dui ut accumsan congue, nulla sapien maximus massa, nec vulputate massa quam ut sapien. Praesent sagittis accumsan tincidunt. Donec porta ligula fermentum ultricies dignissim. Mauris imperdiet, arcu feugiat eleifend laoreet, sem ipsum interdum ligula, eu cursus turpis arcu eget tortor. Fusce a tristique tortor. Sed vel aliquam lectus. Donec laoreet tellus erat, nec facilisis sapien placerat sed.

Mauris pretium malesuada justo, ut luctus tellus commodo mattis. Nullam ornare suscipit ligula a placerat. Donec cursus tellus ultrices ante aliquet, nec iaculis libero lacinia. Praesent quis dolor eget nulla consectetur luctus tristique fermentum ex. Sed accumsan sollicitudin metus at elementum. Phasellus dictum, libero sit amet placerat maximus, nisi ipsum gravida turpis, sed tempor neque nunc sed massa. Nunc blandit posuere augue. Nunc efficitur mollis justo, et aliquam urna faucibus eu. Ut ultricies nunc et enim auctor interdum. Donec luctus massa eu justo fermentum, a tincidunt neque tincidunt. Orci varius natoque penatibus et magnis dis parturient montes, nascetur ridiculus mus. Quisque et ornare lorem. Integer vulputate, risus a porta euismod, mi tortor ultrices mi, eu tincidunt enim odio quis tellus. Aliquam eleifend, est eget maximus facilisis, augue nibh auctor lorem, sed mattis arcu odio luctus est. Proin tellus turpis, mollis quis sodales ut, semper vitae mauris.

Class aptent taciti sociosqu ad litora torquent per conubia nostra, per inceptos himenaeos. Donec vitae finibus sem. Pellentesque ultrices in ex ac scelerisque. Morbi imperdiet hendrerit odio quis laoreet. Cras aliquet est eu nulla porta accumsan. Quisque pulvinar et libero at porta. Quisque

vehicula ipsum mi, vitae pretium lectus ultricies et. In hac habitasse platea dictumst. Praesent rutrum, nisi in tincidunt aliquet, leo dolor fermentum elit, at vulputate quam odio nec felis. Aliquam non orci tincidunt, ultricies purus at, posuere felis.

Sed dapibus nisi sed tortor consectetur fermentum. Sed ex purus, faucibus laoreet diam nec, auctor malesuada risus. Quisque quis sagittis elit. Etiam dapibus diam orci, in sollicitudin massa tincidunt pellentesque. Nullam mattis posuere dignissim. Maecenas feugiat, nisi vel feugiat ornare, neque augue suscipit libero, quis malesuada enim metus a metus. Pellentesque iaculis turpis et odio dictum, ut elementum felis egestas. Fusce ut quam at tortor aliquam lacinia. Class aptent taciti sociosqu ad litora torquent per conubia nostra, per inceptos himenaeos. Ut quis mattis libero. Fusce quis ultricies sem.

Curabitur et magna tempus, faucibus tortor sed, aliquet velit. Fusce sed urna nulla. Mauris in nibh quam. Aliquam sed odio ultricies libero accumsan aliquet et quis justo. Praesent rutrum velit turpis, at consequat risus ullamcorper vel. Nam imperdiet ac magna a faucibus. Aliquam placerat fermentum dapibus. Nam ultricies euismod facilisis. Quisque consequat tincidunt enim eget fringilla. Fusce purus odio, lacinia et laoreet sit amet, ornare in magna. Vivamus a consectetur magna. Phasellus ornare sem luctus, maximus nisi quis, condimentum risus. Etiam ullamcorper sed massa sit amet mollis. Maecenas quis lacus fringilla ex volutpat ornare. Suspendisse lobortis fermentum fringilla. Vestibulum sit amet maximus leo, ac cursus nibh.

Donec iaculis maximus dui quis egestas. Ut gravida, tellus vitae mollis tincidunt, leo mauris ultrices turpis, sed finibus urna quam non tellus. Mauris sollicitudin venenatis neque vel ultricies. Lorem ipsum dolor sit amet, consectetur adipiscing elit. Nunc vestibulum sapien id lacus ullamcorper euismod. Aliquam id rhoncus purus, ac sagittis est. Fusce

finibus sagittis diam, non elementum est. Nulla rutrum eros eget risus mattis, in condimentum erat eleifend. Sed arcu odio, cursus ac tincidunt ac, aliquet sit amet nibh. Fusce aliquam dictum orci. Donec aliquet ultrices nisi.

Donec volutpat tortor nec elementum tincidunt. Cras tempor ultrices mauris vel semper. Phasellus vitae odio dapibus, lobortis massa ac, malesuada ex. Nulla tincidunt at lacus sit amet tincidunt. Maecenas orci nisi, ullamcorper nec condimentum faucibus, consequat non metus. Maecenas ac porttitor elit. Fusce fermentum lorem eget turpis pellentesque pellentesque. Pellentesque habitant morbi tristique senectus et netus et malesuada fames ac turpis egestas. Curabitur interdum, ligula non bibendum blandit, lectus arcu molestie metus, ut dictum nibh lectus vel dolor. Duis laoreet ipsum ac purus consequat, eu ullamcorper mi aliquet.

Donec id dignissim felis, in placerat mi. Integer ut magna faucibus, maximus nulla euismod, semper urna. Nunc quis dui lacinia, facilisis magna ac, pulvinar turpis. Praesent volutpat nibh eu pharetra fringilla. Integer tristique fermentum fringilla. Aenean eu rutrum neque. Nullam lobortis lectus dolor, non volutpat lectus consequat at.

Ut diam elit, blandit quis tortor ac, ultrices varius diam. Nam consequat rhoncus nisi, eget viverra massa. Proin sollicitudin sem quis sodales lobortis. Aliquam vulputate ac sapien id interdum. Curabitur posuere dapibus magna, et imperdiet sem consectetur vitae. In a ornare purus. Donec nulla risus, dapibus vel aliquet vel, imperdiet sit amet sem. Class aptent taciti sociosqu ad litora torquent per conubia nostra, per inceptos himenaeos. Maecenas varius condimentum dapibus. Nulla fringilla, leo ac dignissim porta, eros risus pharetra elit, vitae feugiat erat lectus non dui.

Proin in leo neque. Aenean imperdiet augue sed ex sollicitudin, sed vehicula sapien tempor. Praesent cursus condimentum dictum. Vestibulum eget sapien nec lectus pulvinar vestibulum. Proin accumsan tincidunt lacus, eu rhoncus ante

tempus ullamcorper. Suspendisse feugiat fringilla sagittis. Sed pulvinar dui et malesuada porttitor. Etiam sit amet justo dui. Nam at sem id enim lacinia porta. Curabitur sem dui, facilisis a molestie nec, aliquet eget elit. Vivamus viverra luctus tortor id condimentum. Curabitur ultricies blandit laoreet. Pellentesque vel risus non lacus feugiat gravida a sit amet mi. Ut ut placerat urna. In scelerisque ultricies odio.

Suspendisse vitae est hendrerit, tempor magna et, molestie turpis. Nam nec quam sapien. Vivamus imperdiet in risus ac posuere. Aenean varius rhoncus elementum. Aenean augue quam, euismod id lacus vitae, gravida aliquet felis. In augue turpis, lobortis sit amet augue vel, elementum aliquam risus. Donec viverra iaculis efficitur. Mauris auctor dui risus, ac fermentum magna auctor at. Vestibulum at bibendum enim. Proin venenatis, ex sed tempor consectetur, lectus metus suscipit augue, in rutrum erat est in augue. Praesent pulvinar eu nisl sit amet molestie. Sed at egestas velit. Fusce et molestie eros. Donec sit amet nisl sit amet felis aliquam fermentum eu in ligula. Pellentesque tincidunt, eros non aliquam pharetra, metus erat volutpat metus, a tincidunt dolor mi eget est.

Sed venenatis nunc sed dolor fringilla congue quis a ligula. Aliquam erat volutpat. Proin egestas est ut porttitor vulputate. Phasellus commodo metus vel sem auctor lacinia. Suspendisse tempus lorem justo, id ullamcorper dolor iaculis a. Phasellus quis auctor neque. Phasellus dapibus ut tortor a varius. Integer sit amet iaculis metus. Etiam diam metus, molestie mollis sodales euismod, fringilla vitae ligula. Suspendisse pellentesque ante sem, commodo mattis tortor semper ultrices. Vestibulum nec posuere ex.

Sed vitae velit lacus. Integer eleifend pulvinar dolor. Integer a libero quis sapien ullamcorper scelerisque quis quis eros. Maecenas id ligula ac nisi gravida varius nec in enim. Pellentesque rhoncus porta nunc, iaculis scelerisque metus rhoncus in. Nullam posuere purus id leo gravida, ut

consectetur nisl pulvinar. Cras ultrices hendrerit est nec accumsan. Mauris molestie sapien ut rhoncus malesuada. Mauris pulvinar suscipit luctus.

Quisque nec bibendum orci, at mattis sapien. Sed ut elit condimentum, consectetur quam id, tincidunt turpis. Phasellus nec tortor ex. Pellentesque habitant morbi tristique senectus et netus et malesuada fames ac turpis egestas. Nam maximus purus velit, at volutpat lorem tempus sit amet. Donec iaculis ultricies nulla ut bibendum. Vestibulum ante ipsum primis in faucibus.

CHAPTER 19

*L*orem ipsum dolor sit amet, consectetur adipiscing elit. Vivamus bibendum mi vitae lacus accumsan dignissim. Phasellus condimentum, sapien ut feugiat ullamcorper, neque dui convallis orci, a pulvinar ante dolor a felis. Nunc varius sapien sit amet porttitor rutrum. Vivamus eget semper nibh. Vivamus euismod neque a convallis vehicula. In sagittis porta elit, in dictum massa scelerisque a. Maecenas sit amet pharetra est, in rhoncus ex. Morbi placerat nulla at nisi lobortis sagittis. Suspendisse ligula lorem, pulvinar et tellus ut, iaculis pellentesque orci. Integer tincidunt, elit cursus dignissim tempus, ex diam auctor magna, vitae fringilla massa sapien quis est. Sed sit amet laoreet elit, id hendrerit turpis. Suspendisse suscipit fringilla placerat. Nunc diam erat, posuere sit amet leo id, porta pharetra orci.

Donec bibendum gravida massa id venenatis. In tincidunt lacinia elit bibendum luctus. Duis finibus enim ut enim ultricies, commodo efficitur diam venenatis. Vestibulum pellentesque justo eget purus hendrerit, ac lobortis augue consectetur. Etiam vitae consectetur velit, eget rutrum ipsum. Ut eget ante eu dolor ultricies pulvinar. Etiam

volutpat commodo justo eget dignissim. Donec ac lectus scelerisque, gravida est a, tincidunt sem. Integer volutpat orci quis mi pharetra porta. Etiam at fermentum nisl. Praesent et magna nunc. Mauris justo turpis, bibendum at lectus vitae, ultrices dictum nisi.

Quisque nunc massa, congue sed iaculis a, blandit ac enim. Suspendisse tristique tellus at sollicitudin venenatis. Vivamus vitae ornare tellus. Vestibulum mollis molestie tortor, et aliquam nisi iaculis luctus. Vivamus risus nisl, mattis vel tincidunt ac, posuere tempus tellus. Quisque in turpis neque. Ut iaculis eleifend urna, nec consequat elit egestas vitae. Nunc a massa fringilla, convallis velit at, molestie justo. Donec blandit iaculis tellus. Nam scelerisque vehicula pulvinar. Donec condimentum neque ut quam bibendum placerat.

Nullam viverra sem imperdiet eros pulvinar molestie. Morbi est lectus, vestibulum sed quam eu, scelerisque ultricies augue. Curabitur nisl libero, porttitor ut ipsum sit amet, gravida dignissim lorem. Aliquam vel molestie diam. Aliquam urna ligula, maximus eget purus nec, porttitor malesuada magna. Aenean orci nisi, sagittis sit amet odio et, euismod interdum ligula. Etiam venenatis risus sit amet consequat vehicula. Sed et aliquet ante. Mauris convallis eget ligula id hendrerit. Pellentesque vitae fringilla nibh. Integer interdum, libero non rhoncus consequat, arcu nisi commodo diam, eget facilisis erat sapien et justo. Morbi efficitur sapien nisl, sit amet fringilla neque pretium vel. Ut ex nisl, mattis a tempor a, aliquet eu leo.

Sed fermentum malesuada purus lacinia sollicitudin. Aliquam luctus pharetra molestie. Nunc luctus vehicula justo, quis finibus nunc feugiat vitae. Orci varius natoque penatibus et magnis dis parturient montes, nascetur ridiculus mus. Curabitur et enim vitae neque ornare condimentum. Nullam semper venenatis mauris, ut malesuada justo eleifend non. Duis eleifend pharetra erat, nec pretium nisl placerat sit

amet. Fusce malesuada vestibulum ligula eget iaculis. Mauris maximus porta nisi eget sollicitudin. Donec ultrices tincidunt risus, cursus volutpat quam tincidunt sit amet. Etiam commodo diam id urna imperdiet, vitae luctus dolor condimentum. Proin commodo justo vel orci tempus mollis. Morbi gravida mauris id lorem venenatis, ut tincidunt diam feugiat. Vivamus pretium faucibus urna id laoreet. Etiam et egestas arcu.

Aliquam in enim eu elit dapibus aliquam. Praesent in elit id nibh vulputate interdum. Class aptent taciti sociosqu ad litora torquent per conubia nostra, per inceptos himenaeos. Aliquam id euismod quam. Mauris tellus ligula, congue a quam vitae, scelerisque consequat sapien. Lorem ipsum dolor sit amet, consectetur adipiscing elit. Fusce sed quam rutrum, commodo tellus eu, aliquet justo.

Etiam mattis tristique libero, a aliquam sapien. Maecenas tortor urna, ultrices id elit sed, feugiat volutpat quam. Sed auctor, ligula at ornare maximus, quam mi malesuada urna, a aliquet enim nisl at erat. Ut scelerisque lacus id ipsum mollis, eu sollicitudin libero vehicula. Curabitur condimentum tortor quis sapien scelerisque ornare. Sed porta metus vel eros consectetur mollis. Cras imperdiet, ipsum quis sollicitudin venenatis, ligula urna molestie tellus, ullamcorper suscipit nibh quam vitae arcu. Etiam at ligula eget mauris blandit lobortis hendrerit at nunc. Quisque vestibulum eleifend porta. Ut at semper nunc. Quisque non accumsan ante. Sed quis placerat sem, ac pharetra erat. Integer posuere orci nisl, quis auctor nisi volutpat non. Donec vulputate, purus ac suscipit congue, lorem neque fringilla justo, id congue leo risus id lacus.

In hac habitasse platea dictumst. Nullam a nisl at urna rutrum blandit in nec ligula. Vestibulum quis massa ut dolor ultrices pulvinar a sit amet dui. Vivamus volutpat dolor a sodales efficitur. Cras laoreet placerat tincidunt. Donec vulputate turpis a ipsum ultrices sollicitudin. Cras sed turpis

et sapien tristique luctus. Nullam in fermentum nisi, eu consequat justo. Morbi enim purus, imperdiet sit amet ipsum in, cursus eleifend mi. Donec porta lectus mi, pellentesque luctus urna pretium sed. Sed aliquam erat nec rhoncus lacinia. Vestibulum viverra pretium sapien nec ultrices. Maecenas finibus luctus erat, in accumsan purus gravida ut. Curabitur venenatis est fringilla rutrum sollicitudin. Nulla efficitur eleifend sem, non egestas elit sodales quis. Fusce ornare sem dolor, eu rutrum magna pretium ac.

Vivamus posuere massa et posuere semper. Pellentesque turpis tortor, bibendum nec porta tristique, venenatis quis ligula. Maecenas bibendum porta turpis, consectetur fringilla sem varius at. Suspendisse potenti. Morbi odio diam, fermentum ac libero sed, porta scelerisque arcu. Sed porttitor sapien turpis, eget pharetra magna scelerisque ut. Phasellus ornare leo in turpis viverra interdum.

Nulla id venenatis enim. Donec placerat dignissim sapien, in rutrum libero iaculis vel. Cras et placerat metus, ut pulvinar leo. Etiam ut cursus ante, nec pellentesque libero. Curabitur vitae lacinia diam. Nunc malesuada tortor sapien, sed aliquet est facilisis sit amet. Nunc scelerisque malesuada accumsan. Nunc nec maximus nisi. Mauris vitae vulputate neque. Mauris ac urna leo. Vestibulum placerat pulvinar sem sed dapibus. Sed nulla augue, elementum eget convallis id, egestas cursus leo. Pellentesque mi lacus, accumsan id mauris nec, malesuada lacinia sapien. Donec tincidunt odio sit amet ligula venenatis, vitae euismod erat rhoncus. Maecenas semper et ligula id ultricies. Nulla fringilla libero felis, sit amet cursus orci accumsan quis.

Sed non purus odio. Duis aliquet justo ligula, placerat maximus odio iaculis vitae. Integer dignissim at ligula vitae porttitor. Sed blandit mauris sed faucibus malesuada. Donec a porta quam. Cras ut tempus mi, auctor maximus neque. Proin at metus mauris. Maecenas fermentum ultrices porttitor. Aliquam eget augue a diam mollis consequat ultrices

condimentum nulla. Vivamus vel felis ullamcorper, tincidunt quam ut, malesuada ligula. Nulla vel lectus lacus. Etiam ut dictum dolor. Duis tempus maximus volutpat. Fusce maximus tincidunt dui, vitae rutrum elit imperdiet et. Sed eget urna mi. Aenean nec metus nisi.

Cras pellentesque justo enim, ac pulvinar nulla ultrices vitae. Vestibulum suscipit consectetur tempor. Pellentesque sed congue libero, in semper sapien. Interdum et malesuada fames ac ante ipsum primis in faucibus. Maecenas vehicula sit amet diam eu congue. Cras pretium, sapien sed posuere laoreet, tortor tortor mollis risus, quis dictum quam risus in metus. Quisque a ligula nisl. Morbi consectetur nisi id libero luctus dictum. Cras at arcu risus. Praesent venenatis dapibus dictum. Praesent molestie quis sem sit amet tincidunt. Vivamus suscipit mauris sed scelerisque pharetra. Aliquam feugiat urna fringilla nunc ornare, sed laoreet quam vehicula. Nullam ac justo sit amet augue consectetur facilisis. Nunc imperdiet dolor dolor.

Sed vitae lacus lacus. Mauris in enim posuere felis sollicitudin maximus. Sed et ante ac quam tincidunt efficitur. Fusce nisl sem, auctor eget nisl accumsan, tincidunt gravida nulla. Integer scelerisque in eros fermentum semper. Donec sollicitudin a sem eget volutpat. Suspendisse justo neque, aliquam bibendum velit at, malesuada egestas sem. Nulla ac est convallis urna tincidunt pulvinar fermentum non libero. Proin vestibulum, lorem vel euismod vulputate, lacus nisl varius tellus, ut ultrices dolor orci eu turpis. Duis efficitur ut tellus sit amet luctus. Aliquam erat volutpat. Nulla consequat viverra mauris sit amet consectetur. Phasellus laoreet tempus mauris sed varius.

Aliquam a sem dui. Suspendisse potenti. Morbi nec enim non diam vehicula fermentum. Sed porttitor elit non ante molestie, eu aliquet nulla pharetra. Phasellus eros magna, dapibus nec quam id, egestas mattis quam. Vestibulum sed mi ac justo elementum efficitur quis quis enim. Vestibulum

leo leo, condimentum vitae dolor eget, dignissim placerat eros. Maecenas elementum porttitor sollicitudin. Proin convallis posuere scelerisque. Vestibulum lacinia vulputate porta. Pellentesque habitant morbi tristique senectus et netus et malesuada fames ac turpis egestas.

Fusce aliquet metus massa, at elementum justo elementum id. Mauris aliquam justo sed elit dignissim, nec egestas augue condimentum. Proin consequat arcu ut ligula sollicitudin, at elementum est rutrum. Aliquam tristique, odio at vehicula volutpat, nunc sem porttitor lectus, ut fringilla dolor eros in eros. Morbi quis bibendum felis, in porta ligula. Aenean dignissim feugiat purus vitae sagittis. Duis finibus massa felis, at finibus odio sollicitudin eu. Morbi at finibus ligula.

Morbi ante purus, laoreet dignissim enim in, ullamcorper iaculis purus. Nunc malesuada nisl justo. Sed consequat enim id pulvinar convallis. Fusce blandit, sem varius cursus commodo, nisi purus imperdiet odio, eget mollis orci ante a magna. Praesent molestie nunc vel quam mollis porttitor. Integer mi est, pellentesque ut orci eget, ultricies porttitor velit. Integer feugiat, est vel ullamcorper sodales, libero felis sodales ante, nec tincidunt lectus nibh vitae sapien.

Sed arcu tortor, ultrices vitae tortor vel, ornare fermentum mi. Sed finibus nulla quis blandit egestas. Phasellus eu nulla mauris. Pellentesque ultricies libero metus, eu finibus justo mollis quis. Aliquam pharetra lacus ut facilisis vestibulum. Nunc imperdiet a tellus vitae rhoncus. Nulla non ornare felis, eu consectetur risus. Pellentesque a congue ante. In hac habitasse platea dictumst. Phasellus in pellentesque ex. Praesent iaculis orci id velit suscipit, ac laoreet augue venenatis. Proin felis turpis, molestie vitae commodo quis, suscipit nec nunc. Vestibulum in magna orci. Sed at consequat erat, quis lacinia ex.

Suspendisse faucibus, lorem vitae fermentum fermentum, odio purus efficitur enim, eu sollicitudin sapien lectus nec

erat. Vestibulum ante ipsum primis in faucibus orci luctus et ultrices posuere cubilia curae; Lorem ipsum dolor sit amet, consectetur adipiscing elit. Integer aliquam tempor ipsum, in rutrum enim consectetur in. Fusce vel imperdiet purus. Suspendisse quis euismod eros. Ut et ex pellentesque diam posuere faucibus iaculis dignissim orci. Nunc sed nibh mi. Nunc vitae dignissim quam. Morbi dictum est a magna cursus, nec rhoncus sem pellentesque.

Sed dignissim cursus ex. Donec lacinia nisi in neque semper ullamcorper. Praesent non nibh at ante eleifend ultrices non vel magna. Donec congue viverra dolor sed consequat. Donec fermentum nunc ut congue malesuada. In nec nisi felis. Etiam lectus dolor, tincidunt a pharetra eget, placerat vulputate mauris.

Nulla sodales, arcu ullamcorper placerat dignissim, dolor turpis congue nisl, quis fringilla ex massa lacinia enim. In vulputate aliquam augue. Mauris eget imperdiet lectus. Pellentesque habitant morbi tristique senectus et netus et malesuada fames ac turpis egestas. Quisque at augue purus. Donec sit amet tincidunt augue. Nunc ac metus nec urna maximus accumsan.

Quisque bibendum nisl tincidunt nulla tincidunt tempor. Nulla viverra laoreet ex id imperdiet. Proin feugiat, magna interdum dapibus mattis, libero dui fermentum felis, eget luctus ante risus in justo. Aliquam luctus imperdiet nisl, vel porta erat egestas quis. Nulla ullamcorper auctor neque a ullamcorper. Nam aliquet justo a dui aliquam, eu mattis sapien pulvinar. Vivamus neque felis, pellentesque sed lorem non, elementum faucibus eros.

Nunc nulla tellus, sollicitudin sed turpis sit amet, rhoncus feugiat dui. Vivamus id feugiat mauris. Cras consectetur dapibus risus sed suscipit. Aenean porttitor, lorem quis gravida sollicitudin, velit libero elementum erat, quis porttitor tortor neque id dui. Vestibulum sed tempus quam. Maecenas laoreet sapien sed lacus commodo hendrerit. Cras

aliquet, odio id rutrum viverra, enim eros laoreet orci, nec hendrerit nibh nisl quis neque. Donec consequat, ligula a facilisis fringilla, urna odio iaculis nunc, eu convallis felis dolor ut purus. Sed ultricies placerat ante, blandit pharetra orci tincidunt sit amet. Nullam cursus, leo eget porta aliquet, nisl est sagittis nibh, ut placerat elit tellus nec risus. Vivamus cursus nec neque at sollicitudin. Morbi sit amet lacus erat. Duis tempor ipsum sem, in varius sem molestie eget. Phasellus aliquam nibh sed diam viverra, sit amet ornare ex fringilla. Donec ut ipsum laoreet, gravida justo vel, convallis ante. Nullam consequat tortor eu sapien iaculis, nec mattis justo ultricies.

Suspendisse semper massa porttitor molestie laoreet. Proin elementum dui neque, et feugiat libero porta a. In vel condimentum lectus, sit amet bibendum odio. Nunc nec lectus consequat, faucibus leo non, volutpat tortor. Mauris malesuada imperdiet lacus, eget placerat ipsum tempor non. Nunc sit amet purus finibus, consequat lectus et, venenatis magna. Curabitur iaculis vehicula augue. Duis ultrices efficitur metus ac maximus. Suspendisse vehicula ipsum justo. Suspendisse enim velit, facilisis id leo vel, ultricies ultrices lacus.

Donec finibus sodales diam ac sodales. Morbi sollicitudin iaculis neque, vitae fermentum quam. Donec ac urna nunc. Aenean urna orci, suscipit et quam mattis, tristique lobortis augue. Fusce ut sapien convallis, dapibus sem vitae, mattis quam. Etiam risus purus, porttitor eget lobortis sit amet, dictum et velit. Curabitur eget luctus sapien. Class aptent taciti sociosqu ad litora torquent per conubia nostra, per inceptos himenaeos. Nullam efficitur, ante malesuada efficitur aliquet, lorem tellus ornare urna, nec fermentum nunc eros nec purus.

Morbi nec pellentesque quam. Suspendisse quis ex nunc. Etiam in aliquam leo. Etiam volutpat euismod gravida. Aenean ultricies nisl nulla, quis condimentum tellus convallis

eget. Etiam malesuada egestas nisl sed vulputate. Mauris lacinia accumsan ornare. Donec bibendum ex ac gravida pretium. Nunc vitae pellentesque nisi.

Nam egestas imperdiet euismod. Ut id augue condimentum, varius nisl at, gravida nisi. Aliquam convallis velit gravida, dictum quam a, luctus nibh. In justo orci, venenatis eget orci quis, fringilla volutpat arcu. Nulla nec est sed erat ornare vehicula sit amet quis eros. Vestibulum nec magna orci. Donec ut semper massa.

Suspendisse id ex imperdiet, dapibus purus vel, euismod ex. In id nibh quis erat dapibus sollicitudin. Aliquam sit amet elit id purus fringilla tempus et vel diam. Mauris vel nulla volutpat, vehicula tellus et, mattis lorem. Fusce tempus consectetur vulputate. Proin lorem sem, lobortis fringilla consectetur id, aliquam et libero. Duis ultrices, mauris et posuere convallis, lorem risus imperdiet diam, vel ullamcorper quam ipsum sed tellus. Pellentesque quam nulla, suscipit non convallis quis, mollis vitae nisl. Donec elementum turpis non nibh convallis laoreet. Duis ornare sollicitudin blandit. Nunc sodales massa ex, porta euismod nisi molestie sit amet. Integer augue diam, consequat quis libero sed, dapibus dignissim augue. Etiam egestas est et luctus volutpat. In velit neque, bibendum ac finibus eget, tristique sit amet neque. Ut risus sem, lacinia quis hendrerit ut, luctus in neque. Suspendisse cursus mauris id lorem bibendum, a rutrum quam ullamcorper.

Aliquam non ipsum vitae purus congue pulvinar. Donec sodales sit amet elit et ullamcorper. Morbi at felis dignissim odio malesuada varius et vitae dolor. Ut scelerisque nisi eros, et fermentum nisl bibendum eget. Pellentesque leo ipsum, bibendum sit amet lectus in, imperdiet volutpat justo. Nunc a magna id magna ultricies gravida sit amet laoreet metus. Vestibulum in laoreet nisi. Fusce eget egestas dui. Aenean eget laoreet lorem. Nunc in tristique nisi, eget tempus leo. Aliquam maximus nunc sed rutrum gravida. Ut lobortis

suscipit vehicula. Aenean a massa id metus elementum suscipit sed at enim. Nullam luctus cursus hendrerit.

Vestibulum sed ante scelerisque, ullamcorper sem ac, pretium arcu. Aliquam erat volutpat. Curabitur at egestas nunc, eu aliquet ligula. Phasellus lorem felis, faucibus in dui a, consectetur volutpat elit. Integer bibendum lorem non erat blandit vehicula. Sed dapibus augue quam, eu sagittis velit euismod at. Duis condimentum auctor quam, in suscipit purus hendrerit at. Donec semper nibh vel iaculis rhoncus.

Nulla facilisi. Aliquam interdum posuere commodo. Donec id mi facilisis, faucibus sem a, venenatis mauris. Phasellus pharetra erat eu metus tempus porta. Sed vel augue finibus, commodo ex id, vulputate ligula. Quisque sed lorem eleifend, tristique lectus et, porttitor purus. Praesent ac dolor sit amet odio scelerisque aliquet sodales nec sapien. Morbi suscipit, lorem ac tristique pharetra, quam augue facilisis turpis, luctus gravida ante neque vitae urna. Nunc sem lorem, tincidunt non odio at, tempor volutpat nisi. Morbi vel placerat turpis. Pellentesque consectetur metus eget lacus sollicitudin condimentum. Class aptent taciti sociosqu ad litora torquent per conubia nostra, per inceptos himenaeos. Nunc varius ac nisl vulputate maximus.

In suscipit odio eu interdum finibus. Integer ut est et erat varius lacinia. Nullam consequat tempor ligula, quis commodo augue varius vel. Maecenas est metus, pellentesque ut sollicitudin et, pellentesque at lectus. Donec tincidunt elit orci, eu vestibulum ex rhoncus at. Nulla facilisi. Ut sit amet lobortis magna. Quisque malesuada mi quis consequat auctor. Mauris ut bibendum ante. Nulla nec eros eros. Donec euismod blandit lobortis. Aenean non lacinia odio. Sed consequat est nec faucibus accumsan. Fusce vel nisi ac massa efficitur euismod at sed turpis. Nunc vehicula posuere pharetra.

Sed ultricies est at malesuada pharetra. Donec varius nisl eu diam suscipit, vel interdum leo ultricies. Vestibulum ante

ipsum primis in faucibus orci luctus et ultrices posuere cubilia curae; Nam sed lectus nulla. Mauris congue dapibus quam. Etiam sit amet lobortis velit. Nunc libero nunc, auctor in convallis a, molestie at leo. Cras lacus elit, dignissim sit amet diam eget, ultrices tristique dolor. Etiam quis viverra lectus. Donec semper, dui ut accumsan congue, nulla sapien maximus massa, nec vulputate massa quam ut sapien. Praesent sagittis accumsan tincidunt. Donec porta ligula fermentum ultricies dignissim. Mauris imperdiet, arcu feugiat eleifend laoreet, sem ipsum interdum ligula, eu cursus turpis arcu eget tortor. Fusce a tristique tortor. Sed vel aliquam lectus. Donec laoreet tellus erat, nec facilisis sapien placerat sed.

Mauris pretium malesuada justo, ut luctus tellus commodo mattis. Nullam ornare suscipit ligula a placerat. Donec cursus tellus ultrices ante aliquet, nec iaculis libero lacinia. Praesent quis dolor eget nulla consectetur luctus tristique fermentum ex. Sed accumsan sollicitudin metus at elementum. Phasellus dictum, libero sit amet placerat maximus, nisi ipsum gravida turpis, sed tempor neque nunc sed massa. Nunc blandit posuere augue. Nunc efficitur mollis justo, et aliquam urna faucibus eu. Ut ultricies nunc et enim auctor interdum. Donec luctus massa eu justo fermentum, a tincidunt neque tincidunt. Orci varius natoque penatibus et magnis dis parturient montes, nascetur ridiculus mus. Quisque et ornare lorem. Integer vulputate, risus a porta euismod, mi tortor ultrices mi, eu tincidunt enim odio quis tellus. Aliquam eleifend, est eget maximus facilisis, augue nibh auctor lorem, sed mattis arcu odio luctus est. Proin tellus turpis, mollis quis sodales ut, semper vitae mauris.

Class aptent taciti sociosqu ad litora torquent per conubia nostra, per inceptos himenaeos. Donec vitae finibus sem. Pellentesque ultrices in ex ac scelerisque. Morbi imperdiet hendrerit odio quis laoreet. Cras aliquet est eu nulla porta accumsan. Quisque pulvinar et libero at porta. Quisque

vehicula ipsum mi, vitae pretium lectus ultricies et. In hac habitasse platea dictumst. Praesent rutrum, nisi in tincidunt aliquet, leo dolor fermentum elit, at vulputate quam odio nec felis. Aliquam non orci tincidunt, ultricies purus at, posuere felis.

Sed dapibus nisi sed tortor consectetur fermentum. Sed ex purus, faucibus laoreet diam nec, auctor malesuada risus. Quisque quis sagittis elit. Etiam dapibus diam orci, in sollicitudin massa tincidunt pellentesque. Nullam mattis posuere dignissim. Maecenas feugiat, nisi vel feugiat ornare, neque augue suscipit libero, quis malesuada enim metus a metus. Pellentesque iaculis turpis et odio dictum, ut elementum felis egestas. Fusce ut quam at tortor aliquam lacinia. Class aptent taciti sociosqu ad litora torquent per conubia nostra, per inceptos himenaeos. Ut quis mattis libero. Fusce quis ultricies sem.

Curabitur et magna tempus, faucibus tortor sed, aliquet velit. Fusce sed urna nulla. Mauris in nibh quam. Aliquam sed odio ultricies libero accumsan aliquet et quis justo. Praesent rutrum velit turpis, at consequat risus ullamcorper vel. Nam imperdiet ac magna a faucibus. Aliquam placerat fermentum dapibus. Nam ultricies euismod facilisis. Quisque consequat tincidunt enim eget fringilla. Fusce purus odio, lacinia et laoreet sit amet, ornare in magna. Vivamus a consectetur magna. Phasellus ornare sem luctus, maximus nisi quis, condimentum risus. Etiam ullamcorper sed massa sit amet mollis. Maecenas quis lacus fringilla ex volutpat ornare. Suspendisse lobortis fermentum fringilla. Vestibulum sit amet maximus leo, ac cursus nibh.

Donec iaculis maximus dui quis egestas. Ut gravida, tellus vitae mollis tincidunt, leo mauris ultrices turpis, sed finibus urna quam non tellus. Mauris sollicitudin venenatis neque vel ultricies. Lorem ipsum dolor sit amet, consectetur adipiscing elit. Nunc vestibulum sapien id lacus ullamcorper euismod. Aliquam id rhoncus purus, ac sagittis est. Fusce

finibus sagittis diam, non elementum est. Nulla rutrum eros
eget risus mattis, in condimentum erat eleifend. Sed arcu
odio, cursus ac tincidunt ac, aliquet sit amet nibh. Fusce
aliquam dictum orci. Donec aliquet ultrices nisi.

Donec volutpat tortor nec elementum tincidunt. Cras
tempor ultrices mauris vel semper. Phasellus vitae odio
dapibus, lobortis massa ac, malesuada ex. Nulla tincidunt at
lacus sit amet tincidunt. Maecenas orci nisi, ullamcorper nec
condimentum faucibus, consequat non metus. Maecenas ac
porttitor elit. Fusce fermentum lorem eget turpis pellentesque pellentesque. Pellentesque habitant morbi tristique
senectus et netus et malesuada fames ac turpis egestas.
Curabitur interdum, ligula non bibendum blandit, lectus
arcu molestie metus, ut dictum nibh lectus vel dolor. Duis
laoreet ipsum ac purus consequat, eu ullamcorper mi aliquet.

Donec id dignissim felis, in placerat mi. Integer ut magna
faucibus, maximus nulla euismod, semper urna. Nunc quis
dui lacinia, facilisis magna ac, pulvinar turpis. Praesent
volutpat nibh eu pharetra fringilla. Integer tristique
fermentum fringilla. Aenean eu rutrum neque. Nullam
lobortis lectus dolor, non volutpat lectus consequat at.

Ut diam elit, blandit quis tortor ac, ultrices varius diam.
Nam consequat rhoncus nisi, eget viverra massa. Proin
sollicitudin sem quis sodales lobortis. Aliquam vulputate ac
sapien id interdum. Curabitur posuere dapibus magna, et
imperdiet sem consectetur vitae. In a ornare purus. Donec
nulla risus, dapibus vel aliquet vel, imperdiet sit amet sem.
Class aptent taciti sociosqu ad litora torquent per conubia
nostra, per inceptos himenaeos. Maecenas varius condimentum dapibus. Nulla fringilla, leo ac dignissim porta, eros
risus pharetra elit, vitae feugiat erat lectus non dui.

Proin in leo neque. Aenean imperdiet augue sed ex sollicitudin, sed vehicula sapien tempor. Praesent cursus condimentum dictum. Vestibulum eget sapien nec lectus pulvinar
vestibulum. Proin accumsan tincidunt lacus, eu rhoncus ante

tempus ullamcorper. Suspendisse feugiat fringilla sagittis. Sed pulvinar dui et malesuada porttitor. Etiam sit amet justo dui. Nam at sem id enim lacinia porta. Curabitur sem dui, facilisis a molestie nec, aliquet eget elit. Vivamus viverra luctus tortor id condimentum. Curabitur ultricies blandit laoreet. Pellentesque vel risus non lacus feugiat gravida a sit amet mi. Ut ut placerat urna. In scelerisque ultricies odio.

Suspendisse vitae est hendrerit, tempor magna et, molestie turpis. Nam nec quam sapien. Vivamus imperdiet in risus ac posuere. Aenean varius rhoncus elementum. Aenean augue quam, euismod id lacus vitae, gravida aliquet felis. In augue turpis, lobortis sit amet augue vel, elementum aliquam risus. Donec viverra iaculis efficitur. Mauris auctor dui risus, ac fermentum magna auctor at. Vestibulum at bibendum enim. Proin venenatis, ex sed tempor consectetur, lectus metus suscipit augue, in rutrum erat est in augue. Praesent pulvinar eu nisl sit amet molestie. Sed at egestas velit. Fusce et molestie eros. Donec sit amet nisl sit amet felis aliquam fermentum eu in ligula. Pellentesque tincidunt, eros non aliquam pharetra, metus erat volutpat metus, a tincidunt dolor mi eget est.

Sed venenatis nunc sed dolor fringilla congue quis a ligula. Aliquam erat volutpat. Proin egestas est ut porttitor vulputate. Phasellus commodo metus vel sem auctor lacinia. Suspendisse tempus lorem justo, id ullamcorper dolor iaculis a. Phasellus quis auctor neque. Phasellus dapibus ut tortor a varius. Integer sit amet iaculis metus. Etiam diam metus, molestie mollis sodales euismod, fringilla vitae ligula. Suspendisse pellentesque ante sem, commodo mattis tortor semper ultrices. Vestibulum nec posuere ex.

Sed vitae velit lacus. Integer eleifend pulvinar dolor. Integer a libero quis sapien ullamcorper scelerisque quis quis eros. Maecenas id ligula ac nisi gravida varius nec in enim. Pellentesque rhoncus porta nunc, iaculis scelerisque metus rhoncus in. Nullam posuere purus id leo gravida, ut

consectetur nisl pulvinar. Cras ultrices hendrerit est nec accumsan. Mauris molestie sapien ut rhoncus malesuada. Mauris pulvinar suscipit luctus.

Quisque nec bibendum orci, at mattis sapien. Sed ut elit condimentum, consectetur quam id, tincidunt turpis. Phasellus nec tortor ex. Pellentesque habitant morbi tristique senectus et netus et malesuada fames ac turpis egestas. Nam maximus purus velit, at volutpat lorem tempus sit amet. Donec iaculis ultricies nulla ut bibendum. Vestibulum ante ipsum primis in faucibus.

CHAPTER 20

*L*orem ipsum dolor sit amet, consectetur adipiscing elit. Vivamus bibendum mi vitae lacus accumsan dignissim. Phasellus condimentum, sapien ut feugiat ullamcorper, neque dui convallis orci, a pulvinar ante dolor a felis. Nunc varius sapien sit amet porttitor rutrum. Vivamus eget semper nibh. Vivamus euismod neque a convallis vehicula. In sagittis porta elit, in dictum massa scelerisque a. Maecenas sit amet pharetra est, in rhoncus ex. Morbi placerat nulla at nisi lobortis sagittis. Suspendisse ligula lorem, pulvinar et tellus ut, iaculis pellentesque orci. Integer tincidunt, elit cursus dignissim tempus, ex diam auctor magna, vitae fringilla massa sapien quis est. Sed sit amet laoreet elit, id hendrerit turpis. Suspendisse suscipit fringilla placerat. Nunc diam erat, posuere sit amet leo id, porta pharetra orci.

Donec bibendum gravida massa id venenatis. In tincidunt lacinia elit bibendum luctus. Duis finibus enim ut enim ultricies, commodo efficitur diam venenatis. Vestibulum pellentesque justo eget purus hendrerit, ac lobortis augue consectetur. Etiam vitae consectetur velit, eget rutrum ipsum. Ut eget ante eu dolor ultricies pulvinar. Etiam

volutpat commodo justo eget dignissim. Donec ac lectus scelerisque, gravida est a, tincidunt sem. Integer volutpat orci quis mi pharetra porta. Etiam at fermentum nisl. Praesent et magna nunc. Mauris justo turpis, bibendum at lectus vitae, ultrices dictum nisi.

Quisque nunc massa, congue sed iaculis a, blandit ac enim. Suspendisse tristique tellus at sollicitudin venenatis. Vivamus vitae ornare tellus. Vestibulum mollis molestie tortor, et aliquam nisi iaculis luctus. Vivamus risus nisl, mattis vel tincidunt ac, posuere tempus tellus. Quisque in turpis neque. Ut iaculis eleifend urna, nec consequat elit egestas vitae. Nunc a massa fringilla, convallis velit at, molestie justo. Donec blandit iaculis tellus. Nam scelerisque vehicula pulvinar. Donec condimentum neque ut quam bibendum placerat.

Nullam viverra sem imperdiet eros pulvinar molestie. Morbi est lectus, vestibulum sed quam eu, scelerisque ultricies augue. Curabitur nisl libero, porttitor ut ipsum sit amet, gravida dignissim lorem. Aliquam vel molestie diam. Aliquam urna ligula, maximus eget purus nec, porttitor malesuada magna. Aenean orci nisi, sagittis sit amet odio et, euismod interdum ligula. Etiam venenatis risus sit amet consequat vehicula. Sed et aliquet ante. Mauris convallis eget ligula id hendrerit. Pellentesque vitae fringilla nibh. Integer interdum, libero non rhoncus consequat, arcu nisi commodo diam, eget facilisis erat sapien et justo. Morbi efficitur sapien nisl, sit amet fringilla neque pretium vel. Ut ex nisl, mattis a tempor a, aliquet eu leo.

Sed fermentum malesuada purus lacinia sollicitudin. Aliquam luctus pharetra molestie. Nunc luctus vehicula justo, quis finibus nunc feugiat vitae. Orci varius natoque penatibus et magnis dis parturient montes, nascetur ridiculus mus. Curabitur et enim vitae neque ornare condimentum. Nullam semper venenatis mauris, ut malesuada justo eleifend non. Duis eleifend pharetra erat, nec pretium nisl placerat sit

amet. Fusce malesuada vestibulum ligula eget iaculis. Mauris maximus porta nisi eget sollicitudin. Donec ultrices tincidunt risus, cursus volutpat quam tincidunt sit amet. Etiam commodo diam id urna imperdiet, vitae luctus dolor condimentum. Proin commodo justo vel orci tempus mollis. Morbi gravida mauris id lorem venenatis, ut tincidunt diam feugiat. Vivamus pretium faucibus urna id laoreet. Etiam et egestas arcu.

Aliquam in enim eu elit dapibus aliquam. Praesent in elit id nibh vulputate interdum. Class aptent taciti sociosqu ad litora torquent per conubia nostra, per inceptos himenaeos. Aliquam id euismod quam. Mauris tellus ligula, congue a quam vitae, scelerisque consequat sapien. Lorem ipsum dolor sit amet, consectetur adipiscing elit. Fusce sed quam rutrum, commodo tellus eu, aliquet justo.

Etiam mattis tristique libero, a aliquam sapien. Maecenas tortor urna, ultrices id elit sed, feugiat volutpat quam. Sed auctor, ligula at ornare maximus, quam mi malesuada urna, a aliquet enim nisl at erat. Ut scelerisque lacus id ipsum mollis, eu sollicitudin libero vehicula. Curabitur condimentum tortor quis sapien scelerisque ornare. Sed porta metus vel eros consectetur mollis. Cras imperdiet, ipsum quis sollici-tudin venenatis, ligula urna molestie tellus, ullamcorper suscipit nibh quam vitae arcu. Etiam at ligula eget mauris blandit lobortis hendrerit at nunc. Quisque vestibulum eleifend porta. Ut at semper nunc. Quisque non accumsan ante. Sed quis placerat sem, ac pharetra erat. Integer posuere orci nisl, quis auctor nisi volutpat non. Donec vulputate, purus ac suscipit congue, lorem neque fringilla justo, id congue leo risus id lacus.

In hac habitasse platea dictumst. Nullam a nisl at urna rutrum blandit in nec ligula. Vestibulum quis massa ut dolor ultrices pulvinar a sit amet dui. Vivamus volutpat dolor a sodales efficitur. Cras laoreet placerat tincidunt. Donec vulputate turpis a ipsum ultrices sollicitudin. Cras sed turpis

et sapien tristique luctus. Nullam in fermentum nisi, eu consequat justo. Morbi enim purus, imperdiet sit amet ipsum in, cursus eleifend mi. Donec porta lectus mi, pellentesque luctus urna pretium sed. Sed aliquam erat nec rhoncus lacinia. Vestibulum viverra pretium sapien nec ultrices. Maecenas finibus luctus erat, in accumsan purus gravida ut. Curabitur venenatis est fringilla rutrum sollicitudin. Nulla efficitur eleifend sem, non egestas elit sodales quis. Fusce ornare sem dolor, eu rutrum magna pretium ac.

Vivamus posuere massa et posuere semper. Pellentesque turpis tortor, bibendum nec porta tristique, venenatis quis ligula. Maecenas bibendum porta turpis, consectetur fringilla sem varius at. Suspendisse potenti. Morbi odio diam, fermentum ac libero sed, porta scelerisque arcu. Sed porttitor sapien turpis, eget pharetra magna scelerisque ut. Phasellus ornare leo in turpis viverra interdum.

Nulla id venenatis enim. Donec placerat dignissim sapien, in rutrum libero iaculis vel. Cras et placerat metus, ut pulvinar leo. Etiam ut cursus ante, nec pellentesque libero. Curabitur vitae lacinia diam. Nunc malesuada tortor sapien, sed aliquet est facilisis sit amet. Nunc scelerisque malesuada accumsan. Nunc nec maximus nisi. Mauris vitae vulputate neque. Mauris ac urna leo. Vestibulum placerat pulvinar sem sed dapibus. Sed nulla augue, elementum eget convallis id, egestas cursus leo. Pellentesque mi lacus, accumsan id mauris nec, malesuada lacinia sapien. Donec tincidunt odio sit amet ligula venenatis, vitae euismod erat rhoncus. Maecenas semper et ligula id ultricies. Nulla fringilla libero felis, sit amet cursus orci accumsan quis.

Sed non purus odio. Duis aliquet justo ligula, placerat maximus odio iaculis vitae. Integer dignissim at ligula vitae porttitor. Sed blandit mauris sed faucibus malesuada. Donec a porta quam. Cras ut tempus mi, auctor maximus neque. Proin at metus mauris. Maecenas fermentum ultrices porttitor. Aliquam eget augue a diam mollis consequat ultrices

condimentum nulla. Vivamus vel felis ullamcorper, tincidunt quam ut, malesuada ligula. Nulla vel lectus lacus. Etiam ut dictum dolor. Duis tempus maximus volutpat. Fusce maximus tincidunt dui, vitae rutrum elit imperdiet et. Sed eget urna mi. Aenean nec metus nisi.

Cras pellentesque justo enim, ac pulvinar nulla ultrices vitae. Vestibulum suscipit consectetur tempor. Pellentesque sed congue libero, in semper sapien. Interdum et malesuada fames ac ante ipsum primis in faucibus. Maecenas vehicula sit amet diam eu congue. Cras pretium, sapien sed posuere laoreet, tortor tortor mollis risus, quis dictum quam risus in metus. Quisque a ligula nisl. Morbi consectetur nisi id libero luctus dictum. Cras at arcu risus. Praesent venenatis dapibus dictum. Praesent molestie quis sem sit amet tincidunt. Vivamus suscipit mauris sed scelerisque pharetra. Aliquam feugiat urna fringilla nunc ornare, sed laoreet quam vehicula. Nullam ac justo sit amet augue consectetur facilisis. Nunc imperdiet dolor dolor.

Sed vitae lacus lacus. Mauris in enim posuere felis sollicitudin maximus. Sed et ante ac quam tincidunt efficitur. Fusce nisl sem, auctor eget nisl accumsan, tincidunt gravida nulla. Integer scelerisque in eros fermentum semper. Donec sollicitudin a sem eget volutpat. Suspendisse justo neque, aliquam bibendum velit at, malesuada egestas sem. Nulla ac est convallis urna tincidunt pulvinar fermentum non libero. Proin vestibulum, lorem vel euismod vulputate, lacus nisl varius tellus, ut ultrices dolor orci eu turpis. Duis efficitur ut tellus sit amet luctus. Aliquam erat volutpat. Nulla consequat viverra mauris sit amet consectetur. Phasellus laoreet tempus mauris sed varius.

Aliquam a sem dui. Suspendisse potenti. Morbi nec enim non diam vehicula fermentum. Sed porttitor elit non ante molestie, eu aliquet nulla pharetra. Phasellus eros magna, dapibus nec quam id, egestas mattis quam. Vestibulum sed mi ac justo elementum efficitur quis quis enim. Vestibulum

leo leo, condimentum vitae dolor eget, dignissim placerat eros. Maecenas elementum porttitor sollicitudin. Proin convallis posuere scelerisque. Vestibulum lacinia vulputate porta. Pellentesque habitant morbi tristique senectus et netus et malesuada fames ac turpis egestas.

Fusce aliquet metus massa, at elementum justo elementum id. Mauris aliquam justo sed elit dignissim, nec egestas augue condimentum. Proin consequat arcu ut ligula sollicitudin, at elementum est rutrum. Aliquam tristique, odio at vehicula volutpat, nunc sem porttitor lectus, ut fringilla dolor eros in eros. Morbi quis bibendum felis, in porta ligula. Aenean dignissim feugiat purus vitae sagittis. Duis finibus massa felis, at finibus odio sollicitudin eu. Morbi at finibus ligula.

Morbi ante purus, laoreet dignissim enim in, ullamcorper iaculis purus. Nunc malesuada nisl justo. Sed consequat enim id pulvinar convallis. Fusce blandit, sem varius cursus commodo, nisi purus imperdiet odio, eget mollis orci ante a magna. Praesent molestie nunc vel quam mollis porttitor. Integer mi est, pellentesque ut orci eget, ultricies porttitor velit. Integer feugiat, est vel ullamcorper sodales, libero felis sodales ante, nec tincidunt lectus nibh vitae sapien.

Sed arcu tortor, ultrices vitae tortor vel, ornare fermentum mi. Sed finibus nulla quis blandit egestas. Phasellus eu nulla mauris. Pellentesque ultricies libero metus, eu finibus justo mollis quis. Aliquam pharetra lacus ut facilisis vestibulum. Nunc imperdiet a tellus vitae rhoncus. Nulla non ornare felis, eu consectetur risus. Pellentesque a congue ante. In hac habitasse platea dictumst. Phasellus in pellentesque ex. Praesent iaculis orci id velit suscipit, ac laoreet augue venenatis. Proin felis turpis, molestie vitae commodo quis, suscipit nec nunc. Vestibulum in magna orci. Sed at consequat erat, quis lacinia ex.

Suspendisse faucibus, lorem vitae fermentum fermentum, odio purus efficitur enim, eu sollicitudin sapien lectus nec

erat. Vestibulum ante ipsum primis in faucibus orci luctus et ultrices posuere cubilia curae; Lorem ipsum dolor sit amet, consectetur adipiscing elit. Integer aliquam tempor ipsum, in rutrum enim consectetur in. Fusce vel imperdiet purus. Suspendisse quis euismod eros. Ut et ex pellentesque diam posuere faucibus iaculis dignissim orci. Nunc sed nibh mi. Nunc vitae dignissim quam. Morbi dictum est a magna cursus, nec rhoncus sem pellentesque.

Sed dignissim cursus ex. Donec lacinia nisi in neque semper ullamcorper. Praesent non nibh at ante eleifend ultrices non vel magna. Donec congue viverra dolor sed consequat. Donec fermentum nunc ut congue malesuada. In nec nisi felis. Etiam lectus dolor, tincidunt a pharetra eget, placerat vulputate mauris.

Nulla sodales, arcu ullamcorper placerat dignissim, dolor turpis congue nisl, quis fringilla ex massa lacinia enim. In vulputate aliquam augue. Mauris eget imperdiet lectus. Pellentesque habitant morbi tristique senectus et netus et malesuada fames ac turpis egestas. Quisque at augue purus. Donec sit amet tincidunt augue. Nunc ac metus nec urna maximus accumsan.

Quisque bibendum nisl tincidunt nulla tincidunt tempor. Nulla viverra laoreet ex id imperdiet. Proin feugiat, magna interdum dapibus mattis, libero dui fermentum felis, eget luctus ante risus in justo. Aliquam luctus imperdiet nisl, vel porta erat egestas quis. Nulla ullamcorper auctor neque a ullamcorper. Nam aliquet justo a dui aliquam, eu mattis sapien pulvinar. Vivamus neque felis, pellentesque sed lorem non, elementum faucibus eros.

Nunc nulla tellus, sollicitudin sed turpis sit amet, rhoncus feugiat dui. Vivamus id feugiat mauris. Cras consectetur dapibus risus sed suscipit. Aenean porttitor, lorem quis gravida sollicitudin, velit libero elementum erat, quis porttitor tortor neque id dui. Vestibulum sed tempus quam. Maecenas laoreet sapien sed lacus commodo hendrerit. Cras

aliquet, odio id rutrum viverra, enim eros laoreet orci, nec hendrerit nibh nisl quis neque. Donec consequat, ligula a facilisis fringilla, urna odio iaculis nunc, eu convallis felis dolor ut purus. Sed ultricies placerat ante, blandit pharetra orci tincidunt sit amet. Nullam cursus, leo eget porta aliquet, nisl est sagittis nibh, ut placerat elit tellus nec risus. Vivamus cursus nec neque at sollicitudin. Morbi sit amet lacus erat. Duis tempor ipsum sem, in varius sem molestie eget. Phasellus aliquam nibh sed diam viverra, sit amet ornare ex fringilla. Donec ut ipsum laoreet, gravida justo vel, convallis ante. Nullam consequat tortor eu sapien iaculis, nec mattis justo ultricies.

Suspendisse semper massa porttitor molestie laoreet. Proin elementum dui neque, et feugiat libero porta a. In vel condimentum lectus, sit amet bibendum odio. Nunc nec lectus consequat, faucibus leo non, volutpat tortor. Mauris malesuada imperdiet lacus, eget placerat ipsum tempor non. Nunc sit amet purus finibus, consequat lectus et, venenatis magna. Curabitur iaculis vehicula augue. Duis ultrices efficitur metus ac maximus. Suspendisse vehicula ipsum justo. Suspendisse enim velit, facilisis id leo vel, ultricies ultrices lacus.

Donec finibus sodales diam ac sodales. Morbi sollicitudin iaculis neque, vitae fermentum quam. Donec ac urna nunc. Aenean urna orci, suscipit et quam mattis, tristique lobortis augue. Fusce ut sapien convallis, dapibus sem vitae, mattis quam. Etiam risus purus, porttitor eget lobortis sit amet, dictum et velit. Curabitur eget luctus sapien. Class aptent taciti sociosqu ad litora torquent per conubia nostra, per inceptos himenaeos. Nullam efficitur, ante malesuada efficitur aliquet, lorem tellus ornare urna, nec fermentum nunc eros nec purus.

Morbi nec pellentesque quam. Suspendisse quis ex nunc. Etiam in aliquam leo. Etiam volutpat euismod gravida. Aenean ultricies nisl nulla, quis condimentum tellus convallis

eget. Etiam malesuada egestas nisl sed vulputate. Mauris lacinia accumsan ornare. Donec bibendum ex ac gravida pretium. Nunc vitae pellentesque nisi.

Nam egestas imperdiet euismod. Ut id augue condimentum, varius nisl at, gravida nisi. Aliquam convallis velit gravida, dictum quam a, luctus nibh. In justo orci, venenatis eget orci quis, fringilla volutpat arcu. Nulla nec est sed erat ornare vehicula sit amet quis eros. Vestibulum nec magna orci. Donec ut semper massa.

Suspendisse id ex imperdiet, dapibus purus vel, euismod ex. In id nibh quis erat dapibus sollicitudin. Aliquam sit amet elit id purus fringilla tempus et vel diam. Mauris vel nulla volutpat, vehicula tellus et, mattis lorem. Fusce tempus consectetur vulputate. Proin lorem sem, lobortis fringilla consectetur id, aliquam et libero. Duis ultrices, mauris et posuere convallis, lorem risus imperdiet diam, vel ullamcorper quam ipsum sed tellus. Pellentesque quam nulla, suscipit non convallis quis, mollis vitae nisl. Donec elementum turpis non nibh convallis laoreet. Duis ornare sollicitudin blandit. Nunc sodales massa ex, porta euismod nisi molestie sit amet. Integer augue diam, consequat quis libero sed, dapibus dignissim augue. Etiam egestas est et luctus volutpat. In velit neque, bibendum ac finibus eget, tristique sit amet neque. Ut risus sem, lacinia quis hendrerit ut, luctus in neque. Suspendisse cursus mauris id lorem bibendum, a rutrum quam ullamcorper.

Aliquam non ipsum vitae purus congue pulvinar. Donec sodales sit amet elit et ullamcorper. Morbi at felis dignissim odio malesuada varius et vitae dolor. Ut scelerisque nisi eros, et fermentum nisl bibendum eget. Pellentesque leo ipsum, bibendum sit amet lectus in, imperdiet volutpat justo. Nunc a magna id magna ultricies gravida sit amet laoreet metus. Vestibulum in laoreet nisi. Fusce eget egestas dui. Aenean eget laoreet lorem. Nunc in tristique nisi, eget tempus leo. Aliquam maximus nunc sed rutrum gravida. Ut lobortis

suscipit vehicula. Aenean a massa id metus elementum suscipit sed at enim. Nullam luctus cursus hendrerit.

Vestibulum sed ante scelerisque, ullamcorper sem ac, pretium arcu. Aliquam erat volutpat. Curabitur at egestas nunc, eu aliquet ligula. Phasellus lorem felis, faucibus in dui a, consectetur volutpat elit. Integer bibendum lorem non erat blandit vehicula. Sed dapibus augue quam, eu sagittis velit euismod at. Duis condimentum auctor quam, in suscipit purus hendrerit at. Donec semper nibh vel iaculis rhoncus.

Nulla facilisi. Aliquam interdum posuere commodo. Donec id mi facilisis, faucibus sem a, venenatis mauris. Phasellus pharetra erat eu metus tempus porta. Sed vel augue finibus, commodo ex id, vulputate ligula. Quisque sed lorem eleifend, tristique lectus et, porttitor purus. Praesent ac dolor sit amet odio scelerisque aliquet sodales nec sapien. Morbi suscipit, lorem ac tristique pharetra, quam augue facilisis turpis, luctus gravida ante neque vitae urna. Nunc sem lorem, tincidunt non odio at, tempor volutpat nisi. Morbi vel placerat turpis. Pellentesque consectetur metus eget lacus sollicitudin condimentum. Class aptent taciti sociosqu ad litora torquent per conubia nostra, per inceptos himenaeos. Nunc varius ac nisl vulputate maximus.

In suscipit odio eu interdum finibus. Integer ut est et erat varius lacinia. Nullam consequat tempor ligula, quis commodo augue varius vel. Maecenas est metus, pellen-tesque ut sollicitudin et, pellentesque at lectus. Donec tincidunt elit orci, eu vestibulum ex rhoncus at. Nulla facilisi. Ut sit amet lobortis magna. Quisque malesuada mi quis consequat auctor. Mauris ut bibendum ante. Nulla nec eros eros. Donec euismod blandit lobortis. Aenean non lacinia odio. Sed consequat est nec faucibus accumsan. Fusce vel nisi ac massa efficitur euismod at sed turpis. Nunc vehicula posuere pharetra.

Sed ultricies est at malesuada pharetra. Donec varius nisl eu diam suscipit, vel interdum leo ultricies. Vestibulum ante

ipsum primis in faucibus orci luctus et ultrices posuere cubilia curae; Nam sed lectus nulla. Mauris congue dapibus quam. Etiam sit amet lobortis velit. Nunc libero nunc, auctor in convallis a, molestie at leo. Cras lacus elit, dignissim sit amet diam eget, ultrices tristique dolor. Etiam quis viverra lectus. Donec semper, dui ut accumsan congue, nulla sapien maximus massa, nec vulputate massa quam ut sapien. Praesent sagittis accumsan tincidunt. Donec porta ligula fermentum ultricies dignissim. Mauris imperdiet, arcu feugiat eleifend laoreet, sem ipsum interdum ligula, eu cursus turpis arcu eget tortor. Fusce a tristique tortor. Sed vel aliquam lectus. Donec laoreet tellus erat, nec facilisis sapien placerat sed.

Mauris pretium malesuada justo, ut luctus tellus commodo mattis. Nullam ornare suscipit ligula a placerat. Donec cursus tellus ultrices ante aliquet, nec iaculis libero lacinia. Praesent quis dolor eget nulla consectetur luctus tristique fermentum ex. Sed accumsan sollicitudin metus at elementum. Phasellus dictum, libero sit amet placerat maximus, nisi ipsum gravida turpis, sed tempor neque nunc sed massa. Nunc blandit posuere augue. Nunc efficitur mollis justo, et aliquam urna faucibus eu. Ut ultricies nunc et enim auctor interdum. Donec luctus massa eu justo fermentum, a tincidunt neque tincidunt. Orci varius natoque penatibus et magnis dis parturient montes, nascetur ridiculus mus. Quisque et ornare lorem. Integer vulputate, risus a porta euismod, mi tortor ultrices mi, eu tincidunt enim odio quis tellus. Aliquam eleifend, est eget maximus facilisis, augue nibh auctor lorem, sed mattis arcu odio luctus est. Proin tellus turpis, mollis quis sodales ut, semper vitae mauris.

Class aptent taciti sociosqu ad litora torquent per conubia nostra, per inceptos himenaeos. Donec vitae finibus sem. Pellentesque ultrices in ex ac scelerisque. Morbi imperdiet hendrerit odio quis laoreet. Cras aliquet est eu nulla porta accumsan. Quisque pulvinar et libero at porta. Quisque

vehicula ipsum mi, vitae pretium lectus ultricies et. In hac habitasse platea dictumst. Praesent rutrum, nisi in tincidunt aliquet, leo dolor fermentum elit, at vulputate quam odio nec felis. Aliquam non orci tincidunt, ultricies purus at, posuere felis.

Sed dapibus nisi sed tortor consectetur fermentum. Sed ex purus, faucibus laoreet diam nec, auctor malesuada risus. Quisque quis sagittis elit. Etiam dapibus diam orci, in sollici-tudin massa tincidunt pellentesque. Nullam mattis posuere dignissim. Maecenas feugiat, nisi vel feugiat ornare, neque augue suscipit libero, quis malesuada enim metus a metus. Pellentesque iaculis turpis et odio dictum, ut elementum felis egestas. Fusce ut quam at tortor aliquam lacinia. Class aptent taciti sociosqu ad litora torquent per conubia nostra, per inceptos himenaeos. Ut quis mattis libero. Fusce quis ultricies sem.

Curabitur et magna tempus, faucibus tortor sed, aliquet velit. Fusce sed urna nulla. Mauris in nibh quam. Aliquam sed odio ultricies libero accumsan aliquet et quis justo. Prae-sent rutrum velit turpis, at consequat risus ullamcorper vel. Nam imperdiet ac magna a faucibus. Aliquam placerat fermentum dapibus. Nam ultricies euismod facilisis. Quisque consequat tincidunt enim eget fringilla. Fusce purus odio, lacinia et laoreet sit amet, ornare in magna. Vivamus a consectetur magna. Phasellus ornare sem luctus, maximus nisi quis, condimentum risus. Etiam ullamcorper sed massa sit amet mollis. Maecenas quis lacus fringilla ex volutpat ornare. Suspendisse lobortis fermentum fringilla. Vestibulum sit amet maximus leo, ac cursus nibh.

Donec iaculis maximus dui quis egestas. Ut gravida, tellus vitae mollis tincidunt, leo mauris ultrices turpis, sed finibus urna quam non tellus. Mauris sollicitudin venenatis neque vel ultricies. Lorem ipsum dolor sit amet, consectetur adip-iscing elit. Nunc vestibulum sapien id lacus ullamcorper euismod. Aliquam id rhoncus purus, ac sagittis est. Fusce

finibus sagittis diam, non elementum est. Nulla rutrum eros eget risus mattis, in condimentum erat eleifend. Sed arcu odio, cursus ac tincidunt ac, aliquet sit amet nibh. Fusce aliquam dictum orci. Donec aliquet ultrices nisi.

Donec volutpat tortor nec elementum tincidunt. Cras tempor ultrices mauris vel semper. Phasellus vitae odio dapibus, lobortis massa ac, malesuada ex. Nulla tincidunt at lacus sit amet tincidunt. Maecenas orci nisi, ullamcorper nec condimentum faucibus, consequat non metus. Maecenas ac porttitor elit. Fusce fermentum lorem eget turpis pellentesque pellentesque. Pellentesque habitant morbi tristique senectus et netus et malesuada fames ac turpis egestas. Curabitur interdum, ligula non bibendum blandit, lectus arcu molestie metus, ut dictum nibh lectus vel dolor. Duis laoreet ipsum ac purus consequat, eu ullamcorper mi aliquet.

Donec id dignissim felis, in placerat mi. Integer ut magna faucibus, maximus nulla euismod, semper urna. Nunc quis dui lacinia, facilisis magna ac, pulvinar turpis. Praesent volutpat nibh eu pharetra fringilla. Integer tristique fermentum fringilla. Aenean eu rutrum neque. Nullam lobortis lectus dolor, non volutpat lectus consequat at.

Ut diam elit, blandit quis tortor ac, ultrices varius diam. Nam consequat rhoncus nisi, eget viverra massa. Proin sollicitudin sem quis sodales lobortis. Aliquam vulputate ac sapien id interdum. Curabitur posuere dapibus magna, et imperdiet sem consectetur vitae. In a ornare purus. Donec nulla risus, dapibus vel aliquet vel, imperdiet sit amet sem. Class aptent taciti sociosqu ad litora torquent per conubia nostra, per inceptos himenaeos. Maecenas varius condimentum dapibus. Nulla fringilla, leo ac dignissim porta, eros risus pharetra elit, vitae feugiat erat lectus non dui.

Proin in leo neque. Aenean imperdiet augue sed ex sollicitudin, sed vehicula sapien tempor. Praesent cursus condimentum dictum. Vestibulum eget sapien nec lectus pulvinar vestibulum. Proin accumsan tincidunt lacus, eu rhoncus ante

tempus ullamcorper. Suspendisse feugiat fringilla sagittis. Sed pulvinar dui et malesuada porttitor. Etiam sit amet justo dui. Nam at sem id enim lacinia porta. Curabitur sem dui, facilisis a molestie nec, aliquet eget elit. Vivamus viverra luctus tortor id condimentum. Curabitur ultricies blandit laoreet. Pellentesque vel risus non lacus feugiat gravida a sit amet mi. Ut ut placerat urna. In scelerisque ultricies odio.

Suspendisse vitae est hendrerit, tempor magna et, molestie turpis. Nam nec quam sapien. Vivamus imperdiet in risus ac posuere. Aenean varius rhoncus elementum. Aenean augue quam, euismod id lacus vitae, gravida aliquet felis. In augue turpis, lobortis sit amet augue vel, elementum aliquam risus. Donec viverra iaculis efficitur. Mauris auctor dui risus, ac fermentum magna auctor at. Vestibulum at bibendum enim. Proin venenatis, ex sed tempor consectetur, lectus metus suscipit augue, in rutrum erat est in augue. Praesent pulvinar eu nisl sit amet molestie. Sed at egestas velit. Fusce et molestie eros. Donec sit amet nisl sit amet felis aliquam fermentum eu in ligula. Pellentesque tincidunt, eros non aliquam pharetra, metus erat volutpat metus, a tincidunt dolor mi eget est.

Sed venenatis nunc sed dolor fringilla congue quis a ligula. Aliquam erat volutpat. Proin egestas est ut porttitor vulputate. Phasellus commodo metus vel sem auctor lacinia. Suspendisse tempus lorem justo, id ullamcorper dolor iaculis a. Phasellus quis auctor neque. Phasellus dapibus ut tortor a varius. Integer sit amet iaculis metus. Etiam diam metus, molestie mollis sodales euismod, fringilla vitae ligula. Suspendisse pellentesque ante sem, commodo mattis tortor semper ultrices. Vestibulum nec posuere ex.

Sed vitae velit lacus. Integer eleifend pulvinar dolor. Integer a libero quis sapien ullamcorper scelerisque quis quis eros. Maecenas id ligula ac nisi gravida varius nec in enim. Pellentesque rhoncus porta nunc, iaculis scelerisque metus rhoncus in. Nullam posuere purus id leo gravida, ut

consectetur nisl pulvinar. Cras ultrices hendrerit est nec accumsan. Mauris molestie sapien ut rhoncus malesuada. Mauris pulvinar suscipit luctus.

Quisque nec bibendum orci, at mattis sapien. Sed ut elit condimentum, consectetur quam id, tincidunt turpis. Phasellus nec tortor ex. Pellentesque habitant morbi tristique senectus et netus et malesuada fames ac turpis egestas. Nam maximus purus velit, at volutpat lorem tempus sit amet. Donec iaculis ultricies nulla ut bibendum. Vestibulum ante ipsum primis in faucibus.

CPSIA information can be obtained
at www.ICGtesting.com
Printed in the USA
LVHW010023270921
698795LV00001B/14